LA COLMENA

NARRATIVA

CAMILO JOSÉ CELA

LA COLMENA

Edición
Eduardo Alonso

COLECCIÓN AUSTRAL

© Camilo José Cela, 1951
© De la introducción y notas: Eduardo Alonso, 1997
© De esta edición: Espasa Calpe, S. A., 1997

Diseño de cubierta: Tasmanias

Depósito legal: M. 36.309—1997

ISBN 84—239—7421—9

Impreso en España/Printed in Spain
Impresión: UNIGRAF, S. L.

ESPASA

Editorial Espasa Calpe, S. A.
Carretera de Irún, km 12,200. 28049 Madrid

ÍNDICE

LA COLMENA

INTRODUCCIÓN

¡Cualquiera sabe! Cada vida es una novela.

La colmena, I. 33

Casi cincuenta años después de su publicación, LA
COLMENA conserva vivo su terrible testimonio del Madrid de posguerra. Lo que grita en esta novela, dice
Alonso Zamora[1], es la secuela de la tragedia. Un enjambre humano bulle entre las ruinas y los recuerdos de la
guerra recién terminada. «La ciudad: ese sepulcro, esa
cucaña, esa colmena». Los mármoles de los veladores del
café «La Delicia» —irónico nombre— fueron antes lápidas del cementerio, y sobre ellos se acodan los clientes,
pensativos y resignados, matando el tiempo. Creen que
«las cosas pasan porque sí, sin que nadie se lo explique a
ciencia cierta». Pero hay que vivir, y en esa difícil tarea
cotidiana, como en el juego de la cucaña, cada uno se las
apaña como puede: «lo mejor es que cada cual viva su
vida, no le parece?». Unos pocos tienen dinero, como

---

[1] *Camilo José Cela. Acercamiento a un escritor,* Gredos, Madrid,
1962, pág. 62.

doña Rosa, la dueña del café, que es «la misma imagen de la venganza del nutrido contra el hambriento». Los más sufren penurias y vejaciones. Sin embargo, entre los escombros del pasado, a esa vieja planta que es Madrid le brotan algunos tallitos verdes.

LA COLMENA es, en efecto, una formidable crónica no sólo de la miserable vida cotidiana, sino del turbio clima espiritual que se había instalado en la conciencia de la gente común. No era fácil en aquellas fechas una literatura que reflejara la realidad. El Régimen reprimía las opiniones discrepantes, interpretaba las circunstancias a su conveniencia, manipulaba la información, falseaba la verdad cotidiana y censuraba la creación artística. Ni los periódicos, ni el cine, ni mucha literatura de la época dan muestras ricas y fiables de la difícil tarea de vivir. LA COLMENA, en cambio, es un detallado testimonio de unas pobres vidas acuciadas por el hambre, el frío, las enfermedades, el sexo, la apariencia, la soledad, el miedo, el tedio y la incertidumbre de no saber qué pasará mañana. Pero esta verdad documental y costumbrista es también una verdad artística gracias a su calidad literaria. Leída o releída hoy, LA COLMENA es una novela eficaz y conmovedora. Para ser eficaz la literatura se vale de procedimientos diversos, y uno magnífico es la interpretación sentimental del mundo. El Madrid de posguerra —o una parte de él— es visto bastante a la tremenda, con agria ironía, en ocasiones con humor atroz. Es un mundo sin dignidad, que deja en el lector un fondo de amargura y repulsión. A veces, sin embargo, lo cruza un fugaz aliento de ternura y de contenida compasión.

EL OFICIO DE ESCRIBIR

Cuando apareció LA COLMENA, hacía nueve años que Cela había publicado su primer libro, *La familia de Pascual Duarte* (1942). Fue un comienzo exitoso. Con aquella historia inició una laboriosa actividad literaria que hoy parece ingente y variada: novelas, cuentos, poesía, libros de viaje, teatro, ensayos, diccionarios filológicos e infinidad de artículos. Cela siempre ha creído más en el trabajo que en los súbitos hallazgos de la inspiración. La inspiración, ha dicho muchas veces, consiste en sentarse día tras día durante seis, ocho o diez horas ante unas cuartillas en blanco. «En la vida, y en la literatura más, hay que estar siempre al pie del cañón [2].»

El trabajo de escribir es un quehacer solitario. Al recoger el premio Nobel, en el discurso titulado «Elogio de la fábula», Cela confesó lo siguiente:

> Me reconforta la idea de que no he buscado, sino encontrado la soledad, y que desde ella pienso y trabajo y vivo —y escribo y hablo—, creo que con sosiego y una casi infinita resignación.

Otra sostenida actitud suya ha sido la concepción de la literatura como un oficio muy exigente. «La literatura no es más que una mantenida pelea contra la literatura», afirmó. El combate creador o rigor profesional se manifiesta en la voluntad de estilo, la destreza en el manejo de

---

[2]   Entrevista a C. J. C., *Ínsula,* 518-519 (1990), pág. 80.

la herramienta lingüística, el interés por muchos géneros
y el afán experimentador. Su taller de escritor es como un
laboratorio en el que durante más de medio siglo ha ensa-
yado nuevas formas de novelar. Cela ha desdeñado el di-
letantismo, que sueler ser entusiasta, pero chapucero y
provisional. «Yo no tengo *hobbies*», afirmó. En cambio,
opina que «España es un país de aficionados».

Desde aquel remoto 1942 hasta hoy, Cela ha ocupado
un puesto cimero en la vida cultural. A ello ha contribuido
la relevancia de su obra y en no pequeña medida «el ir
por la vida disfrazado de beligerante». Cuando apareció
su primera novela, la literatura de ficción era, según
Alborg[3], un barco encallado. Y fue Cela, «un joven prác-
ticamente desconocido, quien lo desatrancó y puso en
marcha». Sólo once años después, con desplante provocador, ya se consideraba «el más importante novelista
desde el 98 y me espanta el considerar lo fácil que me resultó»[4]. La popularidad de Cela no ha hecho sino crecer
con los años. A sus libros y artículos de periódico,
intervenciones televisivas, anécdotas y protagonismo pu-
blicitario, hay que sumar el reconocimiento universal que
le ha llegado con los más altos galardones que puede
conseguir un escritor: el Premio Nacional en 1984, el
Príncipe de Asturias en 1987, el premio Nobel en 1989, y
el deseado premio Cervantes, por fin, en 1995, del que se
veía postergado. Pero en España el que resiste, gana,
suele decir. También obtuvo el premio Planeta de novela
en 1994 con *La cruz de San Andrés*.

---

[3] *Hora actual de la novela española,* Taurus, Madrid, 1958, pág. 80.
[4] C. J. Cela, *Baraja de invenciones,* Castalia, Valencia, 1953, pág. 8.

APUNTE BIOGRÁFICO

Camilo José Cela Trulock nació el 11 de mayo de 1916 en un pueblo que tiene «el nombre más hermoso del mundo»: Iria Flavia, en los alrededores de la villa de Padrón, provincia de A Coruña. En dos libros muy emotivos, *La rosa* (1959) y *Memorias, entendimientos y voluntades* (1993), evocó su niñez y juventud. Reunió Cela «tres sangres», dice: la gallega de su padre, y la inglesa e italiana que confluían en su madre, Camila Emmanuela Trulock Bertorini. La «infancia dorada» discurrió en las casas grandes de Iria y Tuy, amparado por abuelos, criadas y jardineros, con el angelical cuidado materno y la sombra cautelosa e inexplicable de la figura paterna. Las aventuras escolares, las gentes humildes y la verde Galicia se recuerdan con alegre y confusa nostalgia. La primera niñez fue como una rosa cándida que murió de golpe a los siete años[5].

La profesión del padre, agente de aduanas, es la causa de los traslados a Almería, Arousa (Pontevedra) y Barcelona, hasta que, en 1925, la familia se asienta en Madrid.

Cela no fue, al parecer, un estudiante modélico. «Alumno entre inútil y rebelde de los maristas»[6], al acabar el bachillerato se matriculó en Medicina, pero abandonó la carrera en primer curso. Según confesión propia, estudió luego física y peritaje agrícola, sin terminar nada. En cambio, la lectura y las clases de literatura de Pedro

---

[5] C. J. Cela, *La rosa,* Destino, Barcelona, 1979, pág. 226.

[6] C. J. Cela Conde, «El taller del escritor», *Ínsula*, cit,. pág. 17. Y *Cela, mi padre*, Temas de hoy, Madrid, 1989.

Salinas en la Universidad, a las que asistía ocasionalmente, decidieron su futuro de escritor. Sus primeros escritos fueron los poemas que publicó años más tarde con
el título gongorino de *Pisando la dudosa luz del día*[7]
(1945). Los días previos y posteriores al 18 de julio de
1936, día de san Camilo, fueron novelados treinta años
después como un ritual de violencia y necedad en la novela
titulada, precisamente, *San Camilo 1936*. En 1937 abandonó Madrid y luego combatió en el ejército de Franco
como cabo artillero.

Después de la guerra, estudió tres años de Derecho,
trabajó de oficinista en Sindicatos y fue censor de revistas religiosas. Tras publicar el *Pascual Duarte,* su dedi-
cación a la literatura es completa. De sus andanzas por
media España, fueron naciendo libros de viaje que daban
cuenta de la vida que le salía al paso. Observador que
está «a la que salga», adopta la actitud del novelista que
narra anécdotas, relaciona a la gente con el medio y capta
detalles cotidianos o pintorescos. En estos libros de «andar y ver» Cela continúa la tradición viajera de los escritores del 98, que buscaban la España real; siente pre-
ferencia por los tipos barojianos; le inspira, también, la
teoría orteguiana del paisaje: el paisaje es nuestra limita-
ción, nuestro destino, en la medida en que la realidad del
hombre y su medio son indivisibles[8]. La primera y más
famosa de las obras andariegas de Cela fue *Viaje a la Alcarria* (1948), a la que siguieron otros relatos de cami-

---

[7]   «Era del 36. Lo publiqué después porque hasta entonces no había
encontrado editor.» *Ínsula,* cit., pág. 80.
[8]   Ver prólogo a *Viaje a la Alcarria,* ed. de J. M. Pozuelo, Espasa
Calpe, Madrid, 1990. También R. Senabre, «C. J. Cela en la España
árida», *Ínsula*, cit., pág. 65.

nante o «vagabundo» —«el vagabundaje es una de mis más secretas vocaciones», dice en *Judíos, moros y cristianos* (1956)—. Así, «como can sin dueño», pateó media España y fruto de sus andanzas fueron *Del Miño al Bidasoa* (1952), *Primer viaje andaluz* (1959), *Viaje al Pirineo de Lérida* (1965) y una segunda salida alcarreña en 1986.

En los años cincuenta, Cela viajó en dos ocasiones por varios países de Hispanoamérica. En Venezuela ambientó su novela *La catira* (1955). En 1954 se trasladó a vivir a Palma de Mallorca.

Cela ingresó en la Academia en 1957. Durante la transición política fue senador por designación real e intervino en la redacción de la Constitución de 1978. Es doctor *honoris causa* por las universidades de Syracuse, Santiago de Compostela y Palma de Mallorca. En esta reseña biográfica cabe citar también su fugaz intervención en cinco películas, entre ellas LA COLMENA, donde encarna al escritor Matías Martí, inventor de palabras. En su pueblo natal de Iria Flavia inauguró en 1991 una casa museo, sede de la fundación que reúne un rico legado de manuscritos, libros, revistas, obras de arte, recuerdos y estudios sobre su ingente obra literaria.

CELA Y SU GENERACIÓN

Cela nació el mismo año que Antonio Buero Vallejo y Blas de Otero. Los tres pertenecen a la generación que se da a conocer tras la guerra civil, integrada, además, por Gonzalo Torrente Ballester (1910), Miguel Delibes (1920) y el gran fabulador gallego Álvaro Cunqueiro (1912-1981). Es la generación de los narradores nacidos en la segunda década del siglo, los que vivieron la guerra de jóvenes, convirtiéndola en asunto de algunas de sus novelas: José María Gironella (Gerona, 1917), Ángel María de Lera (Guadalajara, 1912-1984), Luis Romero (Barcelona, 1916) y Rafael García Serrano (Pamplona, 1917), entre otros.

En la historia de la novela de posguerra, hay que citar a Carmen Laforet (Barcelona, 1921), que ganó en 1944 el primer premio Nadal. El galardón y la juventud de la autora contribuyeron al éxito de *Nada,* obra que el propio Cela juzgó como «un intento muy importante y muy logrado de volver el género a sus orígenes, que no es otro que reflejar la realidad, la hermosa y sucia realidad» [9], en la línea del realismo tremendista iniciado con *La familia de Pascual Duarte.*

CLAVES DE LA LITERATURA DE CELA

El éxito de Cela desde el primer libro se justifica, según Gonzalo Sobejano, por sus dotes de escritor:

> ... ingenio fácil, penetrante observación, humanismo de fondo, sentido para jugar el juego del arte, conocimiento vasto y depurado de los recursos del idioma, perseverancia, impetuosidad, gracia [10].

---

[9]   Citado por J. M. Martínez Cachero, *Historia de la novela española entre 1936 y 1975,* Castalia, Madrid, 1979, pág. 73. Hay reedición de 1985.

[10]   G. Sobejano, *Novela española de nuestro tiempo,* ed. Prensa Española, Madrid, 1975, 2.ª ed., págs. 89-90.

El jurado del premio Nobel definió con acierto la literatura de Cela:

> ... se le puede incluir en una antigua tradición española de hilaridad grotesca, la cual es con frecuencia la otra cara de la desesperación. Su prosa es rica e intensa, y con refrenada compasión configura una visión provocadora del ser humano.

Con la simplificación que requiere un prólogo escolar, podríamos resumir así las claves literarias del autor de LA COLMENA:

1. Cela continúa la tradición de la España negra de Quevedo, Goya, Solana y Valle-Inclán. Selecciona una realidad violenta, bronca, machista, cotidiana y extremosa de la vida española y le aplica una estética distorsionadora. Esto lo hace en sus obras mayores y, muy específicamente, en otros escritos breves, como en los «apuntes carpetovetónicos», que son «agridulce bosquejo, entre caricatura y aguafuerte, de un tipo o de un trozo de vida de la España árida»[11]. En ellos pone al descubierto, con siniestro humor, la barbarie, el primitivismo y la doliente humanidad del ruedo ibérico.

2. Su visión de los seres humanos se concreta en situaciones primarias y desamparadas. Cela simplifica o elimina, quizá descreído, los planteamientos ideológicos con los que se suele analizar la situación social.

---

[11] Pág. 8 del interesante prólogo a *El gallego y su cuadrilla*. También expone el origen y su teoría del carpetovetonismo en el prólogo al tomo III de sus *Obras completas*.

A veces pienso que las ideas religiosas, morales, sociales y políticas no son sino manifestaciones de un desequilibro del sistema nervioso (prólogo a la 3ª ed. de LA COLMENA).

3. Cela es un gran irónico, dice García-Sabell [12], y propende al sarcasmo —palabra que etimológicamente significa *deshollar*—: «sus personajes son carne de degolladero». Se ha destacado siempre la tonalidad bronca y tremenda de su literatura, entendiendo por tremendismo, como dice el diccionario, exagerar los aspectos más crudos de la vida real. El humor negro y la pincelada grotesca hacen que «la risa reviente con horror» [13]. Sin embargo, nunca falta algún fugaz momento de ternura y de contenida compasión.

4. Cela siempre ha experimentado formas literarias novedosas. Este afán innovador le ha permitido figurar durante décadas a la cabeza de las tendencias novelísticas.

5. Cela es un escritor que domina la lengua como pocos. Su estilo se basa en el castellano de raíz popular, en la lengua hablada, con sus modismos, frases hechas, latiguillos conversacionales, comparaciones corrientes, palabras malsonantes y léxico común. Pero sobre ese fondo, aporta recursos de la lengua literaria: palabras cultas, adjetivación cuidada y antepuesta al sustantivo, comparaciones originales y una construcción sintáctica clasicista.

---

[12]   «Las claves de C. J. C.», *Ínsula,* cit., pág. 29.
[13]   Robert Kirsner, «La España de *Viaje a la Alcarria*», *Ínsula,* cit., pág. 42.

Las novelas: confesión, crónica, letanía

Cela, que ha cultivado todos los géneros literarios, no cree en ellos —«lo proclamo una vez más: no existen» [14]—, ni acepta que la novela constituya una estructura formal definible.

> He coleccionado definiciones de novela, he leído todo lo que sobre esta cuestión ha caído en mis manos... y al final, me encuentro con que no sé, ni creo que sepa nadie lo que, de verdad, es la novela. Es posible que la única definición sensata que sobre este género pudiera darse, fuera la de decir que «novela es todo aquello que, editado en forma de libro, admite debajo del título, y entre paréntesis, la palabra *novela* [15].

Desdeñoso con las teorías y dogmas estéticos, Cela cree que el novelista es «como la madre, que pare sin saber nada de ginecología... Lo que importa es que nazca bien y sanito» [16]. Para él las fórmulas son todas igual de buenas o igual de malas: lo que prevalece, a la postre, es el talento del escritor. Vendría a suscribir la opinión de su admirado maestro Pío Baroja de que la novela es un saco donde cabe todo, un «oficio sin metro» donde lo que importa es acertar.

Sin embargo, al principio defendió una novela realista y de encargo social. En 1952 escribía:

---

[14]   *Obras completas,* II, pág. 19.
[15]   En el prólogo a *Mrs. Caldwell habla con su hijo* (1953), en *Obras completas,* VII, pág. 972.
[16]   Olga Prjevalinski, *El sistema estético de C. J. C.,* Castalia, Madrid, 1960, pág. 10.

El novelista tiene hoy la obligación de desentenderse
de Mme. Bovary y el deber de prestar atención, mucha
atención, al Lazarillo. Han dejado de ser problema novelesco por dilucidar las esposas casquivanas, sentimentales y soñadoras, pero sigue vigente el hambre, la mala fe,
la desazón del siervo de cien amos [17].

La áspera, entrañable y dolorosa realidad de tres días en
el Madrid de posguerra es la materia novelística de LA
COLMENA. El lema de Cela era «echarse a la plazuela con
una maquinilla de fotógrafo y revelar después el cuidadoso
y modesto trabajito ambulante...» [18]. O sea, primero es la
vida, luego la literatura, que es su revelado artístico. Cela
era un fotógrafo que seleccionaba la manifestación fea, deforme y brutal del entorno, y luego lo revelaba sin piedad,
sin cortapisas formularias, ajeno a las convenciones de género, por lo que cada novela era diferente de la anterior.

Se ha destacado el desinterés de Cela por construir una
novela con argumento sólido y trabado, con «presenta-
ción, nudo y desenlace». En esto es poco barojiano, pues
don Pío fijaba un tipo, en un ambiente, y lo dejaba hacer.
Las novelas de Cela son más experimentales.

El *Pascual*... fue una sorpresa porque no era una novela bélica ni evasiva, que era lo que se llevaba entonces,
y, además, narraba una vida enajenada, patibularia, víctima de las más brutales circunstancias.

Después, LA COLMENA inauguró un realismo testimonial y fue tan novedosa su hechura que fijó los cánones de
la novela de los años cincuenta: protagonismo colectivo,

---

[17]   «Sobre las artes de novelar», *El Correo Literario,* 1-V-1952,
pág. 6, cit. por Raquel Asún, ed. de Castalia, pág. 17.
[18]   «La miel y la cera», *Índice,* 15-X-51, pág. 1.

trama débil, detallismo cotidiano, tiempo reducido y abundante diálogo coloquial; el narrador acumula detalles objetivos y escatima su interpretación. LA COLMENA influyó decisivamente en los nuevos novelistas, los que integraron la segunda generación de posguerra: Sánchez Ferlosio, Aldecoa, Fernández Santos, López Pacheco, Goytisolo...

En los años sesenta la mejor novela española encaraba a un individuo lúcido y pasivo con la dinámica sociedad española, que en esos años salía del subdesarrollo. Los protagonistas forman una camada o quinta generacional de intelectuales de mediana edad, sin identidad cierta, frustrados o mutilados por una abrasiva España. Estos personajes o voces narrativas son los héroes de *Tiempo de silencio* (Martín Santos), *Señas de identidad* y *Reivindicación del conde don Julián* (J. Goytisolo), *Cinco horas con Mario* (Delibes), *El tragaluz* (Buero Vallejo) y *San Camilo 1936,* donde Cela denuncia la culpabilidad de todos, rojos y azules, en la guerra.

Después, en los setenta, Cela publica *Oficio de tinieblas 5* (1973), que, más que una novela, es una letanía lírica y una caótica relación de tenebrosas imágenes sobre la muerte. Al parecer, para escribirla, Cela se metía en una especie de féretro tapizado de raso negro [19].

Las últimas obras de Cela nada tienen que ver con la novela española de los ochenta, alejada de cualquier aventura experimental.

Esta exposición cronológica se completa con la sugestiva clasificación que Gonzalo Sobejano ha hecho de las novelas de Cela según tres modelos constructivos [20]:

---

[19]   Según Cela hijo, *op. cit.*
[20]   «Cela y la renovación de la novela», *Ínsula,* cit., págs. 66-67.

1. La *novela confesional:* un personaje refiere las desdichas de su vida o la insatisfactoria situación en que se encuentra. El relato está escrito en primera persona. A este modelo corresponden las obras primeras: *La familia de Pascual Duarte* (1942), *Pabellón de reposo* (1944), ambientada en un sanatorio antituberculoso, *Nuevas andanzas y desventuras de Lazarillo de Tormes* (1944) y *Mrs. Caldwell habla con su hijo* (1953), soliloquio lírico de una madre que confiesa sus obsesiones a un tú ausente, su hijo muerto.

2. La *crónica novelística* de una colectividad, como LA COLMENA. El texto se divide en muchas secuencias de carácter escénico o en viñetas en las que se traza el boceto de un tipo más o menos pintoresco. En *La catira* (1954) salen muchas figuras del llano venezolano, entre las que sobresale la catira o rubia Pipía Sánchez; *Tobogán de hambrientos* (1962) es un retablo de cien tipos o siluetas del carpetovetonismo ibérico.

3. Las restantes novelas constituirían un tercer modelo, la *letanía,* que combina la confesión elegíaca de una conciencia con cierta crónica colectiva. La expansión poética se tejería a partir de dos temas nucleares: sexo y muerte. En *San Camilo 1936*, lamenta los horrores y la violencia en el Madrid de los días anteriores y posteriores a la guerra civil; *Oficio de Tinieblas 5* es la salmodia de una conciencia derrotada ante el espectáculo tenebroso y violento de la muerte[21]; *Mazurca para dos muertos* (1983) es una retahíla coral y una maraña de bárbaros sucesos durante la guerra civil en el escenario lluvioso de

---

[21]   E. Alonso, «*Oficio de tinieblas, 5:* fábula íntima y funeral», *Ínsula,* cit. págs. 5 y 6.

una Galicia rural; en *Cristo versus Arizona* (1988) una alucinada voz enhebra, sin un punto y aparte, bárbaros acontecimientos de tipos que se rigen por los instintos más elementales; y, por último, en *El asesinato del perdedor* (1994) Cela construye un texto de diseño más tradicional, pero reitera, en torno a un suicida, el mismo repertorio de motivos fálicos y fúnebres, eróticos y letales.

«LA COLMENA»

1. *Génesis e historia*

Durante algún tiempo Cela concibió LA COLMENA como parte de un ciclo de novelas que se agruparían bajo el título génerico de *Caminos inciertos,* el mismo que figura como epígrafe en la portada de la primera edición. Esto da idea de un proyecto ambicioso y sucesivo, pero es más revelador de la visión esencial que Cela tenía de la vida como un camino, o destino, lleno de incertidumbres. *Incierto:* no cierto o verdadero; dudoso, inseguro, desconocido, problemático. Así es la vida para los cientos de personajes que zumban en las páginas de LA COLMENA. La vida era insegura y problemática para los españoles supervivientes de una guerra, «un mundo en el que todo había ido fallando poco a poco, sin que nadie se lo explicase» (cap. I. 3). Un mundo en el que «nunca se sabe a ciencia cierta lo que pasa» (I. 10).

La escritura de LA COLMENA fue una tarea larga y complicada[22]. El número de personajes y el intrincado

---

[22]   D. Villanueva ha aportado información de primera mano sobre «La génesis literaria de *La colmena», Ínsula,* cit., págs. 73-76.

montaje de doscientas secuencias exigieron al autor trazar previamente una suerte de malla con las relaciones entre los personajes, rellenar fichas, apuntar anécdotas, corregir mucho y redactar cinco sucesivas versiones. La primera fue en 1945 y la última revisión a fondo en el invierno de 1950. En ese tiempo la había «corregido, pulido y sobado, quitando aquí y poniendo allá, y sufriendo siempre». Al final llegó a sabérsela casi de memoria —dice en el prólogo—, y quedó intoxicado del libro.

Cela empezó a escribir la novela en 1945; en enero del año siguiente entregó a la censura una primera versión «ni dulcificada ni agriada, pero sí incompleta», y meses después publicó las secuencias 12, 14, 18 y 25 del capítulo V en el diario *Arriba*. En su guerra con la censura perdía todas las batallas. El desfavorable informe de los censores es significativo de la intransigencia y del acechante control que la dictadura ejercía sobre la creación literaria. Un primer lector, el poeta Leopoldo Panero, dio el siguiente dictamen [23]:

> *¿Ataca al dogma o la moral?* ——. *¿A las instituciones del Régimen?* No. *¿Tiene valor literario o documental?* Sí. *Razones circunstanciales que aconsejan una u otra decisión:* Novela realista del Madrid coetáneo con descripciones crudas de bajo ambiente social. La obra tiene considerable valor literario y podría autorizarse con tachaduras en las páginas 9-10-50-52-53-55-86 y 87 y aconsejando al autor que atenuara algunas de las escenas que reitera.

---

[23]   Transcrito por J. M. Martínez Cachero en *Historia..., op. cit.,* ed. de 1985, págs. 112-113.

El lápiz de otro censor, esta vez un clérigo, fue más severo y anduvo más listo a la hora de tachar páginas del manuscrito, porque se trataba de una «mal llamada novela», carente de «argumento serio», sin «mérito literario alguno», y que atacaba —belicoso verbo muy en boca de los censores de posguerra— el dogma y la moral.

> Es francamente inmoral y a veces resulta pornográfica y en ocasiones irreverente. Véanse las páginas 31-38-39-50-51-53-54-63-66-67-69-76-77-83 a 88, etc.

Los problemas de censura determinaron que la obra apareciera publicada en Buenos Aires, en febrero de 1951, después de suavizar algunas expresiones de la vida sexual para no contrariar a los censores peronistas. La novela entró clandestinamente en España y, como represalia por la publicación en el extranjero sorteando la censura española, Cela fue expulsado de la Asociación de la Prensa y vetadas sus colaboraciones en algunos periódicos. Pero la crítica fue en general favorable. Dámaso Alonso la calificó de «admirable». Torrente Ballester destacó que estaba «maravillosamente escrita» y que era fiel al tiempo histórico, aunque ponía reparos a su composición y a la parcialidad de los sentimientos. Para González Ruano era una «novela costumbrista muy lograda». Castellet señaló que era «la única novela cuya técnica y espíritu están al día».

LA COLMENA no fue editada en España hasta 1955. Entre tanto, la novela había iniciado su carrera de traducciones: en 1953 se tradujo al inglés, con gran tirada, en una colección popular; al sueco (1954), italiano (1955), francés (1958), polaco y húngaro (1960), holandés (1962), alemán (1964), portugués (1965), rumano (1967), checo (1968), catalán (1969), etc.

El texto quedó fijado definitivamente por el autor en 1969 —en el tomo VII de *Obra completa*—, con un prólogo nuevo, que sustituía a todos los anteriores, titulado «Noticia de unas páginas zarandeadas».

Como ni una legión de críticos, digan lo que digan, conoce mejor una novela que su creador, veamos lo que dice Cela de su obra:

> *La colmena* es la novela de la ciudad, de una ciudad concreta y determinada, Madrid, en una época cierta y no imprecisa [24], 1942, y con casi todos sus personajes, sus muchos personajes, con nombres y dos apellidos [...]. Está escrita en presente histórico, es una novela reloj [...] y no presto atención sino a tres días de la vida de una ciudad, que es un poco la suma de todas las vidas que bullen en sus páginas, unas vidas grises, vulgares y cotidianas, sin demasiada grandeza, esa es la verdad. *La colmena* es una novela sin héroe, en la que todos sus personajes, como el caracol, viven inmersos en su propia insignificancia [25].

Es un análisis muy completo: novela testimonial del Madrid de posguerra, con protagonismo colectivo, vidas vulgares y cotidianas, tiempo reducido de la historia y estructura fragmentaria.

---

[24]   La fecha es uno de esos despistes que los autores suelen cometer al hablar de sus libros, lo que no invalida su capacidad para definirlos mejor que nadie. Debiera haber dicho 1943. En efecto, en el capítulo final, los periódicos donde está el edicto incluyen noticias de la Conferencia de Yalta, celebrada en diciembre de 1943.
[25]   Prólogo a *Mrs. Caldwell..., op. cit.*

2. *Estructura: la novela reloj*

> *La colmena* es una novela reloj, una novela hecha de múltiples ruedas y piececitas que se precisan unas a otras [26].

El texto se compone de 215 fragmentos separados por un espacio en blanco, agrupados en siete capítulos de diferente extensión.

7 capítulos	215 secuencias
I	47
II	46
III	25
IV	41
V	28
VI	9
FINAL	19

Es una «novela ensamblada, como los pisos de parqué», advirtió también el autor. El diseño fragmentario justifica visualmente el título metafórico: cada viñeta o unidad textual es como una celdilla del panal, como una tesela o pieza del mosaico. Todos los fragmentos componen una imagen espacial de la colmena urbana, donde bullen con amargo y doloroso zumbido tantas vidas grises y vulgares.

El fragmentarismo determina la dispersión de la historia, la discontinuidad del argumento, la ausencia de linea-

---

[26]   Con estas palabras, del prólogo a *Mrs. Caldwell habla con su hijo,* describe Cela la estructura y el montaje.

lidad temporal, la multitud de personajes que van y vienen, y una cierta impresión lectora de desorden y caos. Es una estructura pertinente, pues reitera e intensifica el sentido de la novela: mostrar un tupido enjambre de seres desconcertados, solitarios, insolidarios —aunque se rocen y apareen—, a la deriva, acuciados por satisfacer las necesidades elementales de cada día, en unas circunstancias precisas: tres días de diciembre de 1943 en la ciudad de Madrid.

Es indudable que el fragmentarismo provoca en el lector una impresión de desorden y caos. Pero hay factores de cohesión: la reiteración de temas; la concentración temporal en tres días; la recurrencia de personajes —en especial Martín Marco, miserable Ulises cuya mediocre odisea vertebra intermitentemente la historia; él protagoniza 33 secuencias y conecta con una docena y pico de personajes que le salen al paso—; el espacio —las 47 secuencias del primer capítulo se localizan en el café «La Delicia», varadero donde a lo largo de una tarde recalan los personajes para matar el tiempo (ver I. 3).

En resumen, el fragmentarismo estructural tiene estas repercusiones:

1. Justifica el título metafórico: cada secuencia es como celdilla de la colmena.

2. Acoge una multitud de personajes.

3. Dificulta la solidez argumental. O al revés: la dispersión anecdótica propicia el fragmentarismo de las situaciones.

4. Cada fragmento, como una celdilla ocupada por uno o dos personajes, subraya el aislamiento y la incomunicación, temas básicos.

5. El fragmentarismo permite articular secuencias que unas veces repiten el mismo motivo y otras veces lo con-

trastan[27]. Es un procedimiento para intercalar acontecimientos simultáneos que ocurren a diversos personajes en distintos sitios, y facilitar así el agrio contraste o contrapunto de sucesos o temas. Por ejemplo, en II. 21, Laurita, la querida de Pablo Alonso, cena consomé, lenguado al horno y pollo villeroy, regado con vino francés. En la siguiente secuencia, la vieja prostituta Elvira se acuesta con una peseta de castañas en el estómago; se conforma con poco, aunque ese poco nunca lo consigue.

6. Algunas secuencias se rematan con cierta autonomía: el final es resumidor o sentimentalmente tenso, y se cierra con una frase significativa. Pero otras veces, las más, el final es abrupto o abierto, para indicar que la vida continúa, monótonamente o sin aparente sentido. El final de la novela es así, súbito e incierto. La vida sigue.

Por su contenido y modalidad, las secuencias son variadas, pero podrían agruparse bajo los siguientes criterios:

1. *Narrativas:* relatan una anécdota (p. e., I. 6, 8; II. 1).

2. *Tipológicas:* retratan a un personaje (p. e., I. 1, 2...).

3. *Descriptivas:* muestran un ambiente, el ámbito espacio-temporal en el que se agrupan algunos personajes: así, el café con sus clientes (I. 3, 46); la noche en la ciudad (IV. 41); la calle (VII. 1), el burdel (VI. 1)...

4. *Escénicas:* se dramatizan situaciones, acotadas brevemente, con dos o más personajes que dialogan.

---

[27]   D. Villanueva ha destacado la importancia del diseño fragmentario para la simultaneidad narrativa, es decir, para montar escenas de diversos personajes, en distintas situaciones, que suceden al mismo tiempo. Introducción a *La colmena*, Vicens Vives, Barcelona, 1996, pág. XXXVIII.

3. *La épica de lo cotidiano*

¿Qué cuenta la novela? Pues los eventos consuetudinarios que acontecen en las rúas, cafés, burdeles y viviendas de Madrid. O sea, lo que pasa a diario. Vamos a entresacar los sucesos. Algunos se articulan formando episodios y ocupan varias secuencias; otros son anécdotas aisladas que se agotan en los límites de una viñeta.

— *Cap. I:* se narra una calderilla de anécdotas ocurridas a lo largo de una tarde —hasta las diez de la noche: secuencia 47— en el café «La Delicia». Los clientes pegan la hebra de mesa en mesa, casi todos fuman, alguno se ensimisma; la señorita Elvira, una prostituta casi vieja, está a lo que caiga (6); dos pensionistas, «pintadas como monas», la despellejan viva (30, 38); los camareros sirven copas y aguantan las broncas de la dueña; el cerillero y el limpia hacen su trabajo; dos niños juegan al tren (15); el señor Suárez recibe una llamada amorosa; un gato orondo y presuntuoso molesta a una señora (8, 14, 24); un poeta escribe un poema al destino y va al retrete a despabilarse el mareo con el olor del desinfectante (9, 29, 31), etcétera.

— *Cap. II:* se trazan tres argumentos. Uno es el vagabundeo de Martín Marco, que, tras ser echado de «La Delicia» por no haber podido pagar un café (3), filosofa ante un escaparate de lavabos (5), compra veinte castañas (8), llega en metro a casa de su hermana para cenar un huevo y un tazón de café con leche (11, 14, 17), va al bar de Celestino (26), se tropieza con su amigo Paco (28). Otras secuencias se relacionan con la muerte de doña Margot, ahorcada con una toalla: llega su hijo (el señor Suárez) y se vuelve a ir (32) porque tiene una cita (36, 41); don Ibrahím ensaya floridos discursos académicos (34, 39), se entera de la muerte, busca al doctor e informa al juez (45). Otras secuencias tienen en común la aventura de cenar: un gitanillo canta en la calle (4, 46), recibe una «coz» de una golfa borracha (10) y cena bastante bien: alubias y un plátano (23); Elvirita cena una peseta de castañas (13) y se acuesta (29); Pablo Alonso y Laurita, en cambio, toman whisky (9) y piden lubina, lenguado, pollo a la *villeroy* (9, 21)...

— *Cap. III:* se narra lo que hacen algunos personajes a primeras horas de la tarde del segundo día: lo que pasa en diversos cafés (1, 3, 4, 5,17); en la casa de citas de doña Celia (15, 24); tertulias en una lechería, cuya dueña ejerce de celestina (2, 16); los vecinos de doña Margot se reúnen (10) mientras el hijo de la difunta está en la comisaría (8); Martín encuentra a una antigua compañera (18, 25); la familia de don Roque Moisés (9) no es lo que parece: él tiene una querida, las hijas tienen sus asuntos con los novios (14, 22), doña Visi ni se quiere enterar.

— El *cap. IV* continúa el II: se sigue el rastro de los noctámbulos hasta que «la noche se cierra al filo de la una y media o de las dos de la madrugada sobre el extraño corazón de la ciudad»: los que van al cine (5), un guardia y un sereno (1, 6, 9, 11, 13, 20, 22), Martín Marco, «noctámbulo puro», que en su odisea encuentra a las sirenas —las prostitutas: Uruguaya (10, 28)—, fuma una colilla en un banco callejero (25), es cacheado por la policía (28, 32), sigue su caminata (34, 36, 38), y recala en el burdel de doña Jesusa, algo así como el palacio de Alcínoo que recoge al náufrago. Las demás secuencias presentan situaciones sexuales en las alcobas: los sueños eróticos de Elvirita (17); el caso de Victorita y su novio tísico (2, 8, 15, 19); tres veladas conyugales, con variantes amorosas: Roberto y la mimosa Filo (13, 16, 33, 35);

la rutina de María Morales y José Sierra (7, 13, 39); disputa y apareo de don Ramón y la señora Paulina (18, 37);
Pablo Alonso y la agradecida Laurita (12, 27); también,
en un descampado, en un solar de la plaza de toros, «se
aman noblemente, casi con dureza» (24), el guardia y Petrita (30).

— El *cap. V,* el más desordenado, sigue temporalmente
al tercero: Martín Marco se despide de Nati Robles (enlaza
así con III, 26) y «se porta como un hombre» en el café de
doña Rosa al pagar la deuda con el dinero que le había dado
la Nati (14), para quien compra un grabado (25); pierde
cinco duros en el lavabo, con los que el violinista Seone
compra unas gafas a su mujer (12, 18). El engaño «a tres»
entre don Roque, su mujer y su hija Julita ocupa siete secuencias: el retrato delator por medio (1, 4, 24); padre e hija
se encuentran en la casa de citas de doña Celia (16): ella bajaba de estar con su novio, él subía para estar con Lola (19);
al final la familia se reúne en «alegre cena» (28). Hay más
sucesos en que el sexo es explotación y humillación: Victorita se aviene al trato con don Mario (3); el médico pederasta se lleva una niña a la casa de citas (6, 27); Purita ejerce
la prostitución para mantener a sus hermanos (21); el reprimido don Tesifonte (15, 17, 20); el suicida (11)...

— El *cap. VI,* con sólo 9 secuencias, relata el despertar de algunos personajes: Martín desayuna en la cama
con Purita (1, 7); doña Rosa va a misa, compra churros y
se arrea los primeros lingotazos de ojén (4); don Roberto
va al trabajo (5); Elvirita no se levanta... Otro día: «la mañana, esa mañana eternamente repetida».

— El título del último capítulo, *Final,* es irónico, pues
la vida sigue y las historias quedan abiertas, sin desenlace. Hay dos episodios: el cuñado y los amigos de Martín Marco se movilizan solidariamente para avisarle de

que pesa sobre él un edicto de busca, «¡Pobre desgraciado!, lo único que le faltaba.» Martín Marco, que lo ignora, va en tranvía (5, 7) al cementerio a visitar la tumba de su madre (3, 12, 15) y de regreso compra el periódico, pero deja para más tarde la lectura de anuncios, edictos y racionamientos...

4. *Espacios: pobre edén*

LA COLMENA es la novela de una ciudad concreta y determinada, y así lo precisa el detallado callejero urbano. El espacio *referencial* acota varias zonas de Madrid. El principal está en torno a la Gran Vía: en la calle Montera está el burdel de doña Jesusa; por la Glorieta de Bilbao está el café de doña Rosa; en Fuencarral la lechería de doña Ramona; en la plaza de Chamberí está la casa de citas de doña Celia... Otra localización es el trayecto de Martín Marco: Sagasta, Manuel Silvela, Goya e Ibiza, Narváez, Velázquez, Serrano —«señoritos y señoritas; el barrio donde todo vale hasta las diez» (II. 11)—. Otros hechos suceden por Atocha, donde está la pensión de Ventura Aguado. En el último capítulo, mientras todos le buscan, Martín va de Atocha a Ventas, camina al cementerio del Oeste y contempla los chabolas. La localización, pues, tiene valor referencial y sociológico.

El espacio novelesco lo constituyen las calles, bares y cafés, alcobas de casas y prostíbulos... Todo el conjunto compone un «estructurado caos»[28]. Las descripciones son

---

[28]   Raquel Asún, Introducción a *La colmena*, Castalia, Madrid, 1990, pág. 29.

en general muy escuetas, pero de eficacia plena. Pueden
ser irónicas: la casa de citas de doña Celia «con gabinetitos muy cursis... donde el no muy abundante confort es
suplido con mucho deseo de agradar y de servir... rezuma
ternura por todos los poros» (III. 19).

Es importante advertir la relación de ósmosis entre el
medio y el personaje. Las mesas costrosas, los mármoles
que fueron lápidas y el aire espeso del café de doña Rosa
se avienen con la vivencia resignada y fatalista de los
clientes. Lo aclara el narrador: «el corazón del café late
como el de un enfermo, sin compás» (I. 3). Irónico nombre el del café: «La Delicia», que es más un triste acuario
de desdichados.

Algún personaje se integra en una casilla de la colmena, como el caracol en su concha: la señorita Elvira, la
aperreada prostituta, se refugia en una fonducha —¡terrible hornacina de la soledad!—, sobre un vetusto jergón;
su «sueño dorado es una cama de hospital, al lado de un
radiador» (II. 22). Don Ibrahím perora vanidoso ante un
espejo, como si estuviera en la Academia, espejo de la
ilusión, para evadirse de la sórdida realidad paredaña: la
niñita que hace caquitas, ella solita, sin meterle el perejilito; la vieja que se ahorca. Alcobas y cubículos rezuman
el desamparo sentimental de la gente.

Muchas secuencias ocurren en la calle, azotada en la noche por bocanadas de aire frío. Es el inhóspito espacio de
los desharrapados: la castañera, el gitanillo que duerme
bajo un puente, la buscona. En los solares de la plaza de toros los niños juegan a pedrada limpia, los viejos se alimentan de sol como los largatos, de noche es «edén sucio»
donde se aman las parejas pobres (IV, 24). La calle es el espacio asociado a Martín Marco, náufrago pordiosero, intelectual famélico, acorralado, quien mejor expresa la ina-

daptación y el desconcierto «en un mundo de locos», «que es una mierda» y «donde todo Dios anda a lo suyo». La calle es, pues, el espacio de la indigencia y del desamparo. Lo dice mejor que nadie el autor: «La calle, al cerrar la noche, va tomando un aire entre hambriento y misterioso» (IV. 5).

5. *Tiempo testimonial, tiempo rutinario*

> La mañana sube, poco a poco, trepando como un gusano por los corazones de los hombres y de las mujeres de la ciudad (VI. 9).

Los sucesos de LA COLMENA ocurren en tres días de diciembre, «cuando el aire va tomando cierto color navideño» (VII. 1). Estamos en 1943, fecha deducible de la noticia que Rómulo el librero lee en el periódico, donde viene también el edicto sobre Martín Marco. El diario informa de la conferencia de Yalta entre líderes mundiales (ver final», n. 7). Como no hay más datos, el tiempo de la historia se le ofrece al lector de modo vago: son los primeros años de posguerra; de hecho daría igual el 41 que el 45. Que suceda en diciembre es pertinente para la narración: la gente pasa frío. Es tiempo de penurias.

La duración de la historia es breve: todo pasa en tres días, ni completos, ni seguidos. Los seis primeros capítulos ocurren en dos jornadas; el último sucede una mañana tres o cuatro días después. Pero lo más significativo es el desconcierto cronológico. No se narran los hechos en el orden en que sucedieron. Si se quisieran leer los capítulos siguiendo la sucesión temporal de la historia, habría que-

Como en Pascual

reordenarlos así: I-II-IV-VI-III-V- FINAL. El siguiente
esquema describe la estructura temporal de la novela:

cap.	I	II	III	IV	V	VI	+	FINAL
jornada	1ª	1ª	2ª	1ª	2ª	2ª	3/4	3ª
hora	tarde	anochecer	tarde	noche	noche	mañana	días	mañana

A su vez, dentro de algunos capítulos hay anticipacio-
nes y retrospecciones. Evidentemente, la destrucción de
la cronología es deliberada. ¿Por qué? No se trata de ofre-
cer un rompecabezas que desafíe la paciencia o la perspi-
cacia del lector. Las razones de la discontinuidad temporal hay que buscarlas en el fragmentarismo estructural: la
ciudad es una colmena, sus habitantes son enjambre de
personas que van y vienen, se encuentran y se alejan, instalados en un presente estático, que pasa y no pasa.

> Detrás de los días vienen las noches, detrás de las no-
> ches vienen los días. El año tiene cuatro estaciones: pri-
> mavera, verano, otoño, invierno (II. 10).

Según Alarcos, el desconcierto temporal adensa la impresión agobiante de la eternidad en un ámbito clausu-
rado, sin postigo abierto a la esperanza[29]. Los personajes
tienen una conciencia rota del tiempo: el pasado es turbio, «de imprecisa recordación», «nadie se acuerda de los
muertos», y el futuro no existe, «se está a la que salta». El
tiempo de la narración —y de la escenificación dialo-
gada— es el presente de indicativo, que tiene dos valores.
Uno es el valor puntual, el que hace coincidir la enun-

---

[29]   «Al hilo de *La colmena*», *Ínsula*, cit., págs. 3-4.

ciación con la acción: ahora mismo pasa esto concreto. Por ejemplo: «Martín Marco se para ante los escaparates... sonríe... se aparta... piensa... le preocupa... le asalta la duda...», etc. Otros presentes, en cambio, tienen valor habitual, relatan acciones repetidas:

> Doña Rosa fuma tabaco de noventa, y cuando está a solas bebe ojén, desde que se levanta hasta que se acuesta... Don Leonardo vive del sable... Hay tardes en que la conversación muere de mesa en mesa... La señorita Elvira lee novelas, va al café...

Parece importante advertir el contrapunto entre hechos únicos y sucesos habituales. El presente puntual es el responsable del testimonio novelístico: así era la vida en una ciudad concreta, Madrid, 1943. Presente histórico, lo llamó Cela: tiempo de historia. El presente habitual denota el carácter reiterativo de muchos hechos, lo que hace de LA COLMENA una novela costumbrista.

> En el café de doña Rosa, como en todos, el público de la hora del café no es el mismo que el público de la hora de merendar. Todos son habituales, bien es cierto, todos se sientan en los mismos divanes..., todos beben en los mismos vasos, etc. (III. 4).

«La mañana, esa mañana eternamente repetida...» (VI. 9). El tiempo, esa cápsula o excipiente, está poblado de gestos repetidos y acciones rutinarias: fumar, matar el tiempo, hablar por hablar, amar... Las prostitutas y algunas parejas —novios o matrimonios— hacen el amor mecánicamente; ellas se entregan por dinero u obligación. Conviene asociar la temporalidad rutinaria con el tema de la humillación: mujeres que soportan la vejación del hombre, camareros que aguantan como quien oye llover las broncas de la dueña. El tiempo se siente monótono y tedioso.

> Tas, tas; tas, tas; y así toda la vida, día y noche, invierno y verano: el corazón (I. 4).
> Los corazones no duelen y pueden sufrir, horas tras hora, hasta toda una vida (I. 10).

Las gentes de LA COLMENA son en su mayoría víctimas. No saben muy bien de qué, pero en sus caras se pinta el gesto de la bestia ruin, de la amorosa, suplicante bestia cansada. Este tiempo de acciones mecánicas es vivido con resignación por casi todos. Martín Marco tiene conciencia de desarraigo vital y de vacío.

> La ciudad parece más de los hombres que como él marchan sin rumbo fijo con las manos en los vacíos bolsillos..., con la cabeza vacía, con los ojos vacíos, un vacío profundo e implacable (IV. 25).
> El café, antes de media hora, quedará vacío. Igual que un hombre al que se le hubiera borrado la memoria (I. 47).

6. *El enjambre humano*

El lector de LA COLMENA se siente bastante perdido entre la multitud de personajes que guadianean en su páginas. Muy pronto tiene la impresión de que se trata de un bullicioso enjambre humano. Al final, el lector reconoce y recuerda a unas cuantas figuras, las que más salen, una docena y pico, tal vez. Algún personaje muy ocasional resulta memorable por oficio o irrepetible identidad, como el gitanillo que canta flamenco; el señor Suárez, alias *la Fotógrafa,* cuya cojera es cachonda y casquivana, al que detiene la policía por ser homosexual; Celestino Ortiz, el anarquista dueño del bar «La Aurora»; el guardia gallego; el adinerado impresor don Mario de la Vega, tan perverso... Pero la impresión firme es la de que se trata de una masa móvil de individuos, aunque cada uno se adscribe a un espacio-casilla. La dispersión contribuye a la sorpresa de los reencuentros y al olvido. Ninguno de los que aparecen en el capítulo primero, excepto doña Rosa, sale en el capítulo final.

¿Cuántos personajes hay en la novela? En contarlos se han afanado no pocos críticos. El propio Cela provocó esta pesquisa al dar la cantidad de 160 en el prólogo a la primera edición. Caballero Bonald contó 56 reales y 296 ficticios. Raquel Asún censó 311 nombres en singular, más los nombrados en plural: basureros, clientes de los cafés, enfermos del ambulatorio, noctámbulos puros, etc. Según Domingo Gutiérrez [30] sólo 44 personajes salen en más de una secuencia. Por frecuencia de aparición los más relevantes son: el vagabundo Martín Marco aparece en 33 secuencias; doña Rosa, la mujerona dueña del café, en 21; la señorita Elvira, buscona casi vieja, en 20; Julita Moisés, rubia platino, en 14, su novio Ventura Aguado, el opositor a notarías, en 12, y su madre, la beata y simplona doña Visi, en 11. Don Roberto González y su mujer Filo, hermana de Martín Marco, salen, respectiva-

---

[30]   «Claves para la lectura de *La colmena*», Daimon, Barcelona, 1986.

mente, en 14 y 13 viñetas. Los demás personajes no llegan a diez apariciones.

La representación laboral y sociológica es amplia, y de
clase media para abajo. No hay curas, políticos ni militares, si exceptuamos al reprimido Tesifonte Ovejero, capitán veterinario —¡con ese apellido!—. Es explicable: en
el Régimen de Franco, y más en los años cuarenta, cons-
tituían castas literariamente intocables, salvo para ejem-
plificar valiosos paradigmas; sobre ellos no se podía pro-
yectar ni la sombra de una benévola ironía. Y Cela no es
propenso a las ironías dulces, sino a las auténticas, las
que Whipple define como insultos en forma de cumplido.

La representación de oficios es bastante completa: hay
empleados, camareros, cerillero, limpia, músicos, amas
de casa, criadas, planchadoras, pollitas casaderas, una
castañera, dos pensionistas, muchas prostitutas, la dueña
de la lechería, que es alcahueta, y dos o tres dueñas de
burdel, un guardia, un sereno, un chulo, dos poetas, un
impresor, un opositor, un panadero, un médico, un prestamista, un librero... Pero la sociología práctica nos da dos
grupos: los que tienen dinero y los que andan a la quinta
pregunta, que son casi todos. Doña Rosa es riquísima,
don Mario alardea de dinero, don Pablo Alonso «tiene
aire deportivo de hombre de negocios», el médico pedó-
filo don Francisco Robles y los pequeños propietarios van
tirando, mal que bien.

La referencia a personajes históricos sirve para prender
la ficción novelesca en la cronología objetiva. Es recurso
de verosimilitud referencial. Se cita a políticos —Churchill, Stalin, Roosvelt, Gil Robles—, catedráticos de Derecho —Castán, Manjón, Gascón—, directores y actores
de cine —Frank Capra, René Claire, la Crawford, Antonio Vico...

LA COLMENA es una novela sin héroe. O como dice Gustavo Bueno[31], lo son todos los personajes. En 1943 el heroísmo es comer, dormir bajo techo, no quedarse tieso de frío, pasar el rato, en fin, tirar adelante. Los personajes se comportan como insectos, es decir, movidos por impulsos ciegos, de acuerdo con pautas culturales (fumar, tomar café, casarse, etc.), y estimulados por otros individuos del enjambre. Doña Rosa es la abeja reina del café. Martín Marco es el personaje itinerante que más secuencias protagoniza. El profesor Henn ha destacado su papel estructural: introduce en la novela una movilidad espacial, relaciona a personajes muy distintos. Darío Villanueva cree innegable que Cela puso en él su predilección. Es cierto que Martín acapara el papel de conciencia pensante: le preocupa el problema social, aunque no tiene ideas claras sobre nada, no le divierte la caridad, siente el vacío existencial, padece el miedo a la policía, sufre el desarraigo del pasado, advierte el absurdo de la vida superficial... Pero tampoco hay que exagerar. El narrador se burla de él. Martín Marco no es ningún modelo de nada, sino de la necesidad y de lo inhóspitos que corren los tiempos. Paliducho, enclenque, con lentes de pobre alambre, vive a costa de los otros, acomoda sus escrúpulos a la necesidad, no hace mal a nadie, es objeto de compasión: el camarero no le da la patada en el culo, Nati Robles le da diez duros, al final sus amigos lo buscan para avisarle del edicto que pende sobre él. Es un miserable antihéroe homérico en el Mediterráneo madrileño. (Ver en el Apéndice, correspondencias con la *Odisea,* pág. 424).

---

[31]   «La colmena, novela *behaviorista*», *Clavileño III,* 17 (1952), págs. 53-58, y «El significado filosófico de L. c.», *Ínsula,* cit., págs. 11-13.

La eficacia de Cela para caracterizar a los personajes de cuatro plumazos es evidente. LA COLMENA es un poblado retablo de seres definidos con variados procedimientos: el nombre o apodo, el modo de hablar, sus actos, su carencia, el rebote con otros personajes, los gestos que delatan un rasgo de temperamento y, por supuesto, el trazo físico, abultado o deforme. Así, la cojera «de arriba, no de pie» del homosexual; el tremendo trasero, el vientre «hinchado como un pellejo», el bigote y la cara llena de manchas de doña Rosa; la melena, la palidez, la mirada amarga del poeta famélico; la gordura, el mal olor y la barriga tremenda, toda llena de agua, de doña Matilde... Pero no todo en LA COLMENA es feo, vulgar y monstruoso, hay algún personaje agraciado y algunas acciones bondadosas. No obstante, de la predilección de Cela por la estética de lo brutal, sirva de ejemplo el terrible retrato de la Uruguaya:

> Es una golfa tirada, sin gracia, sin educación, sin deseos de agradar; una golfa de lo peor, ... una mujer repugnante, con el cuerpo lleno de granos y bubones, igual, probablemente, que el alma; una sota arrastrada que ni tiene conciencia, ni vocación y amor al oficio, ni discreción, ni siquiera un poco de hermosura. La Uruguaya es una hembra grande y bigotuda, lo que se dice un caballo, que por seis reales sería capaz de vender a su padre... (IV. 10).

7. *Temas y significación*

Como hemos dicho al principio, LA COLMENA es un rico muestrario de la miserable vida cotidiana en la ciudad de Madrid poco después de acabar la guerra civil. Pero no es sólo un repertorio de costumbres y penurias, sino reflejo de una sociedad desconcertada, cuyos individuos, hijos de la ira, a solas y en grupo, sufren una enfermedad moral y sentimental.

La crítica no ha dado mucha importancia al costumbrismo de la novela. Pero existe. No es costumbrismo folclórico y atemporal, como el romántico, sino temático. Es como si la necesidad de olvidar el pasado, la incertidumbre del futuro y la necesidad de cada día llevaran a los personajes a anclarse en la rutina, a ser fieles a los ritos y a someterse dócilmente a las pautas imperantes. Los personajes, como peces de un acuario, repiten actos y gestos, encadenados a una precaria rutina que los instala en un presente estático y opresivo. Ya advertimos que el uso del presente de indicativo tiene con mucha frecuencia valor de tiempo habitual. Quizá los espacios cerrados —cafés, cines y alcobas— propicien la descripción costumbrista. Pero también los bancos callejeros, «antología de todos los sinsabores», sirven para describir un conductismo de grupo. En fin, la trama de gestos pautados y comportamientos colectivos es como el excipiente de la historia de cada individuo. Y, como dice la cita que encabeza esta introducción, cada vida es una novela.

Por ejemplo, en las primeras secuencias del capítulo III el narrador parte de esta situación: ¿qué hace la gente después de comer? En un tranquilo café de San Bernardo *todas las tardes* hay partida de ajedrez y tertulia de seis amigos, hasta las cinco; en una lechería de la calle Fuencarral *todas* las tardes tres mujeres se reúnen de cotilleo; en un lujoso bar de la Gran Vía cuatro o cinco pollitos tarambanas se juegan los cuartos a los dados; en la secuencia 4 se clasifica la clientela de después del almuerzo y la de la merienda... *Todos* se comportan igual.

El tedio también se refleja en la formalidad rigurosa y aparente de los usos amorosos de aquellos años. El libro de Carmen Martín Gaite *Usos amorosos de la posguerra española* (citado en el Apéndice) podría incluir ejemplarmente no pocas secuencias y diálogos de esta novela para reflejar las costumbres amorosas. Algunas relaciones conyugales se narran como muestras de un repertorio usual. Hay clases: «las señoritas de Serrano no salen de noche y a las diez están cenando»; a la misma hora cinco o seis pupilas de doña Jesusa dormitan alrededor del hogar donde cuecen varios pucheros de agua. Otra institución amorosa es la del señor que tiene querida (IV. 14): cuyo «rito es el mismo *todas* las noches, las palabras que se dicen también».

No es un costumbrismo inocuo y pintoresco, decíamos, sino dolorido y tedioso. Está inserto en una cotidianidad de apagones de luz, edictos en los periódicos, hambre, estraperlo en el metro —Celestino, el anarquista, lo disculpa: la gente tiene que comer—, noctámbulos de cine y cabarés, tranvías lúgubremente bullangueros, bocanadas de aire frío en las esquinas, vigilancia policial en las calles, toses de tuberculosos, bolsillos vacíos, vidas vacías...

LA COLMENA es la novela de unos tiempos de escasez y de dolorosa necesidad. Para demostrarlo ahí está la importancia del dinero. Se habla mucho de céntimos, reales, pesetas, perras, duros, cuartos y billetes. «Maldito parné», decía una copla de la época. Frente a los sublimes valores ensalzados por la retórica de los vencedores, la vida de cada día tiene su precio contante y sonante. El valor de las cosas y de las personas es... su precio. El que tiene dinero es respetable, y el que no, es un piernas, un desgraciado. Sabemos al céntimo lo que cuesta un tritón, el puro de don Mario, la cajetilla de Lucky y el cuarterón de tabaco; sabemos el precio exacto del azúcar, de un café, de las gafas más baratas, el recibo mensual de la luz, la cena de Elvirita —una peseta de castañas— y la del gitanito —tres veinte—. Sabemos lo que cobra una planchadora de sábanas en un burdel —tres pesetas al día, tarde y noche libres—, lo que gana don Roberto en sus horas de pluriempleo y lo que paga el impresor a su nuevo dependiente: dieciséis pesetas, pero sin contrato de trabajo, ¿eh? Sabemos lo que cuesta mantener a un opositor tarambana de notarías. Sabemos lo que cuesta el afecto sincero: tres duros el regalito de cumpleaños de la Filo, y diez duros la nostalgia de Nati cuando se encuentra a Martín Marco, el cual, a su vez, tasa en un duro su dignidad —«una veinte de ayer y una veinte de hoy, dos cuarenta, quédese con la vuelta, yo no soy ningún muerto de hambre», dice al camarero que el día antes le puso de patitas en la calle, aunque sin puntapié, por no pagar un cafelito—. Y sabemos lo que cuesta la curación de un tísico: la prostitución de Victorita. «Ni se compra ni se vende el cariño verdadero», dice la canción, pero hay amores, como casi todo, que se arreglan con unos duros. Dorita prestaba servicios a los soldados y reunía hasta tres o cuatro pesetas en una noche; hay fulanas muy simpáticas a tres duros; Petrita paga la deuda de Martín con su cuerpo —«cóbrese las veintidós pesetas», le dice a Celestino—, y por cien duros el médico pederasta compra las «primicias» de Merceditas, una huérfana de trece años...

Pero LA COLMENA da otro crudo testimonio inmaterial: el sentido que tiene la vida para una masa de gente en un

medio adverso. Cada cual tiene que apañárselas materialmente —¡tener o no tener cuartos!—, pero hay que sobrevivir espiritualmente (si se nos permite esta palabra en
desuso). En la colmena urbana «nadie piensa en el de al
lado» (Final. 1), aunque los amigos de Martín Marco se
movilicen por prevenirle. Es una reacción solidaria, pero
signo también del vivir bajo la amenaza.

Muchas mujeres —novias, esposas, prostitutas—, son
víctimas de su condición. Aunque el trato sexual es en algún caso expresión de afecto y placer, en muchas relaciones es un ejercicio vejatorio. Elvirita, prostituta que es
desecho de tienta, lleva una «vida perra, una vida que
bien mirado, ni merecería la pena vivirla» —*bien mirado,*
irónica matización—.

La lucha por la vida se ejerce en el plano moral y sentimental entre explotadores y víctimas. El dinero es instrumento de cruel humillación: doña Rosa humilla a sus empleados; el sablista al limpia; el impresor a todos los que
se relacionan con él: al cobista de la mesa vecina, al corrector de pruebas, a Victorita, etc. La injusticia se ejerce
en una escala jerárquica de opresores y oprimidos. Los
adinerados esclavizan laboral y sexualmente. Martín
Marco lo advierte al contemplar la tienda con «lavabos
del paraíso» y lujosos retretes de dos tapas y de ventrudas, elegantes cisternas:

> —Con lo que unos se gastan para hacer sus necesida
> des, otros tendríamos para comer un año. Las guerras de
> berían hacerse para que haya menos gentes que puedan
> hacer sus necesidades a gusto y pueda comer el resto un
> poco mejor. Eso de que haya pobres y ricos está mal
> (II. 5).

Bajo esas condiciones se expande un haz de motivos existenciales: la incomunicación, la soledad, la resignación, la hipocresía, la inseguridad, la sensación de hastío... Todas son vivencias que se «sienten dentro del cuerpo, como el hambre o las ganas de orinar». Gonzalo Sobejano [32] ha sintetizado un tema dominante en cada capítulo: la humillación (I), la pobreza (II), el aburrimiento (III), el sexo (IV), el encubrimiento (V), la repetición (VI) y la amenaza (FINAL). Todos estos motivos temáticos tejen la trama de un conciencia incierta del vivir.

En la primera edición, la novela llevaba este subtítulo aclarador: caminos inciertos. Vidas inciertas. «Las cosas pasan sin que nadie se las explique a ciencia cierta.» Esta frase, repetida aquí y allá con variantes, es como un estribillo que resume la instalación vital de los personajes, atrapados en la ciénaga del presente, sin otro horizonte moral que estar vivos. Para Antonio Vilanova, «el problema moral de los personajes consiste en no tenerlo». Quizá fuera mejor decir que lo que arrasa es la moral utilitaria de la satisfacción perentoria. No es cosa de entender nada, sino de ir tirando. La vida sigue, por eso ninguna historia se remata: ¿en qué quedan los noviazgos?, ¿por qué se suicida doña Margot?, ¿se entrega Martín Marco a la justicia?

8. *Tonalidad y estilo*

La literatura de Cela da una áspera y fuerte interpretación sentimental del mundo. En los años cuarenta el autor de *La familia de Pascual Duarte* contribuyó al *tremen-*

---

[32]   *Novela española...*, cit.

dismo, tendencia realista que, de un lado, se basaba en la selección de asuntos sórdidos y violentos de la realidad y, de otro lado, la exponía con efectos desagradables y repulsivos. El tremendismo continuaba la estética distorsionadora que desde Quevedo llegaba hasta el esperpento de Valle-Inclán. Cela, que con su primera novela se había alzado con la fama de liderar el tremendismo, rechazaba las especulaciones críticas: la vida, venía a decir, es mucho más tremenda que la literatura. LA COLMENA, decía, no era más que un pálido reflejo de la realidad. Y por si alguien lo ponía en duda, aportaba este argumento decisivo:

> Es curiosa lo espantadiza que es la gente que, después de asistir a la representación de una tragedia que duró tres años y costó ríos de sangre, encuentra tremendo lo que se aparta un ápice de lo socialmente convenido (no de la tradición literaria española) [33].

La tonalidad de LA COLMENA es variada: de la delicadeza, poca, esa es la verdad, a la connotación repugnante. Hay fugaces expresiones en que un personaje de currículo atroz es redimido, de golpe, por una mirada compasiva. Sirva el ejemplo de Dorita, cuya brutal historia se despacha con una inmisericorde relación (VI. 1), pero, de pronto, se dice: «la pobre mujer, con una ternura infinita en el corazón...»; la castañera espera que venga su hijo, le recoja los bártulos y se le lleve de la mano... Pero lo más habitual es la ironía y el humor desquiciado, indicios claros de interpretación subjetiva y de intervención comprometida del narrador.

---

[33]   «Conversación con Cela», *Revista de Occidente,* 99 (1971), pág. 272. Citado por Martínez Cachero, *Historia..., op. cit.*

Sin embargo, el lector de LA COLMENA tiene una abrumadora impresión de objetividad. Y no es equivocada. La novela parece una crónica fiel gracias al detallismo y a los diálogos. La selección de datos concretos es de gran eficacia objetivadora. Es literatura de lo concreto. Hay pocos sustantivos abstractos. Doña Rosa tiene casas en Apodaca, Churruca, Campoamor y Fuencarral. Los personajes tienen nombre y apellidos, gestos, rasgos físicos exclusivos y atuendo diferenciador. El escritor Ricardo Sorbedo lleva larga melena enmarañada, traje roto y lleno de lámparas, chalina de lunares, seboso sombrero verde de ala ancha..., de andares pizpiretos, gestos grandilocuentes... Roberto lava su dentadura postiza y la guarda en un vaso de agua que cubre con un papel de retrete, al que da unas vueltecitas rizadas por el borde, como las de los cartuchos de almendra. Detalles.

El otro recurso que crea la impresión objetivista es el diálogo. Sólo 25 de las 213 secuencias carecen de él. En los diálogos el narrador cede la palabra a los personajes y son éstos, por tanto, los responsables de hacer la historia «en directo». Y hablan con rica y pintoresca espontaneidad, con palabras comunes, frases hechas, excitantes apelativos y comparaciones tópicas. No faltan los vulgarismos: *leñe, denén, paralís, cocretas*... (en el Apéndice se analizan estos procedimientos, págs. 438-443). Alonso Zamora vio en la coloquialidad la monotonía niveladora del habla urbana que se va haciendo a un rasero idéntico, empujada por el cine, la radio, los periódicos, un habla sin matices delicados [34].

Pero esta objetividad no excluye el poder omnisciente

---

[34]   *Op. cit.,* pág. 199.

del narrador, que opina más de lo que parece. Y lo hace, a
menudo, no sólo como autor implícito, sino como otro
personaje más, apropiándose de las mismas fórmulas coloquiales.

> *Bien mirado* lleva una vida que no perece la pena vi-
> virse.
> *Sin duda alguna,* hay personas que llaman más la aten-
> ción que otras.
> Desde entonces, para Elvirita todo fue rodar y coser y
> cantar, *digámoslo así.*
> *Digo* todo esto porque, *a lo mejor,* después vuelve a salir.

La tonalidad sentimental irónica o degradante se consigue con la selección léxica, los diminutivos y las imágenes. Lo que resulta duro es que se nos hable de asuntos
lamentables o personajes dignos de lástima con distancia-
miento, como sin darles importancia, cuando no es con
festivo regodeo. La Filo, por ejemplo, está llorando delante de sus hijos y se cuenta así:

> ...los ojos llenos de lágrimas, la expresión vagamente
> triste, casi perdida, como la de esas terneras que aún
> alientan —la humeante sangre delante de las losas del
> suelo— mientras lamen, con la torpe lengua de los últi-
> mos instantes, la roña de la blusa del matarife que las
> hiere... (Final. 2)

Las comparaciones tópicas funcionan habitualmente
como recurso degradador; con frecuencia el término ima-
ginado es un animal. Así, el gitanito no tiene cara de persona, sino de sucia bestia, de pervertida bestia de corral;
las pensionistas van pintadas como monas; doña Pura es

una víbora; don Roberto es un cerdo ansioso; al usurero le brillan los ojitos como a una lechuza; una furcia está llena de mataduras como una mula... Y así, justo es decirlo, *ad nauseam*.

El gusto de Cela por la palabra ajustada, el llamar al pan pan y al vino vino, no excluye los disfemismos despiadados. Tampoco los inventa: están en la lengua popular, y los aplica con efecto terrible. Por ejemplo, no dice que los tísicos pobres «mueren», sino *pringan*. El sueño de Elvira es de cabeza caliente y *panza* fría. El campo léxico de «prostituta» es completo: meretriz, tía guarra, zorrón, zorrupia, golfa, furcia, pendón...

Los diminutivos, tan abundantes, son afectivos, ridiculizadores, humorísticos, irónicos; alguna vez connotan ternura: «*Matildita* es *pequeñita* y graciosa, aunque *feuchita*... *Matildita* tiene 39 años»; «algunos novios se aman en medio del frío, contra viento y marea, muy *coguditos* del brazo, calentándose mano sobre mano»; «¡Con lo monos que son los *chinitos chiquitines*...! ¿Y los *pequeñines,* los que están parados como *gusanines* en el mismo sitio?».

El lenguaje de LA COLMENA es fotográfico y coloquial. Hábilmente seleccionado, en él se incrusta una elaborada retórica literaria que se manifiesta en repeticiones, series adjetivas e imágenes originales. El resultado es un estilo original que guarda para el lector toda su eficacia y rica expresividad para testimoniar lo difícil que fue sobrevivir en aquellas ciudades de posguerra.

EDUARDO ALONSO

BIBLIOGRAFÍA SELECTA

La bibliografía sobre Cela es casi inabarcable y sobre LA COLMENA parece que se ha dicho ya todo. Carlos Fernández Santander reunió en 1990 una bibliografía básica (Librería Arenas, La Coruña). La relación siguiente es muy selecta, pero indicativa de variados repertorios críticos.

1. EDICIONES RECIENTES

Prueba de cómo el tiempo no hace sino confirmar la importancia de la novela y su interés escolar, son las siguientes ediciones:

La colmena, edición, prólogo y notas de Jorge Urrutia, Cátedra, Madrid, 1989.
—, edición, introducción y notas de Raquel Asún, Castalia, Madrid, 1990.
—, prólogo de Gonzalo Sobejano, Alianza, Madrid, 1992.
—, edición, introducción y notas de Darío Villanueva, estudio de M.ª Ángeles Rodríguez Fontela, Vicens Vives, Barcelona, 1996.
—, notas y apéndices de Miguel Ángel Izquierdo y Mercedes Verde, Acento, Madrid, 1997.

2. Sobre la novela española de posguerra

Gil Casado, Pablo: *La novela social española (1920-1971),* Seix Barral, Barcelona, 1973, 2.ª ed.

Estudia la novela de los años cincuenta. A *La colmena,* sin embargo, sólo dedica dos páginas: 113-114.

Martínez Cachero, José María: *Historia de la novela española entre 1936 y 1975,* Castilla, Madrid, 1979.

Estudia documentalmente las tendencias y la historia de la novela. Interesan sus referencias al tremendismo, los dictámenes de los censores y la acogida de *La colmena.*

Nora, Eugenio G. de: *La novela española contemporánea (1939-1967),* t. III, Gredos, Madrid, 1970, 2.ª ed.

Este tercer tomo abarca el estudio de la novela durante treinta años, con atención especial a veinte autores. A Cela dedica las págs. 66-86.

Sanz Villanueva, Santos: *Historia de la novela social española (1945-1975),* I, Alhambra, Madrid, 1980.

Reseña las circunstancias del marco histórico-cultural, con síntesis descriptiva y crítica de autores y obras. A Cela le corresponden las págs. 271-282. Considera *La colmena* como la obra más valiosa de Cela.

Sobejano, Gonzalo: *Novela española de nuestro tiempo,* Prensa Española, Madrid, 1975, 2.ª ed.

Estudio fundamental sobre la novela. Orientadora caracterización de las tendencias del realismo existencial de los cuarenta, social de los cincuenta y estructural de los sesenta. Selección de autores y juicios iluminadores. El análisis de *La colmena* es magistral (112-120).

Soldevila Durante, Ignacio: *Novela española de nuestro tiempo,* Alhambra, Madrid, 1980.

Obra histórica y crítica de conjunto, con un concentrado análisis de *La colmena,* págs. 112-120.

Spires, Robert: *La novela española de posguerra,* Cupsa, Madrid, 1978.

Estudia novelas relevantes, desde *La familia de Pascual Duarte* a *La sagafuga de J. B.* Analiza la estructura fragmentaria y la transformación de *La colmena* en una lectura de experiencia universal (págs. 94-131).

3. ESTUDIOS SOBRE CELA Y «LA COLMENA»

a) *Bibliografías*

CELA CONDE, Camilo José: *Camilo, mi padre,* Temas de Hoy, Madrid, 1989.

FLÓREZ, Rafael: *Camilo de Camilos. Primera biografía completa.* Bitácora, San Fernando de Henares, 1991.

GARCÍA MARQUINA, Francisco: *Cela. Masculino singular. Biografía íntima de C. J. C.* Plaza & Janés-Cambio 16, Madrid, 1991.

b) *Algunos libros sobre la obra de Cela*

Los libros de Asún y Gutiérrez son útiles guías descriptivas y lectoras de *La colmena.* El libro de Sara Suárez es un completo estudio léxico y lingüístico, el de Illie un sólido estudio de cabecera y el de Alonso Zamora, una magnífica lectura recreadora.

ASÚN, Raquel: *«La colmena» de Camilo José Cela,* Laia, Barcelona, 1984.

GUTIÉRREZ, Domingo: *Claves de «La colmena».* Ciclo ed., Madrid, 1990, 2.ª ed.

HEBB, David: *Camilo José Cela: La colmena,* Thames Book, Londres, 1974.

ILLIE, Paul: *La novelística de Camilo José Cela,* Gredos, Madrid, 1971.

PRJAVALINSKY, Olga: *El sistema estético de C. J. Cela,* Valencia, Castalia, 1960.

SUÁREZ, Sara: *El léxico de C. J. Cela,* Alfaguara, Madrid, 1969.

VILLANUEVA, Darío: *Estructura y tiempo reducido en la novela,* Anthropos, Barcelona, 1994.

WASERMAN: *Camilo José Cela y su trayectoria literaria,* Playor, Madrid, 1990.

ZAMORA VICENTE, Alonso: *Camilo José Cela. Acercamiento a un escritor,* Gredos, Madrid, 1962.

c) *Revistas y artículos sobre «La colmena»*

Entre las revistas que han dedicado números monográficos a la obra de Cela cabría seleccionar:

Cuadernos Hispanoamericanos, 337-338 (1978).
Ínsula, 518-519 (1990), en homenaje al premio Nobel.
    Contiene 45 trabajos de sendos especialistas; sobre *La colmena* hay artículos de E. Alarcos, G. Bueno, D. Henn, D. Dougherty, Sala Valldaura y D. Villanueva.

En otras revistas y libros se encuentran breves ensayos o artículos sobre personajes o temas concretos de *La colmena,* entre ellos:

ALONSO, Eduardo: «Lengua coloquial en *La colmena»,* en A. López Casanova y E. Alonso, *Poesía y Novela,* ed. Bello, Valencia, 1982, págs. 586-600.

CABRERA, Vicente: «Vida y sueño de Elvira en *La colmena»,* en *Novela española contemporánea, Cela,*

Delibes, Romero y Hernández, SGEL, Madrid, 1978, págs. 127-136.

CARENAS, Francisco: «*La colmena,* novela de lo concreto», Papeles de Son Armadans, CLXXXIII (junio, 1971), págs. 127-136.

DURÁN, Manuel: «La estructura de *La colmena*», *Hispania,* 43 (1960), págs. 19-24.

ORTEGA, José: «El humor de Cela en *La colmena*», *Cuadernos Hispanoamericanos,* 208, 1960, págs. 159-164.

SOBEJANO, Gonzalo: «*La colmena,* olor a miseria», *Cuadernos Hispanoamericanos,* 337, 1978, págs. 113-126.

VILLANUEVA, Darío: «Texto de *La colmena*», en *Comentario de textos narrativos: la novela,* Júcar, Gijón, 1992, págs. 143-148.

ESTA EDICIÓN

Cela dio por definitiva la versión de LA COLMENA impresa en *Obra completa,* tomo VII, de 1969, a la que añadió el prólogo «Historia completa de unas páginas zarandeadas», en sustitución de otros anteriores. En él afirma que no hay ni una palabra de menos y sí algunas más que en la primera edición de 1951 en Buenos Aires. Esta edición que prologamos parte de ese texto básico, editado por D. Villanueva en su edición de 1983 para la editorial Noguer. Se respeta la grafía aprobada por Cela, que no entrecomilla ni pone en cursiva títulos, rótulos de tiendas, barbarismos y voces vulgares.

LA COLMENA
CAMINOS INCIERTOS

Paciència en lo començament,
e riu en la fi.

Raimundo Lulio

HISTORIA INCOMPLETA DE UNAS
PÁGINAS ZARANDEADAS

Este libro tuvo una primera juventud no poco azarosa. Hay criaturas de las que pudiera sospecharse, al verlas bullir, que nacen con el inquieto corazón tejido de rabos de lagartija y a las que por las venas, en vez de sangre, parece como correrles una huidiza lágrima de mercurio; lo mejor es dejarlas y esperar a que se paren solas, rendidas por el cansancio y el paso del tiempo.

En este instante, a los años pasados y al recapitular sobre sus extrañas iniciales conductas, me doy cuenta de que este libro va sentando cabeza. La verdad es que ya iba siendo hora de que esto aconteciese porque, en su mocedad, no hizo más que darle disgustos a su padre, que soy yo. Cuando los hijos salen atravesados o tarambanas, los padres tendemos —quizá por instinto de defensa— a echarles la culpa a las malas compañías. Mi hijo es bueno —argumentamos a quienes nos hacen la caridad de oírnos—; es cierto que mató a patadas y después descuartizó y tiró a un pozo a un par de viejas que estaban calcetando al sol, pero en el fondo es bueno. Quienes lo perdieron fueron las malas compañías: los jóvenes desocupados que consumen bebidas espirituosas, asisten a ejecuciones y saraos, frecuentan la ramería y juegan al billar por banda. Antes de juntarse con malas compañías, vamos, cuando andaba por los tres o cuatro años, mi hijo era incapaz de matar una mosca, se lo aseguro.

A *La colmena,* de no haber sido por las malas compañías, le hubiera lucido el pelo con mayor lustre aunque también es probable que no pudiera presentar una historia tan pintoresca y divertida, tan atrabiliaria y emocionante. El que no se consuela es porque prefiere el deleitoso y vicioso acíbar del desconsuelo.

Este libro lo empecé en Madrid, en el año 1945, y lo medio rematé en Cebreros, en el verano del 48; es evidente que después volví sobre él (de ahí su fecha 1945-1950), corrigiendo y puliendo y sobando, quitando aquí, poniendo allá y sufriendo siempre, pero la novela bien hubiera podido quedar redonda en el trance a que ahora me refiero. Antes, en el 46, empezó mi lucha con la censura, guerra en la que perdí todas las batallas menos la última.

En *Relativa teoría del carpetovetonismo* hablo un poco de mis casas de Cebreros —la de la calle de los Mesones, la del Azoguejo, la de la Teodorita— y también de esta redacción de *La colmena* y de la mesa en la que la escribí. Para no repetir lo ya dicho, voy a limitarme a precisar algunos detalles que entonces dejé en el aire y a apuntar una noticia, importante para mi sentimiento, que no se produjo hasta hace cosa de seis u ocho días: la recuperación, que no fue nada fácil, de aquella humilde y desportillada mesa de café de pueblo.

Permítaseme una breve digresión. Entre las enfermedades profesionales —la silicosis de los mineros, el cólico saturnino de los pintores, la gota del holgazán— no suele considerarse la que pudiéramos llamar cachitis o inflamación de las cachas, enojosa dolencia que ataca a jinetes, ciclistas y escritores. El sieso del homo sapiens, contra lo que pudiera pensarse al escucharlo nombrar de posaderas, no fue inventado para servir de permanente soporte a sus miserias sino, antes al contrario, para posarlas a veces y con intermitencias cautelosamente medidas y sabiamente calculadas: a la hora de comer, por ejemplo, en los toros y en el teatro, en parte de la misa, en un alto en el paseo, etc. Pues bien: los mortales que abusamos del sedentarismo (sedentario, etimológicamente, quiere decir el que está sentado: en una silla de estar, en una silla de montar o en un sillín de bicicleta, que a estos efectos tanto vale) acabamos con hinchazón de las asentaderas, que en recta ley e higiene no son —repito— sino asentaderas para de vez en cuando y no para siempre. Los médicos hacen terminar en itis —colitis, cistitis, hepatitis, laringitis— los nombres de las enfermedades inflamatorias, y de ahí la cachitis que propongo para bautizar el túmido nalgatorio de quienes, por razón de oficio, abusamos de sus resistencias.

Queda dicho cuanto antecede porque, a estas alturas ya de las ocho o nueve intervenciones quirúrgicas que hube de padecer en el rulé, me volví higiénico y aseado (¡a la fuerza ahorcan!) y recuerdo estremecidamente aquellas dos casas que tuve en Cebreros y en las que el noble menester de la evacuación venía condicionado por factores externos que hacían ingrato lo que, en buen orden, fuera deleite del bandujo y sosiego de todo el organismo.

Ni en la casa de la calle de los Mesones ni en la del Azoguejo —según aclaro en el texto que más arriba cito— había retrete. En la primera, quizá para compensar, teníamos un desván muy lucido (techado no a dos aguas sino a todas las aguas, mayores y menores, que hubiéramos menester) en el que, con algunos conocimientos de geometría, se podían dibujar dodecaedros (en proyección plana) y polígonos en general, a golpe de vientre, durante todo el verano y sin cortarse. En la segunda no había ni desván pero, aguzando las entendederas, arbitré un ingenio bastante aparente en el que uno podía zurrarse con relativa lógica y sin salpicar al mundo. A lo mejor, si llego a patentarlo a tiempo a estas horas soy rico.

Pues bien, en esta casa del Azoguejo fue donde —como intento explicar— puse relativo punto final a *La colmena;* quiero decir que la escribí o la reescribí de nuevo y desde la primera palabra, porque éste es libro que tuvo cinco redacciones sucesivas y ésta fue, quizá, la más aplicada y concienzuda. Sí, sin duda alguna este empujón del Azoguejo fue el más cumplido y puntual de todos; es cierto que sobre el libro volví en Madrid y en Cebreros, durante los años 1949 y 50, pero no lo es menos que la cosa no tuvo ya mayores cambios, ni podas notorias, ni añadidos ostensibles desde aquel momento.

También en *Relativa teoría del carpetovetonismo* hablo de las dos mínimas plantas de aquella casa ruin, desvencijada y amorosa, y de la cocina del piso de arriba, que era donde yo escribía pasándome las noches de claro en claro. La casa, aunque pobre, era curiosita y se podía habitar; por lo menos no llovía dentro y tampoco olía peor que las otras casas que la rodeaban. En el piso de abajo teníamos un zaguanillo que nos servía de comedor, la cocina donde respiraba el puchero y la alcoba en la que dormían la criada —una solterita de la provincia de Toledo a la que decían Tipogamba— y el niño. El piso de arriba era casi igual, con otro rellano, la alcoba del matrimonio y la cocina del fogón condenado. En esa alcoba me atacó un día un fiebrón de pronóstico; mi mujer llamó al médico, don

Mariano Moreno, y éste me diagnosticó anginas y me recetó unos supositorios muy buenos, que eran la última palabra de la ciencia. Tenía que ponerme uno por la noche y otro a la mañana siguiente. Pues bien: después de cenar y cuando ya nos disponíamos a dormir, mi mujer me dio el primer supositorio pero cuando, lleno de resignación, iba a ponérmelo, se fue la luz sin esperar a que la apagásemos sino porque quiso, y la deprimente escena tuvo que ser rematada a oscuras y al tacto. A la mañana siguiente, mi mujer, que tiene cierta condicionada paciencia con los enfermos, me ofreció un nuevo supositorio incluso con su mejor sonrisa.

—Toma, Camilo José, ponte el otro supositorio.

Yo sentí que la sangre se me agolpaba en la cabeza, que de repente se vio invadida de las más negras ideaciones. La voz se me puso ronca y solemne y me cerré a la banda.

—No, hermosa, ese otro supositorio se lo va a poner tu madre. ¡Con lo que rasca!

—¿Cómo que rasca?

—¡Pues claro que rasca! ¡Rasca un horror! ¿Te enteras? ¡Un horror!

—Pero, hombre, ¿cómo va a rascar un supositorio?

—¡Yo qué sé cómo! ¡Lo que yo sé es que rasca! ¡Vaya si rasca! Prefiero las anginas a los supositorios; antes, cuando no había supositorios, las anginas se quitaban solas, soplando bicarbonato y dándose toques con glicerina yodada. A mí, déjame en paz.

Mi mujer, que no entendía nada, me peló un supositorio y me lo pasó por el dorso de la mano.

—¿Cómo es posible que digas que esto rasca?

Guardé silencio; en mi obnubilada mente acababa de nacer un rayito de claridad. Cuando entendí lo que pasaba, volví a hablar.

—Perdona.

—¿Por qué?

—No, por nada... Anda, dame el supositorio.

—¿Te lo vas a poner?

—Sí. La culpa fue de la compañía de la luz..., no tienen conciencia... Anoche, cuando se fue la luz, me puse el supositorio con el papel de plata..., no se lo digas a nadie...

Volvamos al hilo del cuento, tras la amarga experiencia de mi iniciación en la terapéutica por vía anal. Mi escritorio de la casa del Azoguejo y su parvedad vinieron a demostrarme que, para escribir, hace falta bien poca cosa. Los escritores suelen ser más bien necios y pedantes y aseguran (salvo excepciones) que para esto de escribir se precisa un ambiente determinado y propicio: para algunos, tumultuario y anestésico (Bernanos, por ejemplo, que escribía en los cafés); para otros, recoleto y tupido de precauciones (Juan Ramón Jiménez, pongamos por caso, y otras flores de histeria). Este presuntuoso supuesto dista mucho de ser verdad: para escribir libros, lo único que se necesita es tener algo que decir y un fajo de cuartillas y una pluma con que decirlo; todo lo demás sobra y no son más que ganas de echarle teatro al oficio. Con un fajo de cuartillas y una pluma se puede escribir *El Quijote* y, por detrás, *La Divina Comedia.* Lo que hay que hacer es ponerse a ello y esperar a ver lo que sale, si sale. *El Quijote* y *La Divina Comedia,* desde luego, salen pocas veces.

La mesa de entonces, como atrás dejé dicho, la recuperé hace poco. Mi amigo Eugenio Fernández, alias Cartujo, que fue quien me la había prestado, la vendió cuando cerró su café Madrid, pero pudo seguirle el rastro, topársela y regalármela. Quiero dejar aquí constancia de mi gratitud.

En carta de 27 de junio de este año, Cartujo me dice:

...después de recorrer varios pueblos del valle del Tiétar, en Escarabajosa encontré a quien se la vendí en Escalona (Toledo), a donde fue a parar, y por fin en Torrijos di con ella. La he encontrado con una nueva hendidura, pues ha pasado sus buenos inviernos al aire libre en una verbena. Desde luego la tenemos segura pues dejé una señal, para que me la guardaran.

La mesa, tras no pocas laboriosas gestiones, volvió a manos de Cartujo, quien se la envió a Madrid a mi hermano Jorge y éste me la reexpidió a Mallorca. Su último propietario fue don Maximiliano Blasco, de Santa María de Tiétar. Ahora la tengo en la bodega de mi casa * y, a veces, la acaricio como a una vieja reliquia.

En el invierno del año 1950, quizás en enero y, sin duda, ya en Madrid, probé a dar a *La colmena* una lectura completa, de arriba abajo, y con los cinco sentidos. Estaba muy intoxicado de mi libro, que llegué a saberme de memoria o casi de memoria, y mi reacción ante lo que iba leyendo no era, ciertamente, producto de la ecuanimidad. A veces me parecía haber escrito una obra maestra y otras, en cambio, pensaba que todo aquello era una mierda que no tenía el menor mérito ni sentido. Lo pasé muy mal, por entonces, y la actitud de la censura, que no admitía ni el diálogo, ayudó no poco a mi desmoralización, de la que salí a pulso y pensando dos cosas: que en España, el que resiste gana **, y que no me quedaba otra solución que sacar fuerzas de flaqueza para seguir resistiendo.

Un día (se conoce que estaba aún más decepcionado y

---

* n. de 1997. Donde está ahora, confío en que ya para siempre, es en mi Fundación en Iria Flavia.

** n. de 1997. Creo que fue esta la primera vez en que se me ocurrió pensarlo.

deprimido que de costumbre) cogí tal cabreo con mis páginas y conmigo mismo que, sin encomendarme ni a Dios ni al diablo, arrojé al fuego de la chimenea el grueso fajo de cuartillas del original. Mi mujer, que estaba cosiendo en una butaca frente a la mía, desbarató la lumbre y rescató los papeles de aquel auto de fe que no llegó a consumarse gracias a su intervención. A veces le guardo gratitud. Mi mujer no es, como si dijésemos, muy heroína, pero tiene en cada momento el justo valor que se necesita; a mí esto me parece bastante meritorio.

La novela, en una primera versión ni dulcificada ni agriada pero sí incompleta, la presenté a la censura el 7 de enero de 1946. Los informes, como cabe suponer, fueron malos y mi novela, en recta lógica, prohibida.

El 27 de febrero solicitó el editor el oportuno permiso para una tirada con características especiales, de lujo y reducida; fue también denegado, en oficio de 9 de marzo.

Andando el tiempo —y cuando en España empezó a prevalecer un cierto tímido sentido de la realidad, al menos en esto— *La colmena* apareció no sólo en España, sino en trece o catorce países más. La inercia de la historia es incontenible, y, al final, las aguas vuelven siempre a sus cauces. ¿Quién se acuerda hoy de los censores que tan sañudamente persiguieron y hasta encerraron a fray Luis?

La censura argentina (recuérdese que el libro se publicó en tiempos del general Perón) también me mareó bastante pero, al menos, el libro pudo publicarse en una versión bastante correcta. En todas partes cuecen habas; lo que pasa es que hay habas que, mejor o peor, se pueden digerir, y habas duras como chinarros a las que no hay quien les meta el diente. Con las tachaduras argentinas hice tres grupos: las que podía aceptar sin detrimento del libro e incluso limpiándolo de innecesarios excesos verbales o argumentales; las que no podía aceptar de ninguna manera, y las que podía aceptar condicionalmente. Procuré ser objetivo y ver las cosas con cierta frialdad y, de la serena consideración de los hechos, nació la versión que doy por buena y que es la que aquí ofrezco. Para aviso de listos quiero dejar paladina constancia de que esta versión de hoy no tiene ni una sola palabra menos —y sí algunas más— que la primera de Buenos Aires. Han pasado ya demasiados años para cometer errores de perspectiva.

La colmena me dio algún dinero (Signet Book, de Nueva York, tiró setecientos mil ejemplares en su edición popular, a 35 centavos), el suficiente para poder seguir viviendo cuando, a raíz de su publicación, me expulsaron de la Asociación de la Prensa de Madrid y prohibieron mi nombre en los periódicos españoles. ¡Qué lejano parece ya todo esto! La verdad es que las situaciones artificiales envejecen más bien deprisa.

Palma de Mallorca, día de Difuntos de 1965.

A mi hermano Juan Carlos,
guardia marina de la Armada española

CAPÍTULO PRIMERO

No perdamos la perspectiva, yo ya estoy harta de decir- [1]
lo, es lo único importante.

Doña Rosa va y viene por entre las mesas del café, tro-
pezando a los clientes con su tremendo trasero. Doña
Rosa dice con frecuencia leñe y nos ha merengao[1]. Para
doña Rosa, el mundo es su café, y alrededor de su café,
todo lo demás. Hay quien dice que a doña Rosa le brillan
los ojillos cuando viene la primavera y las muchachas
empiezan a andar de manga corta. Yo creo que todo eso
son habladurías: doña Rosa no hubiera soltado jamás un
buen amadeo[2] de plata por nada de este mundo. Ni con
primavera ni sin ella. A doña Rosa lo que le gusta es
arrastrar sus arrobas[3], sin más ni más, por entre las mesas. Fuma tabaco de noventa[4], cuando está a solas, y bebe

---

[1] *leñe* y *nos ha merengao* son expresiones vulgares, indican sorpresa y contrariedad y sustituyen a las malsonantes «leche» y «nos ha
jodido».

[2] *amadeo:* moneda de cinco pesetas, de plata, acuñada en 1871, con
la efigie de Amadeo de Saboya, que fue rey de España de 1870 a 1873.

[3] *arroba:* peso equivalente a once kilos y medio.

[4] Se llamaba así porque la cajetilla costaba noventa céntimos.

ojén[5], buenas copas de ojén, desde que se levanta hasta
que se acuesta. Después tose y sonríe. Cuando está de
buenas, se sienta en la cocina, en una banqueta baja, y lee
novelas y folletines, cuanto más sangrientos, mejor: todo
alimenta. Entonces le gasta bromas a la gente y les cuenta
el crimen de la calle de Bordadores o el del expreso de
Andalucía[6].

—El padre de Navarrete, que era amigo del general don
Miguel Primo de Rivera, lo fue a ver, se plantó de rodillas
y le dijo: mi general, indulte usted a mi hijo, por amor de
Dios; y don Miguel, aunque tenía un corazón de oro, le
respondió: me es imposible, amigo Navarrete; su hijo
tiene que expiar sus culpas en el garrote.

¡Qué tíos! —piensa—, ¡hay que tener riñones![7]. Doña
Rosa tiene la cara llena de manchas, parece que está siempre mudando la piel como un lagarto. Cuando está pensativa, se distrae y se saca virutas de la cara, largas a veces
como tiras de serpentinas. Después vuelve a la realidad y
se pasea otra vez, para arriba y para abajo, sonriendo a los
clientes, a los que odia en el fondo, con sus dientecillos
renegridos, llenos de basura.

---

[5]   *ojén:* aguardiente preparado con anís y azúcar, que se elaboraba
en Ojén (Málaga).
[6]   Fue un crimen famoso. En la noche del 12 de abril de 1924, José
Sánchez Navarrete, empleado de Correos, y tres cómplices entraron
con un permiso falso en el vagón correo del tren, mataron a los dos en-
cargados y se llevaron un botín de 25.000 pesetas. Uno se suicidó en
una pensión y los otros tres fueron ejecutados el 10 de mayo. Se les dió
garrote.
[7]   *tener riñones:* eufemismo por «tener cojones». Con estas expresiones se caracteriza la vulgaridad del personaje.

Don Leonardo Meléndez debe seis mil duros a Se- [2]
gundo Segura, el limpia[8]. El limpia, que es un grullo, que
es igual que un grullo raquítico y entumecido, estuvo ahorrando durante un montón de años para después prestár-
selo todo a don Leonardo. Le está bien empleado lo que le
pasa. Don Leonardo es un punto que vive del sable[9] y de
planear negocios que después nunca salen. No es que salgan mal, no; es que, simplemente, no salen, ni bien ni
mal. Don Leonardo lleva unas corbatas muy lucidas y se
da fijador en el pelo, un fijador muy perfumado que huele
desde lejos. Tiene aires de gran señor y un aplomo inmenso, un aplomo de hombre muy corrido. A mí no me
parece que la haya corrido demasiado, pero la verdad es
que sus ademanes son los de un hombre a quien nunca fal-
taron cinco duros en la cartera. A los acreedores los trata a
patadas y los acreedores le sonríen y le miran con aprecio,
por lo menos por fuera. No faltó quien pensara en meterlo
en el juzgado y empapelarlo, pero el caso es que hasta
ahora nadie había roto el fuego. A don Leonardo, lo que
más le gusta decir son dos cosas: palabritas del francés,
como por ejemplo, madame y rue y cravate[10], y también,
nosotros los Meléndez. Don Leonardo es un hombre culto,
un hombre que denota saber muchas cosas. Juega siempre
un par de partiditas de damas y no bebe nunca más que
café con leche. A los de las mesas próximas que ve fumando tabaco rubio les dice, muy fino: ¿me da usted un

---

[8]   *limpia:* limpiabotas. Es de uso coloquial.
[9]   *vivir del sable:* sacar dinero a alguien sin intención de devolverlo. Un sablista. En este capítulo se repite la expresión despectiva
«ser un punto» —«un punto de cuidado», «un punto filipino»— para
calificar a un tipo que es poco de fiar.
[10]   *cravate:* corbata.

papel de fumar? Quisiera liar un pitillo de picadura[11], pero me encuentro sin papel. Entonces el otro se confía: no, no gasto. Si quiere usted un pitillo hecho... Don Leonardo pone un gesto ambiguo y tarda unos segundos en responder: bueno, fumaremos rubio por variar. A mí la hebra no me gusta mucho, créame usted. A veces el de al lado le dice no más que: no, papel no tengo, siento no poder complacerle..., y entonces don Leonardo se queda sin fumar.

[3]   Acodados sobre el viejo, sobre el costroso mármol de los veladores, los clientes ven pasar a la dueña, casi sin mirarla ya, mientras piensan, vagamente, en ese mundo que, ¡ay!, no fue lo que pudo haber sido, en ese mundo en el que todo ha ido fallando poco a poco, sin que nadie se lo explicase, a lo mejor por una minucia insignificante. Muchos de los mármoles de los veladores[12] han sido antes lápidas en las sacramentales[13]; en algunos, que todavía guardan las letras, un ciego podría leer, pasando las yemas de los dedos por debajo de la mesa: Aquí yacen los restos mortales de la señorita Esperanza Redondo, muerta en la flor de la juventud; o bien: RIP. El Excmo. Sr. D. Ramiro López Puente. Subsecretario de Fomento.

Los clientes de los cafés son gente que creen que las cosas pasan porque sí, que no merece la pena poner remedio

---

[11]   Venía en paquetes y había que liarlo. Era más barato que el tabaco de hebra de los cigarrillos rubios. El tabaco estaba racionado. «En el café de doña Rosa todos fuman», se dice en la secuencia siguiente. Fuman por aburrimiento, para matar el tiempo (o el hambre), para entablar relación con el vecino de mesa, para alardear de dinero... como don Mario de la Vega, «que fuma un puro descomunal», de a duro.

[12]   *velador:* mesa por lo general redonda, con un solo pie.

[13]   *sacramentales:* cementerio.

a nada. En el de doña Rosa, todos fuman y los más meditan, a solas, sobre las pobres, amables, entrañables cosas
que les llenan o les vacían la vida entera. Hay quien pone
al silencio un ademán soñador, de imprecisa recordación, y
hay también quien hace memoria con la cara absorta y en
la cara pintado el gesto de la bestia ruin, de la amorosa, suplicante bestia cansada: la mano sujetando la frente y el
mirar lleno de amargura como un mar encalmado.

Hay tardes en que la conversación muere de mesa en
mesa, una conversación sobre gatas paridas, o sobre el suministro [14], o sobre aquel niño muerto que alguien no recuerda, sobre aquel niño muerto, que, ¿no se acuerda usted?, tenía el pelito rubio, era muy mono y más bien
delgadito, llevaba siempre un jersey de punto color beige [15]
y debía andar por los cinco años. En estas tardes, el corazón
del café late como el de un enfermo, sin compás, y el aire se
hace como más espeso, más gris, aunque de cuando en
cuando lo cruce, como un relámpago, un aliento más tibio
que no se sabe de dónde viene, un aliento lleno de esperanza
que abre, por unos segundos, un agujerito en cada espíritu.

A don Jaime Arce, que tiene un gran aire a pesar de [4]
todo, no hacen más que protestarle letras [16]. En el café, parece que no, todo se sabe. Don Jaime pidió un crédito a un

---

[14] *suministro:* alimentos. En los años 40 estaban racionados. Para
obtenerlos había que presentar una cartilla y cupones.

[15] *beige:* se pronuncia (y se puede escribir) beis. De color castaño
claro.

[16] La *letra* de cambio es un documento mercantil por el que alguien
se compromete a pagar la cantidad adeudada en cierta fecha. *Protes-
tarla* es requerir al deudor ante el notario por no haberla pagado.

banco, se lo dieron y firmó unas letras. Después vino lo que vino. Se metió en un negocio donde lo engañaron, se quedó sin un real, le presentaron las letras al cobro y dijo que no podía pagarlas. Don Jaime Arce es, lo más seguro, un hombre honrado y de mala suerte, de mala pata en esto del dinero. Muy trabajador no es, ésa es la verdad, pero tampoco tuvo nada de suerte. Otros tan vagos o más que él, con un par de golpes afortunados, se hicieron con unos miles de duros, pagaron las letras y andan ahora por ahí fumando buen tabaco y todo el día en taxi. A don Jaime Arce no le pasó esto, le pasó todo lo contrario. Ahora anda buscando un destino, pero no lo encuentra. Él se hubiera puesto a trabajar en cualquier cosa, en lo primero que saliese, pero no salía nada que mereciese la pena y se pasaba el día en el café, con la cabeza apoyada en el respaldo de peluche, mirando para los dorados del techo. A veces cantaba por lo bajo algún que otro trozo de zarzuela mientras llevaba el compás con el pie. Don Jaime no solía pensar en su desdicha; en realidad, no solía pensar nunca en nada. Miraba para los espejos y se decía: ¿quién habrá inventado los espejos? Después miraba para una persona cualquiera, fijamente, casi con impertinencia: ¿tendrá hijos esa mujer? A lo mejor, es una vieja pudibunda. ¿Cuántos tuberculosos habrá ahora en este café? Don Jaime se hacía un cigarrillo finito, una pajita, y lo encendía. Hay quien es un artista afilando lápices, les saca una punta que clavaría como una aguja y no la estropean jamás. Don Jaime cambia de postura, se le estaba durmiendo una pierna. ¡Qué misterioso es esto! Tas, tas; tas, tas; y así toda la vida, día y noche, invierno y verano: el corazón.

A una señora silenciosa, que suele sentarse al fondo, [5] conforme se sube a los billares, se le murió un hijo, aún no hace un mes. El joven se llamaba Paco, y estaba preparándose para correos. Al principio dijeron que le había dado un paralís [17], pero después se vio que no, que lo que le dio fue la meningitis. Duró poco y además perdió el sentido en seguida. Se sabía ya todos los pueblos de León, Castilla la Vieja, Castilla la Nueva y parte de Valencia (Castellón y la mitad, sobre poco más o menos, de Alicante); fue una pena grande que se muriese. Paco había andado siempre medio malo desde una mojadura que se dio un invierno, siendo niño. Su madre se había quedado sola, porque su otro hijo, el mayor, andaba por el mundo, no se sabía bien dónde. Por las tardes se iba al café de doña Rosa, se sentaba al pie de la escalera y allí se estaba las horas muertas, cogiendo calor. Desde la muerte del hijo, doña Rosa estaba muy cariñosa con ella. Hay personas a quienes les gusta estar atentas con los que van de luto. Aprovechan para dar consejos o pedir resignación o presencia de ánimo y lo pasan muy bien. Doña Rosa, para consolar a la madre de Paco, le suele decir que, para haberse quedado tonto, más valió que Dios se lo llevara. La madre la miraba con una sonrisa de conformidad y le decía que claro que, bien mirado, tenía razón. La madre de Paco se llama Isabel, doña Isabel Montes, viuda de Sanz. Es una señora aún de cierto buen ver, que lleva una capita algo raída. Tiene aire de ser de buena familia. En el café suelen respetar su silencio y sólo muy de tarde en tarde alguna persona conocida, generalmente una mujer, de vuelta de los lavabos, se apoya en su mesa para preguntarle:

---

[17]   *paralís:* es palabra vulgar en vez de 'parálisis'.

¿qué?, ¿ya se va levantando ese espíritu? Doña Isabel sonríe y no contesta casi nunca; cuando está algo más animada, levanta la cabeza, mira para la amiga y dice: ¡qué
guapetona está usted, Fulanita! Lo más frecuente, sin embargo, es que no diga nunca nada: un gesto con la mano, al
despedirse, y en paz. Doña Isabel sabe que ella es de otra
clase, de otra manera de ser distinta, por lo menos.

[6]   Una señorita casi vieja llama al cerillero.
        —¡Padilla!
        —¡Voy, señorita Elvira!
        —Un tritón [18].

La mujer rebusca en su bolso, lleno de tiernas, desho-
nestas cartas antiguas, y pone treinta y cinco céntimos sobre la mesa.
        —Gracias.
        —A usted.

Enciende el cigarrillo y echa una larga bocanada de
humo, con el mirar perdido. Al poco rato, la señorita
vuelve a llamar.
        —¡Padilla!
        —¡Voy, señorita Elvira!
        —¿Le has dado la carta a ése?
        —Sí, señorita.
        —¿Qué te dijo?
        —Nada, no estaba en casa. Me dijo la criada que des-
cuidase, que se la daría sin falta a la hora de la cena.

La señorita Elvira se calla y sigue fumando. Hoy está
como algo destemplada, siente escalofríos y nota que le

---

[18]   *Tritón* era una marca de cigarrillos rubios.

baila un poco todo lo que ve. La señorita Elvira lleva una vida perra, una vida que, bien mirado, ni merecería la pena vivirla. No hace nada, eso es cierto, pero por no hacer nada, ni come siquiera. Lee novelas, va al café, se fuma algún que otro tritón y está a lo que caiga. Lo malo es que lo que cae suele ser de pascuas a ramos, y para eso, casi siempre de deshecho de tienta y defectuoso [19].

A don José Rodríguez de Madrid le tocó un premio de [7] la pedrea, en el último sorteo. Los amigos le dicen:

—Ha habido suertecilla, ¿eh?

Don José responde siempre lo mismo, parece que se lo tiene aprendido:

—¡Bah! Ocho cochinos durejos.

—No, hombre, no explique, que no le vamos a pedir a usted nada.

Don José es escribiente de un juzgado y parece ser que tiene algunos ahorrillos. También dice que se casó con una mujer rica, una moza manchega que se murió pronto, dejándole todo a don José, y que él se dio buena prisa en vender los cuatro viñedos y los dos olivares que había, porque aseguraba que los aires del campo le hacían mal a las vías respiratorias, y que lo primero de todo era cuidarse.

Don José, en el café de doña Rosa, pide siempre copita; él no es un cursi ni un pobretón de esos de café con

---

[19]   Despiadadas metáforas taurinas aplicadas a una prostituta miserable. En las tientas se prueba la bravura de los becerros picándolos con una garrocha. Los que no pasan la prueba se desechan para el toreo.

leche. La dueña lo mira casi con simpatía por eso de la
común afición al ojén. El ojén es lo mejor del mundo;
es estomacal, diurético y reconstituyente; cría sangre y
aleja el espectro de la impotencia. Don José habla siempre con mucha propiedad. Una vez, hace ya un par de
años, poco después de terminarse la guerra civil, tuvo
un altercado con el violinista. La gente, casi toda, aseguraba que la razón la tenía el violinista, pero don José
llamó a la dueña y le dijo: o echa usted a puntapiés a ese
rojo [20] irrespetuoso y sinvergüenza, o yo no vuelvo a pi-
sar el local. Doña Rosa, entonces, puso al violinista en
la calle y ya no se volvió a saber más de él. Los clientes,
que antes daban la razón al violinista, empezaron a
cambiar de opinión, y al final ya decían que doña Rosa
había hecho muy bien, que era necesario sentar mano
dura y hacer un escarmiento. Con estos desplantes,
¡cualquiera sabe adónde iríamos a parar! Los clientes,
para decir esto, adoptaban un aire serio, ecuánime, un
poco vergonzante. Si no hay disciplina, no hay manera
de hacer nada bueno, nada que merezca la pena —se oía
decir por las mesas.

[8]   Algún hombre ya metido en años cuenta a gritos la
broma que le gastó, va ya para el medio siglo, a madame
Pimentón.

        —La muy imbécil se creía que me la iba a dar. Sí, sí...
¡Estaba lista! La invité a unos blancos y al salir se rompió

----

[20]   *rojo:* se llamaba así al que había luchado en el bando republicano
y, en general, al que era contrario al régimen franquista. En boca de
doña doña Rosa es un insulto y, a veces, una velada amenaza de denuncia a la policía.

la cara contra la puerta. ¡Ja, ja! Echaba sangre como un becerro. Decía: oh, la, la; oh, la, la, y se marchó escupiendo las tripas. ¡Pobre desgraciada, anda siempre bebida! ¡Bien mirado, hasta daba risa!

Algunas caras, desde las próximas mesas, lo miran casi con envidia. Son las caras de las gentes que sonríen en paz, con beatitud, en esos instantes en que, casi sin darse cuenta, llegan a no pensar en nada. La gente es cobista por estupidez y, a veces, sonríen aunque en el fondo de su alma sientan una repugnancia inmensa, una repugnancia que casi no pueden contener. Por coba se puede llegar hasta al asesinato; seguramente que ha habido más de un crimen que se haya hecho por quedar bien, por dar coba a alguien.

—A todos estos mangantes hay que tratarlos así; las personas decentes no podemos dejar que se nos suban a las barbas. ¡Ya lo decía mi padre! ¿Quieres uvas? Pues entra por uvas. ¡Ja, ja! ¡La muy zorrupia[21] no volvió a arrimar por allí!

Corre por entre las mesas un gato gordo, reluciente; un gato lleno de salud y de bienestar; un gato orondo y presuntuoso. Se mete entre las piernas de una señora, y la señora se sobresalta.

—¡Gato del diablo! ¡Largo de aquí!

El hombre de la historia le sonríe con dulzura.

—Pero, señora, ¡pobre gato! ¿Qué mal le hacía a usted?

Un jovencito melenudo hace versos entre la barahúnda. [9] Está evadido, no se da cuenta de nada; es la única manera de poder hacer versos hermosos. Si mirase para los lados

---

[21]   *zorrupia:* 'zorra', prostituta. Abundan en la novela los sinónimos: furcia, buscona, hetaira, pelandusca...

se le escaparía la inspiración. Eso de la inspiración debe ser como una mariposita ciega y sorda, pero muy luminosa; si no, no se explicarían muchas cosas.

El joven poeta está componiendo un poema largo, que se llama Destino. Tuvo sus dudas sobre si debía poner El destino, pero al final, y después de consultar con algunos poetas ya más hechos, pensó que no, que sería mejor titularlo Destino, simplemente. Era más sencillo, más evocador, más misterioso. Además, así, llamándole Destino, quedaba más sugeridor, más... ¿cómo diríamos?, más impreciso, más poético. Así no se sabía si se quería aludir al destino, o a un destino, a destino incierto, a destino fatal o destino feliz o destino azul o destino violado. El destino ataba más, dejaba menos campo para que la imaginación volase en libertad, desligada de toda traba.

El joven poeta llevaba ya varios meses trabajando en su poema. Tenía ya trescientos y pico de versos, una maqueta cuidadosamente dibujada de la futura edición y una lista de posibles suscriptores, a quienes, en su hora, se les enviaría un boletín, por si querían cubrirlo. Había ya elegido también el tipo de imprenta (un tipo sencillo, claro, clásico; un tipo que se leyese con sosiego; vamos, queremos decir un bodoni [22]), y tenía ya redactada la justificación de la tirada. Dos dudas, sin embargo, atormentaban aún al joven poeta: el poner o no poner el Laus Deo rematando el colofón [23], y el redactar por sí mismo, o no re-

---

[22]   *bodoni:* tipo de letra, tenida por clara y elegante, inventada por el impresor italiano Bodoni (1740-1813).

[23]   *Laus Deo* significa «alabado sea Dios». Era un latinismo frecuente en la última página de los libros impresos en los años 40, como colofón. *Colofón:* en los libros, anotación final que suele indicar la fecha de impresión, la letra empleada u otros datos de la edición.

dactar por sí mismo, la nota biográfica para la solapa de la sobrecubierta.

Doña Rosa no era, ciertamente, lo que se suele decir [10] una sensitiva.

—Y lo que le digo, ya lo sabe. Para golfos ya tengo bastante con mi cuñado. ¡Menudo pendón! Usted está todavía muy verdecito, ¿me entiende?, muy verdecito. ¡Pues estaría bueno! ¿Dónde ha visto usted que un hombre sin cultura y sin principios ande por ahí, tosiendo y pisando fuerte como un señorito? ¡No seré yo quien lo vea, se lo juro!

Doña Rosa sudaba por el bigote y por la frente.

—Y tú, pasmado, ya estás yendo por el periódico. ¡Aquí no hay respeto ni hay decencia, eso es lo que pasa! ¡Ya os daría yo para el pelo[24], ya, si algún día me cabreara! ¡Habráse visto!

Doña Rosa clava sus ojitos de ratón sobre Pepe, el viejo camarero llegado, cuarenta o cuarenta y cinco años atrás, de Mondoñedo. Detrás de los gruesos cristales, los ojitos de doña Rosa parecen los atónitos ojos de un pájaro disecado.

—¡Qué miras! ¡Qué miras! ¡Bobo! ¡Estás igual que el día que llegaste! ¡A vosotros no hay Dios que os quite el pelo de la dehesa[25]! ¡Anda, espabila y tengamos la fiesta en paz, que si fueras más hombre ya te había puesto de patas en la calle! ¿Me entiendes? ¡Pues nos ha merengao!

---

[24] *dar para el pelo:* golpear, dar una azotaina.
[25] *el pelo de la dehesa:* el aspecto y el comportamiento del paleto.

Doña Rosa se palpa el vientre y vuelve de nuevo a tratarlo de usted.

—Ande, ande... Cada cual a lo suyo. Ya sabe, no perdamos ninguno la perspectiva, ¡qué leñe!, ni el respeto, ¿me entiende?, ni el respeto.

Doña Rosa levantó la cabeza y respiró con profundidad. Los pelitos de su bigote se estremecieron con un gesto retador, con un gesto airoso, solemne, como el de los negros cuernecitos de un grillo enamorado y orgulloso.

[11]   Flota en el aire como un pesar que se va clavando en los corazones. Los corazones no duelen y pueden sufrir, hora tras hora, hasta toda una vida, sin que nadie sepamos nunca, demasiado a ciencia cierta, qué es lo que pasa.

Un señor de barbita blanca le da trocitos de bollo suizo, mojado en café con leche, a un niño morenucho que tiene sentado sobre las rodillas. El señor se llama don Trinidad García Sobrino y es prestamista. Don Trinidad tuvo una primera juventud turbulenta, llena de complicaciones y de veleidades, pero en cuanto murió su padre, se dijo: de ahora en adelante hay que tener cautela; si no, la pringas, Trinidad. Se dedicó a los negocios y al buen orden y acabó rico. La ilusión de toda su vida hubiera sido llegar a diputado; él pensaba que ser uno de quinientos entre veinticinco millones no estaba nada mal. Don Trinidad anduvo coqueteando varios años con algunos personajes de tercera fila del partido de Gil Robles [26], a ver si conseguía

---

[26]   José María Gil Robles fundó en 1931 el partido Acción Popular y formó una confederación de partidos de derecha, la CEDA, que ganó las elecciones de 1933. Fue ministro y, en el 36, apoyó el alzamiento de Franco.

que lo sacasen diputado, a él el sitio le era igual; no tenía ninguna demarcación preferida. Se gastó algunos cuartos en convites, dio su dinero para propaganda, oyó buenas palabras, pero al final no presentaron su candidatura por lado alguno y ni siquiera lo llevaron a la tertulia del jefe. Don Trinidad pasó por momentos duros, de graves crisis de ánimo, y al final acabó haciéndose lerrouxista[27]. En el partido radical parece que le iba bastante bien, pero en esto vino la guerra y con ella el fin de su poco brillante, y no muy dilatada, carrera política. Ahora don Trinidad vivía apartado de la cosa pública, como aquel día memorable dijera don Alejandro, y se conformaba con que lo dejaran vivir tranquilo, sin recordarle tiempos pasados, mientras seguía dedicándose al lucrativo menester del préstamo a interés.

Por las tardes se iba con el nieto al café de doña Rosa, le daba de merendar y se estaba callado, oyendo la música o leyendo el periódico, sin meterse con nadie.

Doña Rosa se apoya en una mesa y sonríe.   [12]

—¿Qué me dice, Elvirita?

—Pues ya ve usted, señora, poca cosa.

La señorita Elvira chupa del cigarro y ladea un poco la cabeza. Tiene las mejillas ajadas y los párpados rojos, como de tenerlos delicados.

—¿Se le arregló aquello?

—¿Cuál?

---

[27] *lerrouxista:* militante o votante del Partido Radical, fundado por Alejandro Lerroux. Este político cordobés, de actitudes exaltadas y demagógicas, presidió dos gobiernos de la República, que cayeron por escándalos de corrupción.

—Lo de...

—No, salió mal. Anduvo conmigo tres días y después me regaló un frasco de fijador.

La señorita Elvira sonríe. Doña Rosa entorna la mirada, llena de pesar.

—¡Es que hay gente sin conciencia, hija!

—¡Psché! ¿Qué más da?

Doña Rosa se le acerca, le habla casi al oído.

—¿Por qué no se arregla con don Pablo?

—Porque no quiero. Una también tiene su orgullo, doña Rosa.

—¡Nos ha merengao! ¡Todas tenemos nuestras cosas! Pero lo que yo le digo a usted, Elvirita, y ya sabe que yo siempre quiero para usted lo mejor, es que con don Pablo bien le iba.

—No tanto. Es un tío muy exigente. Y además un baboso. Al final ya lo aborrecía, ¡qué quiere usted!, ya me daba hasta repugnancia.

Doña Rosa pone la dulce voz, la persuasiva voz de los consejos.

—¡Hay que tener más paciencia, Elvirita! ¡Usted es aún muy niña!

—¿Usted cree?

La señorita Elvirita escupe debajo de la mesa y se seca la boca con la vuelta de un guante.

[13]   Un impresor enriquecido que se llama Vega, don Mario de la Vega, se fuma un puro descomunal, un puro que parece de anuncio. El de la mesa de al lado le trata de resultar simpático.

—¡Buen puro se está usted fumando, amigo!

Vega le contesta sin mirarle, con solemnidad:

—Sí, no es malo, mi duro me costó.

Al de la mesa de al lado, que es un hombre raquítico y sonriente, le hubiera gustado decir algo así como: ¡quién como usted!, pero no se atrevió; por fortuna le dio la vergüenza a tiempo. Miró para el impresor, volvió a sonreír con humildad, y le dijo:

—¿Un duro nada más? Parece lo menos de siete pesetas.

—Pues no: un duro y treinta de propina. Yo con esto ya me conformo.

—¡Ya puede!

—¡Hombre! No creo yo que haga falta ser un Romanones [28] para fumar estos puros.

—Un Romanones, no, pero ya ve usted, yo no me lo podría fumar, y como yo muchos de los que estamos aquí.

—¿Quiere usted fumarse uno?

—¡Hombre...!

Vega sonrió, casi arrepintiéndose de lo que iba a decir.

—Pues trabaje usted como trabajo yo.

El impresor soltó una carcajada violenta, descomunal. El hombre raquítico y sonriente de la mesa de al lado dejó de sonreír. Se puso colorado, notó un calor quemándole las orejas y los ojos empezaron a escocerle. Agachó la vista para no enterarse de que todo el café le estaba mirando; él, por lo menos, se imaginaba que todo el café le estaba mirando.

---

[28]   El conde de Romanones, don Álvaro de Figueroa y Torres (1863-1950), fue alcalde de Madrid, diputado, varias veces ministro y presidente del Gobierno en 1913 y 1918. Pertenecía al Partido Liberal. Era financiero, terrateniente y hombre de gran fortuna.

[14]   Mientras don Pablo, que es un miserable que ve las cosas al revés, sonríe contando lo de madame Pimentón, la señorita Elvira deja caer la colilla y la pisa. La señorita Elvira, de cuando en cuando, tiene gestos de verdadera princesa.

—¿Qué daño le hacía a usted el gatito? ¡Michino, michino, toma, toma...!

Don Pablo mira a la señora.

—¡Hay que ver qué inteligentes son los gatos! Discurren mejor que algunas personas. Son unos animalitos que lo entienden todo. ¡Michino, michino, toma, toma...!

El gato se aleja sin volver la cabeza y se mete en la cocina.

—Yo tengo un amigo, hombre adinerado y de gran influencia, no se vaya usted a creer que es ningún pelado, que tiene un gato persa que atiende por Sultán, que es un prodigio.

—¿Sí?

—¡Ya lo creo! Le dice: Sultán, ven, y el gato viene moviendo su rabo hermoso, que parece un plumero. Le dice: Sultán, vete, y allá se va Sultán como un caballero muy digno. Tiene unos andares muy vistosos y un pelo que parece seda. No creo yo que haya muchos gatos como ése; ése, entre los gatos, es algo así como el duque de Alba entre las personas. Mi amigo lo quiere como a un hijo. Claro que también es verdad que es un gato que se hace querer.

Don Pablo pasea su mirada por el café. Hay un momento que tropieza con la de la señorita Elvira. Don Pablo pestañea y vuelve la cabeza.

—Y lo cariñosos que son los gatos. ¿Usted se ha fijado en lo cariñosos que son? Cuando cogen cariño a una persona ya no se lo pierden en toda la vida.

Don Pablo carraspea un poco y pone la voz grave, importante:

—¡Ejemplo deberían tomar muchos seres humanos!

—Verdaderamente.

Don Pablo respira con profundidad. Está satisfecho. La verdad es que eso de ejemplo deberían tomar, etc., es algo que le ha salido bordado.

Pepe, el camarero, se vuelve a su rincón sin decir ni pa- [15] labra. Al llegar a sus dominios, apoya una mano sobre el respaldo de una silla y se mira, como si mirase algo muy raro, muy extraño, en los espejos. Se ve de frente, en el de más cerca; de espalda, en el del fondo; de perfil, en los de las esquinas.

—A esta tía bruja lo que le vendría de primera es que la abrieran en canal un buen día. ¡Cerda! ¡Tía zorra!

Pepe es un hombre a quien las cosas se le pasan pronto; le basta con decir por lo bajo una frasecita que no se hubiera atrevido jamás a decir en voz alta.

—¡Usurera! ¡Guarra! ¡Que te comes el pan de los pobres!

A Pepe le gusta mucho decir frases lapidarias en los momentos de mal humor. Después se va distrayendo poco a poco y acaba por olvidarse de todo.

Dos niños de cuatro o cinco años juegan aburridamente, sin ningún entusiasmo, al tren por entre las mesas. Cuando van hacia el fondo, va uno haciendo de máquina y otro de vagón. Cuando vuelven hacia la puerta, cambian. Nadie les hace caso, pero ellos siguen impasibles, desganados, andando para arriba y para abajo con una seriedad tremenda. Son dos niños ordenancistas [29], conse-

---

[29] *ordenancista:* que cumple con rigor las normas.

cuentes, dos niños que juegan al tren, aunque se aburren como ostras, porque se han propuesto divertirse y, para divertirse, se han propuesto, pase lo que pase, jugar al tren durante toda la tarde. Si ellos no lo consiguen, ¿qué culpa tienen? Ellos hacen todo lo posible.

Pepe los mira y les dice:

—Que os vais a ir a caer...

Pepe habla el castellano, aunque lleva ya casi medio siglo en Castilla, traduciendo directamente del gallego. Los niños le contestan no, señor, y siguen jugando al tren sin fe, sin esperanza, incluso sin caridad, como cumpliendo un penoso deber.

[16]   Doña Rosa se mete en la cocina.

—¿Cuántas onzas [30] echaste, Gabriel?

—Dos, señorita.

—¿Lo ves? ¡Lo ves! ¡Así no hay quien pueda! ¡Y después, que si bases de trabajo [31], y que si la Virgen! ¿No te dije bien claro que no echases más que onza y media? Con vosotros no vale hablar en español, no os da la gana de entender.

Doña Rosa respira y vuelve a la carga. Respira como una máquina, jadeante, precipitada: todo el cuerpo en sobresalto y un silbido roncándole por el pecho.

—Y si a don Pablo le parece que está muy claro, que se vaya con su señora a donde se lo den mejor. ¡Pues estaría

---

[30]   *onzas:* el chocolate se vendía al peso, por libras. Una onza es una de las dieciséis partes en que se dividía una tableta.

[31]   *bases de trabajo:* las normas laborales. Las leyes franquistas prohibían la huelga y el sindicalismo obrero. Había un «sindicato vertical» de afiliación obligatoria.

bueno! ¡Habráse visto! Lo que no sabe ese piernas [32] desgraciado es que lo que aquí sobran, gracias a Dios, son
clientes. ¿Te enteras? Si no le gusta, que se vaya; eso sal-
dremos ganando. ¡Pues ni que fueran reyes! Su señora es
una víbora que me tiene muy harta. ¡Muy harta es lo que
estoy yo de la doña Pura!

Gabriel la previene, como todos los días.

—¡Que la van a oír, señorita!

—¡Que me oigan si quieren, para eso lo digo! ¡Yo no
tengo pelos en la lengua! ¡Lo que yo no sé es cómo ese
mastuerzo se atrevió a despedir a la Elvirita, que es igual
que un ángel y que no vivía pensando más que en darle
gusto, y aguanta como un cordero a la liosa de la doña Pura,
que es un culebrón siempre riéndose por lo bajo! En fin,
como decía mi madre, que en paz descanse: ¡vivir para ver!

Gabriel trata de arreglar el desaguisado.

—¿Quiere que quite un poco?

—Tú sabrás lo que tiene que hacer un hombre honrado,
un hombre que esté en sus cabales y no sea un ladrón.
¡Tú, cuando quieres, muy bien sabes lo que te conviene!

Padilla, el cerillero, habla con un cliente nuevo que le [17]
compró un paquete entero de tabaco.

—¿Y está siempre así?

—Siempre, pero no es mala. Tiene el genio algo fuerte,
pero después no es mala.

—¡Pero a aquel camarero le llamó bobo!

—¡Anda, eso no importa! A veces también nos llama
maricas y rojos.

---

[32] *ser un piernas:* un don nadie; persona sin categoría ni fortuna. Es
una expresión despectiva.

El cliente nuevo no puede creer lo que está viendo.

—Y ustedes, ¿tan tranquilos?

—Sí, señor; nosotros tan tranquilos.

El cliente nuevo se encoge de hombros.

—Bueno, bueno...

El cerillero se va a dar otro recorrido al salón.

El cliente se queda pensativo.

—Yo no sé quién será más miserable, si esa foca sucia y enlutada o esta partida de gaznápiros [33]. Si la agarrasen un día y le dieran una somanta [34] entre todos, a lo mejor entraba en razón. Pero, ¡ca!, no se atreven. Por dentro estarán todo el día mentándole al padre, pero por fuera, ¡ya lo vemos! ¡Bobo, lárgate! ¡Ladrón, desgraciado! Ellos, encantados. Sí, señor; nosotros tan tranquilos. ¡Ya lo creo! Caray con esta gente, ¡así da gusto!

El cliente sigue fumando. Se llama Mauricio Segovia y está empleado en la telefónica. Digo todo esto porque, a lo mejor, después vuelve a salir. Tiene unos treinta y ocho o cuarenta años y el pelo rojo y la cara llena de pecas. Vive lejos, por Atocha; vino a este barrio por casualidad, vino detrás de una chica que, de repente, antes de que Mauricio se decidiese a decirle nada, dobló una esquina y se metió por el primer portal.

[18]   Segundo, el limpia, va voceando:

—¡Señor Suárez! ¡Señor Suárez!

El señor Suárez, que tampoco es un habitual, se levanta de donde está y va al teléfono. Anda cojeando, cojeando

---

[33]   *gaznápiro:* es un insulto benévolo que se dice a alguien informal insensato. También equivale a 'bobo', 'simple'.

[34]   *somanta:* paliza.

de arroba, no del pie. Lleva un traje a la moda, de un color clarito, y usa lentes de pinza. Representa tener unos cincuenta años y parece dentista o peluquero. También parece, fijándose bien, un viajante de productos químicos. El señor Suárez tiene todo el aire de ser un hombre muy atareado, de esos que dicen al mismo tiempo: un exprés [35] solo; el limpia; chico, búscame un taxi. Estos señores tan ocupados, cuando van a la peluquería, se afeitan, se cortan el pelo, se hacen las manos, se limpian los zapatos y leen el periódico. A veces, cuando se despiden de algún amigo, le advierten: de tal a tal hora, estaré en el café, después me daré una vuelta por el despacho, y a la caída de la tarde me pasaré por casa de mi cuñado; los teléfonos vienen en la guía; ahora me voy porque tengo todavía multitud de pequeños asuntos que resolver. De estos hombres se ve en seguida que son los triunfadores, los señalados, los acostumbrados a mandar.

Por teléfono, el señor Suárez habla en voz baja, atiplada, una voz de lila [36], un poco redicha. La chaqueta le está algo corta y el pantalón le queda ceñido, como el de un torero.

—¿Eres tú?

—...

—¡Descarado, más que descarado! ¡Eres un carota!

—...

—Sí... Sí... Bueno, como tú quieras.

—...

—Entendido. Bien; descuida, que no faltaré.

---

[35] *un exprés:* un café de máquina: «La cafetera niquelada borbotea sin cesar tazas de café exprés», se dice en la secuencia siguiente.

[36] *lila*: tonto, cursi, afeminado.

—...

—Adiós, chato.

—...

—¡Je, je! ¡Tú siempre con tus cosas! Adiós, pichón; ahora te recojo.

El señor Suárez vuelve a su mesa. Va sonriendo y ahora lleva la cojera algo temblona, como estremecida: ahora lleva una cojera casi cachonda, una cojera coqueta, casquivana. Paga su café, pide un taxi y, cuando se lo traen, se levanta y se va. Mira con la frente alta, como un gladiador romano; va rebosante de satisfacción, radiante de gozo.

Alguien lo sigue con la mirada hasta que se lo traga la puerta giratoria. Sin duda alguna, hay personas que llaman más la atención que otras. Se les conoce porque tienen como una estrellita en la frente.

[19]   La dueña da media vuelta y va hacia el mostrador. La cafetera niquelada borbotea pariendo sin cesar tazas de café exprés, mientras la registradora de cobriza antigüedad suena constantemente.

Algunos camareros de caras fláccidas, tristonas, amarillas, esperan, embutidos en sus trasnochados smokings [37], con el borde de la bandeja apoyado sobre el mármol, a que el encargado les dé las consumiciones y las doradas y plateadas chapitas de las vueltas.

El encargado cuelga el teléfono y reparte lo que le piden.

---

[37]   En el *DRAE* hoy se escribe *esmoquin:* chaqueta masculina de etiqueta.

—¿Conque otra vez hablando por ahí, como si no hubiera nada que hacer?

—Es que estaba pidiendo más leche, señorita.

—¡Sí, más leche! ¿Cuánta han traído esta mañana?

—Como siempre, señorita: sesenta.

—¿Y no ha habido bastante?

—No, parece que no va a llegar.

—Pues, hijo, ¡ni que estuviésemos en la maternidad! ¿Cuánta has pedido?

—Veinte más.

—¿Y no sobrará?

—No creo.

—¿Cómo no creo? ¡Nos ha merengao! ¿Y si sobra, di?

—No, no sobrará. ¡Vamos, digo yo!

—Sí, digo yo, como siempre, digo yo, eso es muy cómodo. ¿Y si sobra?

—No, ya verá como no ha de sobrar. Mire usted cómo está el salón.

—Sí, claro, cómo está el salón, cómo está el salón. Eso se dice muy pronto. ¡Porque soy honrada y doy bien, que si no ya verías adónde se iban todos! ¡Pues menudos son!

Los camareros, mirando para el suelo, procuran pasar inadvertidos.

—Y vosotros, a ver si os alegráis. ¡Hay muchos cafés solos en esas bandejas! ¿Es que no sabe la gente que hay suizos, y mojicones, y torteles? No, ¡si ya lo sé! ¡Si sois capaces de no decir nada! Lo que quisierais es que me viera en la miseria, vendiendo los cuarenta iguales [38].

---

[38] Cupones de la ONCE, la Organización Nacional de Ciegos, que se creó en 1938. Los vendedores solían gritar en la calle: «¡cuarenta iguales!».

¡Pero os reventáis! Ya sé yo con quiénes me juego la tela. ¡Estáis buenos! Anda, vamos, mover las piernas y pedir a cualquier santo que no se me suba la sangre a la cabeza.

Los camareros, como quien oye llover, se van marchando del mostrador con los servicios. Ni uno solo mira para doña Rosa. Ninguno piensa, tampoco, en doña Rosa.

[20]   Uno de los hombres que, de codos sobre el velador, ya sabéis, se sujeta la pálida frente con la mano —triste y amarga la mirada, preocupada y como sobrecogida la expresión—, habla con el camarero. Trata de sonreír con dulzura, parece un niño abandonado que pide agua en una casa del camino.

El camarero hace gestos con la cabeza y llama al echador.

Luis, el echador [39], se acerca hasta la dueña.

—Señorita, dice Pepe que aquel señor no quiere pagar.

—Pues que se las arregle como pueda para sacarle los cuartos; eso es cosa suya; si no se los saca, dile que se le pegan al bolsillo y en paz. ¡Hasta ahí podíamos llegar!

La dueña se ajusta los lentes y mira.

—¿Cuál es?

—Aquel de allí, aquel que lleva gafitas de hierro.

—¡Anda, qué tío, pues esto sí que tiene gracia! ¡Con esa cara! Oye, ¿y por qué regla de tres no quiere pagar?

—Ya ve... Dice que se ha venido sin dinero.

—¡Pues sí, lo que faltaba para el duro! Lo que sobran en este país son pícaros.

---

[39]   *echador:* el camarero que junto a la cafetera echaba el café y la leche en las tazas.

El echador, sin mirar para los ojos de doña Rosa, habla con un hilo de voz:

—Dice que cuando tenga ya vendrá a pagar.

Las palabras, al salir de la garganta de doña Rosa, suenan como el latón.

—Eso dicen todos y despés, para uno que vuelve, cien se largan, y si te he visto no me acuerdo. ¡Ni hablar! ¡Cría cuervos y te sacarán los ojos! Dile a Pepe que ya sabe: a la calle con suavidad, y en la acera, dos patadas bien dadas donde se tercie. ¡Pues nos ha merengao!

El echador se marchaba cuando doña Rosa volvió a hablarle:

—¡Oye! ¡Dile a Pepe que se fije en la cara!

—Sí, señorita.

Doña Rosa se quedó mirando para la escena. Luis llega, siempre con sus lecheras, hasta Pepe y le habla al oído.

—Eso es todo lo que dice. Por mí, ¡bien lo sabe Dios!

Pepe se acerca al cliente y éste se levanta con lentitud. Es un hombrecillo desmedrado, paliducho, enclenque, con lentes de pobre alambre sobre la mirada. Lleva la americana raída y el pantalón desflecado. Se cubre con un flexible [40] gris oscuro, con la cinta llena de grasa, y lleva un libro forrado de papel de periódico debajo del brazo.

—Si quiere, le dejo el libro.

—No. Ande, a la calle, no me alborote.

El hombre va hacia la puerta con Pepe detrás. Los dos salen afuera. Hace frío y las gentes pasan presurosas. Los vendedores vocean los diarios de la tarde. Un tranvía tristemente, trágicamente, casi lúgubremente bullanguero, baja por la calle de Fuencarral.

---

[40] *un flexible:* un sombrero de fieltro.

El hombre no es un cualquiera, no es uno de tantos, no es un hombre vulgar, un hombre del montón, un ser corriente y moliente; tiene un tatuaje en el brazo izquierdo y una cicatriz en la ingle. Ha hecho sus estudios y traduce algo el francés. Ha seguido con atención el ir y venir del movimiento intelectual y literario, y hay algunos folletones de El Sol [41] que todavía podría repetirlos casi de memoria. De mozo tuvo una novia suiza y compuso poesías ultraístas [42].

[21]   El limpia habla con don Leonardo. Don Leonardo le está diciendo:

—Nosotros los Meléndez, añoso tronco emparentado con las más rancias familias castellanas, hemos sido otrora dueños de vidas y haciendas. Hoy, ya lo ve usted, ¡casi en medio de la rue!

Segundo Segura siente admiración por don Leonardo. El que don Leonardo le haya robado sus ahorros es, por lo visto, algo que le llena de pasmo y de lealtad. Hoy don Leonardo está locuaz con él, y él se aprovecha y retoza a su alrededor como un perrillo faldero. Hay días, sin embargo, en que tiene peor suerte y don Leonardo lo trata a patadas. En esos días desdichados, el limpia se le acerca sumiso y le habla humildemente, quedamente.

—¿Qué dice usted?

---

[41]   Importante periódico fundado por José Ortega y Gasset en 1917; se cerró en 1936. En él colaboraron escritores del 98, poetas del 27 y los más importantes intelectuales de la época.

[42]   El *ultraísmo* fue un movimiento poético de vanguardia. El primer manifiesto *ultra* se publicó en 1918. Sus cultivadores traían un «propósito de perenne juventud literaria», dispuestos a incorporar nuevos temas y maneras de escribir poesía.

Don Leonardo ni le contesta. El limpia no se preocupa y vuelve a insistir.

—¡Buen día de frío!

—Sí.

El limpia entonces sonríe. Es feliz y, por ser correspondido, hubiera dado gustoso otros seis mil duros.

—¿Le saco un poco de brillo?

El limpia se arrodilla, y don Leonardo, que casi nunca suele ni mirarle, pone el pie con displicencia en la plantilla de hierro de la caja.

Pero hoy, no. Hoy don Leonardo está contento. Seguramente está redondeando el anteproyecto para la creación de una importante sociedad anónima.

—En tiempos, ¡oh, mon Dieu!, cualquiera de nosotros se asomaba a la bolsa y allí nadie compraba ni vendía hasta ver lo que hacíamos.

—¡Hay que ver! ¿Eh?

Don Leonardo hace un gesto ambiguo con la boca, mientras con la mano dibuja jeribeques [43] en el aire.

—¿Tiene usted un papel de fumar? —dice al de la mesa de al lado—; quisiera fumar un poco de picadura y me encuentro sin papel en este momento.

El limpia calla y disimula; sabe que es su deber.

Doña Rosa se acerca a la mesa de Elvirita, que había [22] estado mirando para la escena del camarero y el hombre que no pagó el café.

—¿Ha visto usted, Elvirita?

La señorita Elvirita tarda unos instantes en responder.

---

[43] *jeribeques:* gestos, contorsiones.

—¡Pobre chico! A lo mejor no ha comido en todo el día, doña Rosa.

—¿Usted también me sale romántica? ¡Pues vamos servidos! Le juro a usted que a corazón tierno no hay quien me gane, pero, ¡con estos abusos!

Elvirita no sabe qué contestar. La pobre es una sentimental que se echó a la vida para no morirse de hambre, por lo menos, demasiado de prisa. Nunca supo hacer nada y, además, tampoco es guapa ni de modales finos. En su casa, de niña, no vio más que desprecio y calamidades. Elvirita era de Burgos, hija de un punto de mucho cuidado, que se llamó, en vida, Fidel Hernández. A Fidel Hernández, que mató a la Eudosia, su mujer, con una lezna [44] de zapatero, lo condenaron a muerte y lo agarrotó Gregorio Mayoral [45] en el año 1909. Lo que él decía: si la mato a sopas con sulfato, no se entera ni Dios. Elvirita, cuando se quedó huérfana, tenía once o doce años y se fue a Villalón, a vivir con una abuela, que era la que pasaba el cepillo del pan de San Antonio [46] en la parroquia. La pobre vieja vivía mal, y cuando le agarrotaron al hijo empezó a desinflarse y al poco tiempo se murió. A Elvirita la embromaban las otras mozas del pueblo enseñándole la picota [47] y diciéndole: ¡en otra igual colgaron a tu padre, tía

---

[44] *lezna:* punzón para agujerear el cuero.

[45] Fue un verdugo que en 1950 ya había ejecutado a más de cincuenta reos.

[46] El *cepillo* de las iglesias es un cestito o cajita donde los fieles depositan sus limosnas para socorrer (dar el pan) a los pobres, por devoción a San Antonio Abad.

[47] La *picota* era una columna que había a la entrada de los pueblos donde se exponía la cabeza de los ejecutados para vergüenza y escarmiento.

asquerosa! Elvirita, un día que ya no pudo aguantar más, se largó del pueblo con un asturiano que vino a vender peladillas por la función. Anduvo con él dos años largos, pero como le daba unas tundas [48] tremendas que la deslomaba, un día, en Orense, lo mandó al cuerno y se metió de pupila en casa de la Pelona, en la calle del Villar, donde conoció a una hija de la Marraca, la leñadora de la pradera de Francelos, en Ribadavia, que tuvo doce hijas, todas busconas [49]. Desde entonces, para Elvirita todo fue rodar y coser y cantar, digámoslo así.

La pobre estaba algo amargada, pero no mucho. Además, era de buenas intenciones y, aunque tímida, todavía un poco orgullosa.

Don Jaime Arce, aburrido de estar sin hacer nada, mi- [23] rando para el techo y pensando en vaciedades, levanta la cabeza del respaldo y explica a la señora silenciosa del hijo muerto, a la señora que ve pasar la vida desde debajo de la escalera de caracol que sube a los billares:

—Infundios... Mala organización... También errores, no lo niego. Créame que no hay más. Los bancos funcionan defectuosamente, y los notarios, con sus oficiosidades, con sus precipitaciones, echan los pies por alto antes de tiempo y organizan semejante desbarajuste que después no hay quien se entienda.

Don Jaime pone un mundano gesto de resignación.

—Luego viene lo que viene; los protestos [50], los líos y la monda.

---

48 *tunda:* paliza; somanta.
49 *buscona:* prostituta.
50 *protesto* de letras: ver, n. 16.

Don Jaime Arce habla despacio, con parsimonia, incluso con cierta solemnidad. Cuida el ademán y se preocupa por dejar caer las palabras lentamente, como para ir viendo, y midiendo y pesando, el efecto que hacen. En el fondo, no carece también de cierta sinceridad. La señora del hijo muerto, en cambio, es como una tonta que no dice nada; escucha y abre los ojos de una manera rara, de una manera que parece más para no dormirse que para atender.

—Eso es todo, señora, y lo demás, ¿sabe lo que le digo?, lo demás son macanas[51].

Don Jaime Arce es hombre que habla muy bien, aunque dice, en medio de una frase bien cortada, palabras poco finas, como la monda, o el despiporrio[52], y otras por el estilo.

La señora lo mira y no dice nada. Se limita a mover la cabeza, para adelante y para atrás, con un gesto que tampoco significa nada.

—Y ahora, ¡ya ve usted!, en labios de la gente. ¡Si mi pobre madre levantara la cabeza!

La señora, la viuda de Sanz, doña Isabel Montes, cuando don Jaime andaba por lo de ¿sabe lo que le digo?, empezó a pensar en su difunto, en cuando lo conoció, de veintitrés años, apuesto, elegante, muy derecho, con el bigote engomado. Un vaho de dicha recorrió, un poco confusamente, su cabeza, y doña Isabel sonrió, de una manera muy discreta, durante medio segundo. Después se acordó del pobre Paquito, de la cara de bobo que se le puso con la meningitis, y se entristeció de repente, incluso con violencia.

---

[51]   *macana:* mentira, embuste.
[52]   El *despiporrio* o *despiporre:* el colmo, el desbarajuste. Es una expresión vulgar con la que se pondera algo extraordinario.

Don Jaime Arce, cuando abrió los ojos que había entornado para dar mayor fuerza a lo de ¡si mi pobre madre levantara la cabeza!, se fijó en doña Isabel y le dijo, obsequioso:

—¿Se siente usted mal, señora? Está usted un poco pálida.

—No, nada, muchas gracias. ¡Ideas que se le ocurren a una!

Don Pablo, como sin querer, mira siempre un poco de [24] reojo para la señorita Elvira. Aunque ya todo terminó, él no puede olvidar el tiempo que pasaron juntos. Ella, bien mirado, era buena, dócil, complaciente. Por fuera, don Pablo fingía como despreciarla y la llamaba tía guarra y meretriz, pero por dentro la cosa variaba. Don Pablo, cuando, en voz baja, se ponía tierno, pensaba: no son cosas del sexo, no; son cosas del corazón. Después se le olvidaba y la hubiera dejado morir de hambre y de lepra con toda tranquilidad; don Pablo era así.

—Oye, Luis, ¿qué pasa con ese joven?

—Nada, don Pablo, que no le daba la gana de pagar el café que se había tomado.

—Habérmelo dicho, hombre; parecía buen muchacho.

—No se fíe; hay mucho mangante, mucho desaprensivo.

Doña Pura, la mujer de don Pablo, dice:

—Claro que hay mucho mangante y mucho desaprensivo, ésa es la verdad. ¡Si se pudiera distinguir! Lo que tendría que hacer todo el mundo es trabajar como Dios manda, ¿verdad, Luis?

—Puede; sí, señora.

—Pues eso. Así no habría dudas. El que trabaje que se tome su café y hasta un bollo suizo si le da la gana; pero el que no trabaje... ¡pues mira! El que no trabaja no es digno de compasión; los demás no vivimos del aire.

Doña Pura está muy satisfecha de su discurso; realmente le ha salido muy bien.

Don Pablo vuelve otra vez la cabeza hacia la señora que se asustó del gato.

—Con estos tipos que no pagan el café hay que andarse con ojo, con mucho ojo. No sabe uno nunca con quién tropieza. Ése que acaban de echar a la calle, lo mismo es un ser genial, lo que se dice un verdadero genio como Cervantes o como Isaac Peral[53], que un fresco redomado. Yo le hubiera pagado el café. ¿A mí qué más da un café de más que de menos?

—Claro.

Don Pablo sonrió como quien, de repente, encuentra que tiene toda la razón.

—Pero eso no lo encuentra usted entre los seres irracionales. Los seres irracionales son más gallardos y no engañan nunca. Un gatito noble como ése, ¡je, je!, que tanto miedo le daba, es una criatura de Dios, que lo que quiere es jugar, nada más que jugar.

A don Pablo le sube a la cara una sonrisa de beatitud. Si se le pudiese abrir el pecho, se le encontraría un corazón negro y pegajoso como la pez.

[25]   Pepe vuelve a entrar a los pocos momentos. La dueña, que tiene las manos en los bolsillos del mandil, los hombros echados para atrás y las piernas separadas, lo llama

---

[53]   Militar y científico español (1851-1895) al que se considera el inventor del submarino. Las pruebas efectuadas en 1889 salieron perfectas, pero el Ministerio rechazó su construcción.

con una voz seca, cascada; con una voz que parece el chasquido de un timbre con la campanilla partida.

—Ven acá.

Pepe casi no se atreve a mirarla.

—¿Qué quiere?

—¿Le has arreado?

—Sí, señorita.

—¿Cuántas?

—Dos.

La dueña entorna los ojitos tras los cristales, saca las manos de los bolsillos y se las pasa por la cara, donde apuntan los cañotes de la barba, mal tapados por los polvos de arroz.

—¿Dónde se las has dado?

—Donde pude; en las piernas.

—Bien hecho. ¡Para que aprenda! ¡Así otra vez no querrá robarle el dinero a las gentes honradas!

Doña Rosa, con sus manos gordezuelas apoyadas sobre el vientre, hinchado como un pellejo de aceite, es la imagen misma de la venganza del bien nutrido contra el hambriento. ¡Sinvergüenzas! ¡Perros! De sus dedos como morcillas se reflejan hermosos, casi lujuriosos, los destellos de las lámparas.

Pepe, con la mirada humilde, se aparta de la dueña. En el fondo, aunque no lo sepa demasiado, tiene la conciencia tranquila.

Don José Rodríguez de Madrid está hablando con dos [26] amigos que juegan a las damas.

—Ya ven ustedes, ocho duros, ocho cochinos duros. Después la gente, habla que te habla.

Uno de los jugadores le sonríe.

—¡Menos da una piedra, don José!

—¡Psché! Poco menos. ¿Adónde va uno con ocho duros?

—Hombre, verdaderamente, con ocho duros poco se puede hacer, ésa es la verdad; pero, ¡en fin!, lo que yo digo, para casa todo, menos una bofetada.

—Sí, eso también es verdad; después de todo, los he ganado bastante cómodamente...

Al violinista a quien echaron a la calle por contestar a don José, ocho duros le duraban ocho días. Comía poco y mal, cierto es, y no fumaba más que de prestado, pero conseguía alargar los ocho duros durante una semana entera; seguramente, habría otros que aún se defendían con menos.

[27]   La señorita Elvira llama al cerillero.

—¡Padilla!

—¡Voy, señorita Elvira!

—Dame dos tritones; mañana te los pago.

—Bueno.

Padilla sacó los dos tritones y se los puso a la señorita Elvira sobre la mesa.

—Uno es para luego, ¿sabes?, para después de la cena.

—Bueno, ya sabe usted, aquí hay crédito.

El cerillero sonrió con un gesto de galantería. La señorita Elvira sonrió también.

—Oye, ¿quieres darle un recado a Macario?

—Sí.

—Dile que toque Luisa Fernanda [54], que haga el favor.

El cerillero se marchó arrastrando los pies, camino de la

---

[54]   *Luisa Fernanda* es una zarzuela compuesta por Federico Moreno Torroba y letra de Federico Romero y Fernández Shaw. Se estrenó en 1932.

tarima de los músicos. Un señor que llevaba ya un rato timándose [55] con Elvirita, se decidió por fin a romper el hielo.

—Son bonitas las zarzuelas, ¿verdad, señorita?

La señorita Elvira asintió con un mohín. El señor no se desanimó; aquel visaje lo interpretó como un gesto de simpatía.

—Y muy sentimentales, ¿verdad?

La señorita Elvira entornó los ojos. El señor tomó nuevas fuerzas.

—¿A usted le gusta el teatro?

—Si es bueno...

El señor se rió como festejando una ocurrencia muy chistosa. Carraspeó un poco, ofreció fuego a la señorita Elvira, y continuó:

—Claro, claro. ¿Y el cine? ¿También le agrada el cine?

—A veces...

El señor hizo un esfuerzo tremendo, un esfuerzo que le puso colorado hasta las cejas.

—Esos cines oscuritos, ¿eh?, ¿qué tal?

La señorita Elvira se mostró digna y suspicaz.

—Yo al cine voy siempre a ver la película.

El señor reaccionó.

—Claro, naturalmente, yo también... Yo lo decía por los jóvenes, claro, por las parejitas, ¡todos hemos sido jóvenes...! Oiga, señorita, he observado que es usted fumadora [56]; a mí esto de que las mujeres fumen me parece

---

[55]   *timarse:* intercambiar miradas o señas seductoras.

[56]   Estaba mal visto que la mujer fumara, y menos en público. «Parece ser que el cigarrillo es el distintivo utilizado por las mujeres a quienes gusta llamar la atención, y aparentemente ofrecen mayores facilidades para una conquista masculina» (M.ª Pilar Morales: *Mujeres*, 1944, cit. por C. Martín Gaite: *Usos amorosos de la posguerra española*, 1987, pág. 135).

muy bien, claro que muy bien; después de todo, ¿qué tiene de malo? Lo mejor es que cada cual viva su vida, ¿no le parece a usted? Lo digo porque, si usted me lo permite (yo ahora me tengo que marchar, tengo mucha prisa, ya nos encontraremos otro día para seguir charlando), si usted me lo permite, yo tendría mucho gusto en... vamos, en proporcionarle una cajetilla de tritones.

El señor habla precipitadamente, azoradamente. La señorita Elvira le respondió con cierto desprecio, con el gesto de quien tiene la sartén por el mango.

—Bueno, ¿por qué no? ¡Si es capricho!

El señor llamó al cerillero, le compró la cajetilla, se la entregó con su mejor sonrisa a la señorita Elvira, se puso el abrigo, cogió el sombrero y se marchó. Antes le dijo a la señorita Elvira:

—Bueno, señorita, tanto gusto. Leoncio Maestre, para servirla. Como le digo, ya nos veremos otro día. A lo mejor somos buenos amiguitos.

[28]   La dueña llama al encargado. El encargado se llama López, Consorcio López, y es natural de Tomelloso, en la provincia de Ciudad Real, un pueblo grande y hermoso y de mucha riqueza. López es un hombre joven, guapo, incluso atildado, que tiene las manos grandes y la frente estrecha. Es un poco haragán [57] y los malos humores de doña Rosa se los pasa por la entrepierna. A esta tía —suele decir— lo mejor es dejarla hablar; ella sola se para. Consorcio López es un filósofo práctico; la verdad es que su filosofía le da buen resultado. Una vez, en To-

---

[57]   *haragán:* gandul, holgazán.

melloso, poco antes de venirse para Madrid, diez o doce años atrás, el hermano de una novia que tuvo, con la que no quiso casar después de hacerle dos gemelos, le dijo: o te casas con la Marujita o te los corto donde te encuentre. Consorcio, como no quería casarse ni tampoco quedar capón, cogió el tren y se metió en Madrid; la cosa debió irse poco a poco olvidando porque la verdad es que no volvieron a meterse con él. Consorcio llevaba siempre en la cartera dos fotos de los gemelitos: una, de meses aún, desnuditos encima de un cojín, y otra de cuando hicieron la primera comunión, que le había mandado su antigua novia, Marujita Ranero, entonces ya señora de Gutiérrez.

Doña Rosa, como decimos, llamó al encargado.

—¡López!

—Voy, señorita.

—¿Cómo andamos de vermú?

—Bien, por ahora bien.

—¿Y de anís?

—Así, así. Hay algunos que ya van faltando.

—¡Pues que beban de otro! Ahora no estoy para meterme en gastos, no me da la gana. ¡Pues anda con las exigencias! Oye, ¿has comprado eso?

—¿El azúcar?

—Sí.

—Sí; mañana lo van a traer.

—¿A catorce cincuenta, por fin?

—Sí; querían a quince, pero quedamos en que, por junto, bajarían esos dos reales [58].

---

[58] El azúcar, como el aceite y el pan, estaba racionado, pero se vendía de estraperlo, en el mercado negro, aunque muy caro, como se dice aquí, a 15 ptas./kilo. Un real era una moneda de 25 céntimos de peseta.

—Bueno, ya sabes: bolsita y no repite ni Dios. ¿Estamos?

—Sí, señorita.

[29]   El jovencito de los versos está con el lápiz entre los labios, mirando para el techo. Es un poeta que hace versos con idea. Esta tarde la idea ya la tiene. Ahora le faltan consonantes. En el papel tiene apuntados ya algunos. Ahora busca algo que rime bien con río y que no sea tío, ni tronío; albedrío, le anda ya rondando. Estío, también.

—Me guarda una caparazón estúpida, una concha de hombre vulgar. La niña de ojos azules... Quisiera, sin embargo, ser fuerte, fortísimo. De ojos azules y bellos... O la obra mata al hombre o el hombre mata a la obra. La de los rubios cabellos... ¡Morir! ¡Morir, siempre! Y dejar un breve libro de poemas! ¡Qué bella, qué bella está...!

El joven poeta está blanco, muy blanco, y tiene dos rosetones en los pómulos, dos rosetones pequeños.

—La niña de ojos azules... Río, río, río. De ojos azules y bellos... Tronío, tío, tronío, tío. La de los rubios cabellos... Albedrío. Recuperar de pronto su albedrío. La niña de ojos azules... Estremecer de gozo su albedrío. De ojos azules y bellos... Derramando de golpe su albedrío. La niña de ojos azules... Y ahora ya tengo, intacto, mi albedrío. La niña de ojos azules... O volviendo la cara al manso estío. La niña de ojos azules... La niña de ojos... ¿Cómo tiene la niña los ojos...? Cosechando las mieses del estío. La niña... ¿Tiene ojos la niña...? Larán, larán, larán, larán, la, estío... [59]

---

[59]   El poeta mezcla sus pensamientos, versos que se le ocurren rimados en *-ío* , y versos de la zarzuela *Bohemios*: «La niña de ojos azules,/ de ojos azules y bellos,/ la de los rubios cabellos,/ qué bella, qué bella está».

El jovencito, de pronto, nota que se le borra el café.

—Besando el universo en el estío. Es gracioso...

Se tambalea un poco, como un niño mareado, y siente que un calor intenso le sube hasta las sienes.

—Me encuentro algo... Quizás mi madre... Sí; estío, estío... Un hombre vuela sobre una mujer desnuda... ¡Qué tío! No, tío, no. Y entonces yo le diré: ¡jamás...! El mundo, el mundo... Sí, gracioso, muy gracioso...

En una mesa del fondo, dos pensionistas, pintadas [30] como monas, hablan de los músicos.

—Es un verdadero artista; para mí es un placer escucharle. Ya me lo decía mi difunto Ramón, que en paz descanse: fíjate, Matilde, sólo en la manera que tiene de echarse el violín a la cara. Hay que ver lo que es la vida: si ese chico tuviera padrinos llegaría muy lejos.

Doña Matilde pone los ojos en blanco. Es gorda, sucia y pretensiosa [60]. Huele mal y tiene una barriga tremenda, toda llena de agua.

—Es un verdadero artista, un artistazo.

—Sí, verdaderamente: yo estoy todo el día pensando en esta hora. Yo también creo que es un verdadero artista. Cuando toca, como él sabe hacerlo, el vals de La viuda alegre [61], me siento otra mujer.

Doña Asunción tiene un condescendiente aire de oveja.

—¿Verdad que aquélla era otra música? Era más fina, ¿verdad?, más sentimental.

Doña Matilde tiene un hijo imitador de estrellas, que vive en Valencia.

---

[60]   *pretensioso* o pretencioso: que pretende ser más de lo que es.
[61]   *La viuda alegre,* opereta de Franz Lehar, estrenada en 1903.

Doña Asunción tiene dos hijas: una casada con un subalterno del ministerio de obras públicas, que se llama Miguel Contreras y es algo borracho, y otra, soltera, que salió de armas tomar y vive en Bilbao, con un catedrático.

[31]   El prestamista limpia la boca del niño con un pañuelo. Tiene los ojos brillantes y simpáticos y, aunque no va muy aseado, aparenta cierta prestancia. El niño se ha tomado un doble de café con leche y dos bollos suizos, y se ha quedado tan fresco.

Don Trinidad García Sobrino no piensa ni se mueve. Es un hombre pacífico, un hombre de orden, un hombre que quiere vivir en paz. Su nieto parece un gitanillo flaco y barrigón. Lleva un gorro de punto y unas polainas [62], también de punto; es un niño que va muy abrigado.

—¿Le pasa a usted algo, joven? ¿Se siente usted mal?

El joven poeta no contesta. Tiene los ojos abiertos y pasmados y parece que se ha quedado mudo. Sobre la frente le cae una crencha de pelo.

Don Trinidad sentó al niño en el diván y cogió por los hombros al poeta.

—¿Está usted enfermo?

Algunas cabezas se volvieron. El poeta sonreía con un gesto estúpido, pesado.

—Oiga, ayúdeme a incorporarlo. Se conoce que se ha puesto malo.

Los pies del poeta se escurrieron y su cuerpo fue a dar debajo de la mesa.

---

[62]   *polaina:* prenda de cuero, o de otro material, que cubre la pierna desde el tobillo a la rodilla.

—Échenme una mano; yo no puedo con él.

La gente se levantó. Doña Rosa miraba desde el mostrador.

—También es ganas de alborotar...

El muchacho se dio un golpe en la frente al rodar debajo de la mesa.

—Vamos a llevarlo al water, debe de ser un mareo.

Mientras don Trinidad y tres o cuatro clientes dejaron al poeta en el retrete, a que se repusiese un poco, su nieto se entretuvo en comer las migas del bollo suizo que habían quedado sobre la mesa.

—El olor del desinfectante lo espabilará; debe de ser un mareo.

El poeta, sentado en la taza del retrete y con la cabeza apoyada en la pared, sonreía con un aire beatífico. Aun sin darse cuenta, en el fondo era feliz.

Don Trinidad se volvió a su mesa.

—¿Le ha pasado ya?

—Sí, no era nada, un mareo.

La señorita Elvira devolvió los dos tritones al cerillero. [32]

—Y este otro para ti.

—Gracias. ¿Ha habido suerte, eh?

—¡Psché! Menos da una piedra...

Padilla, un día, llamó cabrito a un galanteador de la señorita Elvira y la señorita Elvira se incomodó. Desde entonces, el cerillero es más respetuoso.

A don Leoncio Maestre por poco lo mata un tranvía. [33]

—¡Burro!

—¡Burro lo será usted, desgraciado! ¿En qué va usted pensando?

Don Leoncio Maestre iba pensando en Elvirita.

—Es mona, sí, muy mona. ¡Ya lo creo! Y parece chica fina... No, una golfa no es. ¡Cualquiera sabe! Cada vida es una novela. Parece así como una chica de buena familia que haya reñido en su casa. Ahora estará trabajando en alguna oficina, seguramente en un sindicato. Tiene las facciones tristes y delicadas; probablemente lo que necesita es cariño y que la mimen mucho, que estén todo el día contemplándola.

A don Leoncio Maestre le saltaba el corazón debajo de la camisa.

—Mañana vuelvo. Sí, sin duda. Si está, buena señal. Y si no está... ¡A buscarla!

Don Leoncio Maestre se subió el cuello del abrigo y dio dos saltitos.

—Elvira, señorita Elvira. Es un bonito nombre. Yo creo que la cajetilla de tritones le habrá agradado. Cada vez que fume uno se acordará de mí... Mañana le repetiré el nombre. Leoncio, Leoncio, Leoncio. Ella, a lo mejor, me pone un nombre más cariñoso, algo que salga de Leoncio. Leo. Oncio. Oncete... Me tomo una caña porque me da la gana.

Don Leoncio Maestre se metió en un bar y se tomó una caña en el mostrador. A su lado, sentada en una banqueta, una muchacha le sonreía. Don Leoncio se volvió de espaldas. Aguantar aquella sonrisa le hubiera parecido una traición; la primera traición que hacía a Elvirita.

—No; Elvirita, no, Elvira. Es un nombre sencillo, un nombre muy bonito.

La muchacha del taburete le habló por encima del hombro.

—¿Me da usted fuego, tío serio?

Don Leoncio le dio fuego, casi temblando. Pagó la caña y salió a la calle apresuradamente.

—Elvira..., Elvira...

Doña Rosa, antes de separarse del encargado, le pre- [34]
gunta:

—¿Has dado el café a los músicos?

—No.

—Pues anda, dáselo ya; parece que están desmayados. ¡Menudos bribones!

Los músicos, sobre su tarima, arrastran los últimos compases de un trozo de Luisa Fernanda, aquel tan hermoso que empieza diciendo.

> *Por los encinares*
> *de mi Extremadura,*
> *tengo una casita*
> *tranquila y segura.*

Antes habían tocado Momento musical [63] y antes aún, La del manojo de rosas, por la parte de madrileña bonita, flor de verbena [64].

Doña Rosa se les acercó.

—He mandado que le traigan el café, Macario.

—Gracias, doña Rosa.

---

[63]   Un *Momento* musical es una pieza breve, generalmente para piano. Los seis que compuso Franz Schubert (1787-1828) son los más famosos.

[64]   *La del manojo de rosas* es una zarzuela de Pablo Sarasate, con letra de Francisco Ramos y de Anselmo C. Carreño. Se estrenó en 1934. Una de sus romanzas dice: «*Madrileña bonita,/ flor de verbena,/ eres como un ramito/ de hierbabuena*».

—No hay de qué. Ya sabe, lo dicho vale para siempre; yo no tengo más que una palabra.

—Ya lo sé, doña Rosa.

—Pues por eso.

El violinista, que tiene los ojos grandes y saltones como un buey aburrido, la mira mientras lía un pitillo. Frunce la boca, casi con desprecio, y tiene el pulso tembloroso.

—Y a usted también se lo traerán, Seoane.

—Bien.

—¡Pues anda, hijo, que no es usted poco seco!

Macario interviene para templar gaitas[65].

—Es que anda a vueltas con el estómago, doña Rosa.

—Pero no es para estar tan soso, digo yo. ¡Caray con la educación de esta gente! Cuando una les tiene que decir algo, sueltan una patada, y cuando tienen que estar satisfechos porque una les hace un favor, van y dicen ¡bien!, como si fueran marqueses. ¡Pues sí!

Seoane calla mientras su compañero pone buena cara a doña Rosa. Después pregunta al señor de una mesa contigua:

—¿Y el mozo?

—Reponiéndose en el water, no era nada.

[35]   Vega, el impresor, le alarga la petaca al cobista de la mesa de al lado.

—Ande, líe un pitillo y no las píe. Yo anduve peor que está usted y, ¿sabe lo que hice?, pues me puse a trabajar.

El de al lado sonríe como un alumno ante el profesor: con la conciencia turbia y, lo que es peor, sin saberlo.

—¡Pues ya es mérito!

---

[65] *templar gaitas:* tranquilizar o desenfadar a alguien.

—Claro, hombre, claro, trabajar y no pensar en nada más. Ahora, ya lo ve, nunca me falta mi cigarro ni mi copa de todas las tardes.

El otro hace un gesto con la cabeza, un gesto que no significa nada.

—¿Y si le dijera que yo quiero trabajar y no tengo en qué?

—¡Vamos, ande! Para trabajar lo único que hacen falta son ganas. ¿Usted está seguro que tiene ganas de trabajar?

—¡Hombre, sí!

—¿Y por qué no sube maletas de la estación?

—No podría; a los tres días habría reventado... Yo soy bachiller...

—¿Y de qué le sirve?

—Pues, la verdad, de poco.

—A usted lo que le pasa, amigo mío, es lo que les pasa a muchos, que están muy bien en el café, mano sobre mano, sin dar golpe. Al final se caen un día desmayados, como ese niño litri [66] que se han llevado para adentro.

El bachiller le devuelve la petaca y no le lleva la contraria.

—Gracias.

—No hay que darlas. ¿Usted es bachiller de verdad?

—Sí, señor, del plan del 3 [67].

—Bueno, pues le voy a dar una ocasión para que no acabe en un asilo o en la cola de los cuarteles. ¿Quiere trabajar?

—Sí, señor. Ya se lo dije.

—Vaya mañana a verme. Tome una tarjeta. Vaya por la mañana, antes de las doce, a eso de las once y media. Si

---

[66] *niño litri:* joven presumido, cursi.
[67] Plan de estudios de 1903.

quiere y sabe, se queda conmigo de corrector; esta mañana tuve que echar a la calle al que tenía, por golfo. Era
un desaprensivo.

[36]   La señorita Elvira mira de reojo a don Pablo. Don Pablo le explica a un pollito [68] que hay en la mesa de al
lado:

—El bicarbonato es bueno, no hace daño alguno. Lo
que pasa es que los médicos no lo pueden recetar porque
para que le den bicarbonato nadie va al médico.

El joven asiente, sin hacer mucho caso, y mira para las
rodillas de la señorita Elvira, que se ven un poco por debajo de la mesa.

—No mire para ahí, no haga el canelo; ya le contaré, no
la vaya a pringar.

Doña Pura, la señora de don Pablo, habla con una
amiga gruesa, cargada de bisutería, que se rasca los dientes de oro con un palillo.

—Yo ya estoy cansada de repetirlo. Mientras haya
hombres y haya mujeres, habrá siempre líos; el hombre es
fuego y la mujer estopa y luego, ¡pues pasan las cosas!
Eso que le digo a usted de la plataforma del 49 [69], es la
pura verdad. ¡Yo no sé adónde vamos a parar!

La señora gruesa rompe, distraídamente, el palillo entre
los dedos.

—Sí, a mí también me parece que hay poca decencia.
Eso viene de las piscinas; no lo dude, antes no éramos

---

[68]   *pollito:* en sentido figurado y coloquial, jovencito.
[69]   La *plataforma del* tranvía *49.* La plataforma es la parte delantera
y trasera del vagón.

así... Ahora le presentan a usted cualquier chica joven, le da la mano y ya se queda una con aprensión todo el santo día. ¡A lo mejor coge una lo que no tiene! ¿Verdad, usted? ¡A saber dónde habrá estado metida esa mano!

—Verdaderamente.

—Y los cines yo creo que también tienen mucha culpa. Eso de estar todo el mundo tan mezclado y a oscuras por completo no puede traer nada bueno [70].

—Eso pienso yo, doña María. Tiene que haber más moral; si no, estamos perdiditas.

Doña Rosa vuelve a pegar la hebra [71].   [37]

—Y además, si le duele el estómago, ¿por qué no me pide un poco de bicarbonato? ¿Cuándo le he negado a usted un poco de bicarbonato? ¡Cualquiera diría que no sabe usted hablar!

Doña Rosa se vuelve y domina con su voz chillona y desagradable todas las conversaciones del café.

—¡López! ¡López! ¡Manda bicarbonato para el violín!

El echador deja las cacharras sobre una mesa y trae un plato con un vaso mediado de agua, una cucharilla y el azucarero de alpaca que guarda el bicarbonato.

—¿Ya habéis acabado con las bandejas?

—Así me lo dio el señor López, señorita.

—Anda, anda; ponlo ahí y lárgate.

El echador coloca todo sobre el piano y se marcha. Seoane llena la cuchara de polvitos, echa la cabeza atrás,

---

[70] La salas de cine eran para censores y moralistas «verdaderos antros de perdición, en los cuales se compra y se vende el deleite fugaz de unos minutos al amparo de la oscuridad» (*La moralidad pública y su evolución*, 1944, pág. 315. Ver C. Martín Gaite: *Usos* ... cit. pág. 203).

[71] *pegar la hebra:* entablar una conversación.

abre la boca... y adentro. Los mastica como si fueran nueces y después bebe un sorbito de agua.

—Gracias, doña Rosa.

—¿Lo ve usted, hombre, lo ve usted qué poco trabajo cuesta tener educación? A usted le duele el estómago, yo le mando traer bicarbonato y todos tan amigos. Aquí estamos para ayudarnos unos a otros; lo que pasa es que no se puede porque no queremos. Ésa es la vida.

[38]   Los niños que juegan al tren se han parado de repente. Un señor les está diciendo que hay que tener más educación y más compostura, y ellos, sin saber qué hacer con las manos, lo miran con curiosidad. Uno, el mayor, que se llama Bernabé, está pensando en un vecino suyo, de su edad poco más o menos, que se llama Chus. El otro, el pequeño, que se llama Paquito, está pensando en que al señor le huele mal la boca.

—Le huele como a goma podrida.

A Bernabé le da la risa al pensar aquello tan gracioso que le pasó a Chus con su tía.

—Chus, eres un cochino, que no te cambias el calzoncillo hasta que tiene palomino [72]; ¿no te da vergüenza?

Bernabé contiene la risa; el señor se hubiera puesto furioso.

—No, tía, no me da vergüenza; papá también deja palomino.

¡Era para morirse de risa!

Paquito estuvo cavilando un rato.

—No, a ese señor no le huele la boca a goma podrida. Le huele a lombarda y a pies. Si yo fuese de ese señor me

---

[72]   *palomino:* mancha de excremento en la ropa interior.

pondría una vela derretida en la nariz. Entonces hablaría como la prima Emilita —gua, gua—, que la tienen que operar de la garganta. Mamá dice que cuando la operen de la garganta se le quitará esa cara de boba que tiene y ya no dormirá con la boca abierta. A lo mejor, cuando la operen se muere. Entonces la meterán en una caja blanca, porque aún no tiene tetas ni lleva tacón.

Las dos pensionistas, recostadas sobre el diván, miran [39] para doña Pura.

Aún flotan en el aire, como globitos vagabundos, las ideas de los dos loros sobre el violinista.

—Yo no sé cómo hay mujeres así; ésa es igual que un sapo. Se pasa el día sacándole el pellejo a tiras a todo el mundo y no se da cuenta de que si su marido la aguanta es porque todavía le quedan algunos duros. El tal don Pablo es un punto filipino [73], un tío de mucho cuidado. Cuando mira para una, parece como si la desnudara.

—Ya, ya.

—Y aquella otra, la Elvira de marras, también tiene sus conchas [74]. Porque lo que yo digo: no es lo mismo lo de su niña, la Paquita, que después de todo vive decentemente, aunque sin los papeles en orden, que lo de ésta, que anda por ahí rodando como una peonza y sacándole los cuartos a cualquiera para malcomer.

—Y además no compare usted, doña Matilde, a ese pelao de don Pablo con el novio de mi hija, que es catedrático de psicología, lógica y ética, y todo un caballero.

---

[73] Ver n. 9.
[74] *tener conchas:* ser astuto o reservado.

—Naturalmente que no. El novio de la Paquita la respeta y la hace feliz y ella, que tiene un buen parecer y es simpática, pues se deja querer, que para eso está. Pero estas pelanduscas [75] ni tienen conciencia ni saben otra cosa que abrir la boca para pedir algo. ¡Vergüenza les había de dar!

[40]   Doña Rosa sigue su conversación con los músicos. Gorda, abundante, su cuerpecillo hinchado se estremece de gozo al discursear; parece un gobernador civil.

—¿Que tiene usted un apuro? Pues me lo dice y yo, si puedo, se lo arreglo. ¿Que usted trabaja bien y está ahí subido, rascando como Dios manda? Pues yo voy y, cuando toca cerrar, le doy su durito y en paz. ¡Si lo mejor es llevarse bien! ¿Por qué cree usted que yo estoy a matar con mi cuñado? Pues porque es un golfante, que anda por ahí de flete [76] las veinticuatro horas del día y luego se viene hasta casa para comerse la sopa boba [77]. Mi hermana, que es tonta y se lo aguanta, la pobre fue siempre así. ¡Anda que si da conmigo! ¡Por su cara bonita le iba a pasar yo que anduviese todo el día por ahí calentándose con las marmotas [78], para después venirse a verter con la señora! ¡Sería bueno! Si mi cuñado trabajara, como trabajo yo, y arrimara el hombro y trajera algo para casa, otra cosa sería; pero el hombre prefiere camelar a la simple de la Visi y pegarse la gran vida sin dar golpe.

---

[75] *pelandusca:* prostituta.
[76] *andar, ir de flete:* hacer conquistas callejeras.
[77] *comer la sopa boba:* vivir sin trabajar o a costa de alguien. Antiguamente, mendigos y estudiantes pobres —«sopistas»— acudían a la portería de los conventos a buscar comida: andaban a la sopa boba.
[78] *marmota:* criada, en sentido figurado y despectivo.

—Claro, claro.

—Pues eso. El andova [79] es un zángano malcriado que nació para chulo. Y no crea usted que esto lo digo a sus espaldas, que lo mismo se lo casqué el otro día en sus propias narices.

—Ha hecho usted bien.

—Y tan bien. ¿Por quién nos ha tomado ese muerto de hambre?

—¿Va bien ese reló, Padilla?   [41]

—Sí, señorita Elvira.

—¿Me da usted fuego? Todavía es temprano.

El cerillero le dio fuego a la señorita Elvira.

—Está usted contenta, señorita.

—¿Usted cree?

—Vamos, me parece a mí. La encuentro a usted más animada que otras tardes.

—¡Psché! A veces la mala uva pone buena cara.

La señorita Elvira tiene un aire débil, enfermizo, casi vicioso. La pobre no come lo bastante para ser ni viciosa ni virtuosa.

La del hijo muerto que se estaba preparando para co- [42] rreos dice:

—Bueno, me voy.

Don Jaime Arce, reverenciosamente, se levanta a tiempo de hablar, sonriendo.

—A sus pies, señora; hasta mañana si Dios quiere.

La señora aparta una silla.

---

[79] *andova:* palabra del caló, despectiva, equivale a 'fulano'.

—Adiós, siga usted bien.

—Lo mismo digo, señora; usted me manda.

Doña Isabel Montes, viuda de Sanz, anda como una reina. Con su raída capita de quiero y no puedo, doña Isabel, parece una gastada hetaira [80] de lujo que vivió como las cigarras y no guardó para la vejez. Cruza el salón en silencio y se cuela por la puerta. La gente la sigue con una mirada donde puede haber de todo menos indiferencia; donde puede haber admiración, o envidia, o simpatía, o desconfianza, o cariño, vaya usted a saber.

Don Jaime Arce ya no piensa ni en los espejos, ni en las viejas pudibundas, ni en los tuberculosos que albergará el café (un 10 por ciento aproximadamente), ni en los afiladores de lápices, ni en la circulación de la sangre. A don Jaime Arce, a última hora de la tarde, le invade un sopor que le atonta.

—¿Cuántas son siete por cuatro? Veintiocho. ¿Y seis por nueve? Cincuenta y cuatro. ¿Y el cuadrado de nueve? Ochenta y uno. ¿Dónde nace el Ebro? En Reinosa, provincia de Santander. Bien.

Don Jaime Arce sonríe; está satisfecho de su repaso, y, mientras deslía unas colillas, repite por lo bajo:

—Ataúlfo, Sigerico, Walia, Teodoredo, Turismundo... [81] ¿A que esto no lo sabe ese imbécil?

Ese imbécil es el joven poeta que sale, blanco como la cal, de su cura de reposo en el retrete.

—Deshilvanando, en aguas, el estío...

––––––––––

[80]   *hetaira:* era la cortesana griega de alta condición social; prostituta.
[81]   Reyes godos, cuya lista solía aprenderse de memoria en la escuela. Solo y aburrido, don Jaime mata el tiempo repasando preguntas y respuestas de las enciclopedias escolares.

Enlutada, nadie sabe por qué, desde que casi era una [43]
niña, hace ya muchos años, y sucia y llena de brillantes
que valen un dineral, doña Rosa engorda y engorda todos
los años un poco, casi tan de prisa como amontona los
cuartos.

La mujer es riquísima, la casa donde está el café es
suya, y en las calles de Apodaca, de Churruca, de
Campoamor, de Fuencarral, docenas de vecinos tiemblan
como muchachos de la escuela todos los primeros de mes.

—En cuanto una se confía —suele decir—, ya están
abusando. Son unos golfos, unos verdaderos golfos. ¡Si
no hubiera jueces honrados, no sé lo que sería de una!

Doña Rosa tiene sus ideas propias sobre la honradez.

—Las cuentas claras, hijito, las cuentas claras, que son
una cosa muy seria.

Jamás perdonó un real a nadie y jamás permitió que le
pagaran a plazos.

—¿Para qué están los desahucios[82] —decía—, para que
no se cumpla la ley? Lo que a mí se me ocurre es que si
hay una ley es para que la respete todo el mundo; yo la
primera. Lo otro es la revolución.

Doña Rosa es accionista de un banco donde trae de cabeza a todo el consejo y, según dicen por el barrio, guarda
baúles enteros de oro tan bien escondidos que no se lo encontraron ni durante la guerra civil.

El limpia acabó de limpiarle los zapatos a don Leo- [44]
nardo.

—Servidor.

---

[82] *desahucio:* desalojo legal de un inquilino por no pagar el alquiler.

Don Leonardo mira para los zapatos y le da un pitillo de noventa.

—Muchas gracias.

Don Leonardo no paga el servicio, no lo paga nunca. Se deja limpiar los zapatos a cambio de un gesto. Don Leonardo es lo bastante ruin para levantar oleadas de admiración entre los imbéciles.

El limpia, cada vez que da brillo a los zapatos de don Leonardo, se acuerda de sus seis mil duros. En el fondo está encantado de haber podido sacar de un apuro a don Leonardo; por fuera le escuece un poco, casi nada.

—Los señores son los señores, está más claro que el agua. Ahora anda todo un poco revuelto, pero al que es señor desde la cuna se le nota en seguida.

Si Segundo Segura, el limpia, fuese culto, sería, sin duda, lector de Vázquez Mella[83].

[45]   Alfonsito, el niño de los recados, vuelve de la calle con el periódico.

—Oye, rico, ¿dónde has ido por el papel?

Alfonsito es un niño canijo, de doce o trece años, que tiene el pelo rubio y tose constantemente. Su padre, que era periodista, murió dos años atrás en el hospital del Rey. Su madre, que de soltera fue una señorita llena de remilgos, fregaba unos despachos de la Gran Vía y comía en auxilio social[84].

—Es que había cola, señorita.

---

[83]   Político tradicionalista, muerto en 1928, cuyas ideas y escritos fueron muy apreciados por los falangistas y en el régimen de Franco.

[84]   Los centros de Auxilio Social tenían carácter benéfico y asistencial: comedores, guarderías, hogares, servicios médicos.

—Sí, cola; lo que pasa es que ahora la gente se pone a hacer cola para las noticias, como si no hubiera otra cosa más importante que hacer. Anda, ¡trae acá!

—*Informaciones* se acabó, señorita; le traigo *Madrid* [85].

—Es igual. ¡Para lo que se saca en limpio! ¿Usted entiende algo de eso de tanto gobierno como anda suelto por el mundo, Seoane?

—¡Psché!

—No, hombre, no: no hace falta que disimule; no hable si no quiere. ¡Caray con tanto misterio!

Seoane sonríe, con su cara amarga de enfermo del estómago, y calla. ¿Para qué hablar?

—Lo que pasa aquí, con tanto silencio y tanto sonreír, ya lo sé yo, pero que muy bien. ¿No se quieren convencer? ¡Allá ustedes! Lo que les digo es que los hechos cantan, ¡vaya si cantan!

Alfonsito reparte *Madrid* por algunas mesas.

Don Pablo saca las perras.

—¿Hay algo?

—No sé, ahí verá.

Don Pablo extiende el periódico sobre la mesa y lee los titulares. Por encima de su hombro, Pepe procura enterarse.

La señorita Elvira hace una seña al chico.

—Déjame el de la casa, cuando acabe doña Rosa.

Doña Matilde, que charla con el cerillero mientras su amiga doña Asunción está en el lavabo, comenta despreciativa:

—Yo no sé para qué querrán enterarse tanto de todo lo

---

[85]   *Informaciones* y *Madrid* fueron dos periódicos vespertinos editados entre 1922-1980 y 1939-1971, respectivamente.

que pasa. ¡Mientras aquí estemos tranquilos! ¿No le parece?

—Eso digo yo.

Doña Rosa lee las noticias de la guerra.

—Mucho recular [86] me parece ése... Pero, en fin, ¡si al final lo arreglan! ¿Usted cree que al final lo arreglarán, Macario?

El pianista pone cara de duda.

—No sé, puede ser que sí. ¡Si inventan algo que resulte bien!

Doña Rosa mira fijamente para el teclado del piano. Tiene el aire triste y distraído y habla como consigo misma, igual que si pensara en alto.

—Lo que hay es que los alemanes, que son unos caballeros como Dios manda, se fiaron demasiado de los italianos, que tienen más miedo que ovejas. ¡No es más!

Suena la voz opaca, y los ojos detrás de los lentes, parecen velados y casi soñadores.

—Si yo hubiera visto a Hitler, le hubiera dicho: ¡no se fíe, no sea usted bobo, que ésos tienen un miedo que ni ven!

Doña Rosa suspiró ligeramente.

—¡Qué tonta soy! Delante de Hitler no me hubiera atrevido ni a levantar la voz...

A doña Rosa le preocupa la suerte de las armas alemanas. Lee con toda atención, día a día, el parte del cuartel general del Führer, y relaciona, por una serie de vagos presentimientos que no se atreve a intentar ver claros, el destino de la Wehrmacht con el destino de su café.

---

[86] Las derrotas a lo largo de 1943 obligan al ejército alemán —la Wehrmacht— a retirarse de los territorios conquistados.

Vega compra el periódico. Su vecino le pregunta:

—¿Buenas noticias?

Vega es un ecléctico.

—Según para quién.

El echador sigue diciendo ¡voy! y arrastrando los pies por el suelo del café.

—Delante de Hitler me quedaría más azarada[87] que una mona; debe ser un hombre que azare mucho; tiene una mirada como un tigre.

Doña Rosa vuelve a suspirar. El pecho tremendo le tapa el cuello durante unos instantes.

—Ése y el Papa[88], yo creo que son los dos que azaran más.

Doña Rosa dio un golpecito con los dedos sobre la tapa del piano.

—Y después de todo, él sabrá lo que se hace; para eso tiene a los generales.

Doña Rosa está un momento en silencio y cambia la voz:

—¡Bueno!

Levanta la cabeza y mira para Seoane:

—¿Cómo sigue su señora de sus cosas?

—Va tirando; hoy parece que está un poco mejor.

—Pobre Sonsoles; ¡con lo buena que es!

—Sí, la verdad es que está pasando una mala temporada.

—¿Le dio usted las gotas que le dijo don Francisco?

—Sí, ya las ha tomado. Lo malo es que nada le queda dentro del cuerpo, todo lo devuelve.

---

[87]   *azararse:* avergonzarse, sonrojarse.

[88]   Se refiere al papa Pío XII. Dio carácter de cruzada a la guerra civil española.

—¡Vaya por Dios!

Macario teclea suave y Seoane coge el violín.

—¿Qué va?

—La verbena [89], ¿le parece?

—Venga.

Doña Rosa se separa de la tarima de los músicos mientras el violinista y el pianista, con resignado gesto de colegiales, rompen el tumulto del café con los viejos compases, tantas veces —¡ay, Dios!— repetidos y repetidos.

> *¿Dónde vas con mantón de Manila,*
> *dónde vas con vestido chiné?*

Tocan sin papel. No hace falta.

Macario, como un autómata, piensa:

Y entonces le diré: —Mira, hija, no hay nada que hacer; con un durito por las tardes y otro por las noches, y dos cafés, tú dirás—. Ella, seguramente, me contestará: —No seas tonto, ya verás; con tus dos duros y alguna clase que me salga...—. Matilde, bien mirado, es un ángel, es igual que un ángel.

Macario, por dentro, sonríe; por fuera, casi, casi. Macario es un sentimental mal alimentado que acaba, por aquellos días, de cumplir los cuarenta y tres años.

Seoane mira vagamente para los clientes del café, y no piensa en nada. Seoane es un hombre que prefiere no pensar; lo que quiere es que el día pase corriendo, lo más de prisa posible, y a otra cosa.

---

[89]   *La verbena de la Paloma* es la zarzuela más emblemática del Madrid castizo. Se estrenó en 1894. La música es de Tomás Bretón y el libreto de Ricardo de la Vega.

Suenan las nueve y media en el viejo reló de breves nu- [46]
meritos que brillan como si fueran de oro. El reló es un
mueble casi suntuoso que se había traído de la exposición
de París[90] un marquesito tarambana[91] y sin blanca que
anduvo cortejando a doña Rosa, allá por el 905. El marquesito, que se llamaba Santiago y era grande de España,
murió tísico en El Escorial, muy joven todavía, y el reló
quedó posado sobre el mostrador del café, como para servir de recuerdo de unas horas que pasaron sin traer el
hombre para doña Rosa y el comer caliente todos los días,
para el muerto. ¡La vida!

Al otro extremo del local, doña Rosa riñe con grandes
aspavientos a un camarero. Por los espejos, como a traición, los otros camareros miran la escena, casi despreocu-
pados.

El café, antes de media hora, quedará vacío. Igual que [47]
un hombre al que se le hubiera borrado de repente la memoria.

---

[90]   La Exposición Universal de 1900.
[91]   *tarambana:* persona de poco juicio, informal. También, un 'vivi-
dor'.

CAPÍTULO SEGUNDO

[1]   Ande, largo.

—Adiós, muchas gracias; es usted muy amable.

—Nada. Váyase por ahí. Aquí no lo queremos ver más.

El camarero procura poner voz seria, voz de respeto.
Tiene un marcado deje gallego que quita violencia, autoridad, a sus palabras, que tiñe de dulzor su seriedad. A los
hombres blandos, cuando desde fuera se les empuja a la
acritud, les tiembla un poquito el labio de arriba; parece
como si se lo rozara una mosca invisible.

—Si quiere, le dejo el libro.

—No; lléveselo.

Martín Marco, paliducho, desmedrado, con el pantalón
desflecado y la americana raída, se despide del camarero
llevándose la mano al ala de su triste y mugriento sombrero gris.

—Adiós, muchas gracias; es usted muy amable.

—Nada. Váyase por ahí. Aquí no vuelva a arrimar.

Martín Marco mira para el camarero; quisiera decir
algo hermoso.

—En mí tiene usted un amigo.

—Bueno.

—Yo sabré corresponder.

Martín Marco se sujeta sus gafas de cerquillo de alambre y rompe a andar. A su lado pasa una muchacha que le resulta una cara conocida.

—Adiós.

La chica lo mira durante un segundo y sigue su camino. Es jovencita y muy mona. No va bien vestida. Debe de ser una sombrerera; las sombrereras tienen todas un aire casi distinguido; así como las buenas amas de cría son pasiegas [1] y las buenas cocineras, vizcaínas, las buenas queridas, las que se pueden vestir bien y llevarlas a cualquier lado, suelen ser sombrereras.

Martín Marco tira lentamente por el bulevar abajo, camino de Santa Bárbara.

El camarero se para un instante en la acera, antes de empujar la puerta.

—¡Va sin un real!

Las gentes pasan apresuradas, bien envueltas en sus gabanes, huyendo del frío.

Martín Marco, el hombre que no ha pagado el café y que mira la ciudad como un niño enfermo y acosado, mete las manos en los bolsillos del pantalón.

Las luces de la plaza brillan con un resplandor hiriente, casi ofensivo.

Don Roberto González, levantando la cabeza del [2] grueso libro de contabilidad, habla con el patrón.

—¿Le sería a usted igual darme tres duros a cuenta? Mañana es el cumpleaños de mi mujer.

---

[1] *pasiego:* natural del valle del Pas, en Cantabria.

El patrón es un hombre de buena sangre, un hombre honrado que hace sus estraperlos[2], como cada hijo de vecino, pero que no tiene hiel en el cuerpo.

—Sí, hombre. A mí, ¿qué más me da?

—Muchas gracias, señor Ramón.

El panadero saca del bolsillo una gruesa cartera de piel de becerro y le da cinco duros a don Roberto.

—Estoy muy contento con usted, González; las cuentas de la tahona[3] marchan muy bien. Con esos dos duros de más, les compra usted unas porquerías a los niños.

El señor Ramón se queda un momento callado. Se rasga la cabeza y baja la voz.

—No le diga nada a la Paulina.

—Descuide.

El señor Ramón se mira la puntera de las botas.

—No es por nada, ¿sabe? Yo sé que es usted un hombre discreto que no se va de la lengua, pero a lo mejor, por un casual, se le escapaba a usted algo y ya teníamos monserga para quince días. Aquí mando yo, como usted sabe, pero las mujeres ya las conoce usted...

—Descuide, y muchas gracias. No hablaré, por la cuenta que me trae.

Don Roberto baja la voz.

---

[2] *estraperlo:* compraventa ilegal de alimentos y de otros productos. Mercado negro. La palabra deriva del nombre de dos individuos, Strauss y Perlo, que introdujeron en los casinos un juego fraudulento. Habían conseguido la licencia sobornando a algunos políticos, lo que causó un gran escándalo y la caída del gobierno de Lerroux en 1935. En la posguerra, dada la escasez y el racionamiento, *estraperlistas* eran muchos (como dice el texto). Los grandes especuladores se enriquecieron.

[3] *tahona:* panadería.

—Muchas gracias...

—No hay que darlas; lo que yo quiero es que usted trabaje a gusto.

A don Roberto, las palabras del panadero le llegan al alma. Si el panadero prodigase sus frases amables, don Roberto le llevaría las cuentas gratis.

El señor Ramón anda por los cincuenta o cincuenta y dos años y es un hombre fornido, bigotudo, colorado, un hombre sano, por fuera y por dentro, que lleva una vida honesta de viejo menestral [4], levantándose al alba, bebiendo vino tinto y tirando pellizcos en el lomo a las criadas de servir. Cuando llegó a Madrid, a principios de siglo, traía las botas al hombro para no estropearlas.

Su biografía es una biografía de cinco líneas. Llegó a la capital a los ocho o diez años, se colocó en una tahona y estuvo ahorrando hasta los veintiuno, que fue al servicio. Desde que llegó a la ciudad hasta que se fue quinto no gastó ni un céntimo, lo guardó todo. Comió pan y bebió agua, durmió debajo del mostrador y no conoció mujer. Cuando se fue a servir al rey dejó sus cuartos en la caja postal y, cuando lo licenciaron, retiró su dinero y se compró una panadería; en doce años había ahorrado veinticuatro mil reales, todo lo que ganó: algo más que una peseta diaria, unos tiempos con otros. En el servicio aprendió a leer, a escribir y a sumar, y perdió la inocencia. Abrió la tahona, se casó, tuvo doce hijos, compró un calendario y se sentó a ver pasar el tiempo. Los patriarcas antiguos debieron ser bastante parecidos al señor Ramón.

---

[4]   *menestral:* artesano, el que tiene un oficio manual.

[3]   El camarero entra en el café. Se siente, de golpe, calor
en la cara; dan ganas de toser, más bien bajo, como para
arrancar esa flema que posó en la garganta el frío de la calle. Después parece hasta que se habla mejor. Al entrar
notó que le dolían un poco las sienes; notó también, o se
lo figuró, que a doña Rosa le temblaba un destellito de
lascivia en el bigote.

—Oye, ven acá.

El camarero se le acercó.

—¿Le has arreado?

—Sí, señorita.

—¿Cuántas?

—Dos.

—¿Dónde?

—Donde pude, en las piernas.

—¡Bien hecho! ¡Por mangante!

Al camarero le da un repeluco por el espinazo. Si fuese
un hombre decidido, hubiera ahogado a la dueña; afortuna-
damente no lo es. La dueña se rió por lo bajo con una risita
cruel. Hay gentes a las que divierte ver pasar calamidades a
los demás; para verlas bien de cerca se dedican a visitar los
barrios miserables, a hacer regalos viejos a los moribundos,
a los tísicos arrumbados en una manta astrosa [5], a los niños
anémicos y panzudos que tienen los huesos blandos, a las
niñas que son madres a los once años, a las golfas cuaren-
tonas comidas de bubas [6]: las golfas que parecen caciques
indios con sarna. Doña Rosa no llega ni a esa categoría.
Doña Rosa prefiere la emoción a domicilio, ese temblor...

---

[5]   *astrosa:* destrozada, harapienta.
[6]   *buba:* postilla; tumorcillo de pus de origen sifilítico que sale en
las ingles.

Don Roberto sonríe satisfecho; al hombre ya le preocu- [4]
paba que le cogiera el cumpleaños de su mujer sin un real
en el bolsillo. ¡También hubiese sido fatalidad!

—Mañana le llevaré a la Filo unos bombones —piensa—. La Filo es como una criatura, es igual que un niño
pequeño, que un niño de seis años... Con las diez pesetas
les compraré alguna coseja a los chicos y me tomaré un
vermú... Lo que más les gustará será una pelota... Con seis
pesetas hay ya una pelota bastante buena...

Don Roberto había pensado despacio, incluso con regodeo. Su cabeza estaba llena de buenas intenciones y de
puntos suspensivos.

Por el ventanillo de la tahona entraron, a través de los
cristales y de las maderas, unas agrias, agudas, desabridas [7] notas de flamenco callejero. Al principio no se hubiera sabido si quien cantaba era una mujer o un niño. A
don Roberto le cogió el concierto rascándose los labios
con el mango de la pluma.

En la acera de enfrente, un niño se desgañitaba a la
puerta de una taberna:

> *Esgraciaíto aquel que come*
> *el pan por manita ajena;*
> *siempre mirando a la cara*
> *si la ponen mala o buena.*

De la taberna le tiran un par de perras y tres o cuatro
aceitunas que el niño recoge del suelo, muy de prisa. El
niño es vivaracho como un insecto, morenillo, canijo. Va
descalzo y con el pecho al aire, y representa tener unos

---

[7]   *desabrido:* desaborido o de mal sabor. Aquí se refiere a notas des-
templadas, poco gratas al oído.

seis años. Canta solo, animándose con sus propias palmas y moviendo el culito al compás.

Don Roberto cierra el tragaluz y se queda de pie en medio de la habitación. Estuvo pensando en llamar al niño y darle un real.

—No...

A don Roberto, al imponerse el buen sentido, le volvió el optimismo.

—Sí, unos bombones... La Filo es como una criatura, es igual que un...

Don Roberto, a pesar de tener cinco duros en el bolsillo, no tenía la conciencia tranquila del todo.

—También esto es gana de ver mal las cosas, ¿verdad, Roberto? —le decía desde dentro del pecho una vocecita tímida y saltarina.

—Bueno.

[5]   Martín Marco se para ante los escaparates de una tienda de lavabos que hay en la calle de Sagasta. La tienda luce como una joyería o como la peluquería de un gran hotel, y los lavabos parecen lavabos del otro mundo, lavabos del paraíso, con sus grifos relucientes, sus lozas tersas y sus nítidos, purísimos espejos. Hay lavabos blancos, lavabos verdes, rosa, amarillos, violeta, negros; lavabos de todos los colores. ¡También es ocurrencia! Hay baños que lucen hermosos como pulseras de brillantes, bidets con un cuadro de mandos como el de un automóvil, lujosos retretes de dos tapas y de ventrudas, elegantes cisternas bajas donde seguramente se puede apoyar el codo, se pueden incluso colocar algunos libros bien seleccionados, encuadernados con belleza: Hölderlin, Keats, Valéry, para los casos en que el estreñimiento precisa de compañía; Ru-

bén, Mallarmé, sobre todo Mallarmé, para las descomposiciones de vientre. ¡Qué porquería!

Martín Marco sonríe, como perdonándose, y se aparta del escaparate.

—La vida —piensa— es esto. Con lo que unos se gastan para hacer sus necesidades a gusto, otros tendríamos para comer un año. ¡Está bueno! Las guerras deberían hacerse para que haya menos gentes que hagan sus necesidades a gusto y pueda comer el resto un poco mejor. Lo malo es que cualquiera sabe por qué, los intelectuales seguimos comiendo mal y haciendo nuestras cosas en los cafés. ¡Vaya por Dios!

A Martín Marco le preocupa el problema social. No tiene ideas muy claras sobre nada, pero le preocupa el problema social.

—Eso de que haya pobres y ricos —dice a veces— está mal; es mejor que seamos todos iguales, ni muy pobres ni muy ricos, todos un término medio. A la humanidad hay que reformarla. Debería nombrarse una comisión de sabios que se encargase de modificar la humanidad. Al principio se ocuparían de pequeñas cosas, enseñar el sistema métrico decimal a la gente, por ejemplo, y después, cuando se fuesen calentando, empezarían con las cosas más importantes y podrían hasta ordenar que se tirasen abajo las ciudades para hacerlas otra vez, todas iguales, con las calles bien rectas y calefacción en todas las casas. Resultaría un poco caro, pero en los bancos tiene que haber cuartos de sobra.

Una bocanada de frío cae por la calle de Manuel Silvela y a Martín le asalta la duda de que va pensando tonterías.

—¡Caray con los lavabitos!

Al cruzar la calzada un ciclista lo tiene que apartar de un empujón.

—¡Pasmado, que parece que estás en libertad vigilada[8]!

A Martín le subió la sangre a la cabeza.

—¡Oiga, oiga!

El ciclista volvió la cabeza y le dijo adiós con la mano.

[6]   Un hombre baja por Goya leyendo el periódico; cuando lo cogemos pasa por delante de una pequeña librería de lance que se llama Alimente usted su espíritu[9]. Una criadita se cruza con él.

—¡Adiós, señorito Paco!

El hombre vuelve la cabeza.

—¡Ah! ¿Eres tú? ¿Adónde vas?

—Voy a casa, señorito; vengo de ver a mi hermana, la casada.

—Muy bien.

El hombre la mira a los ojos.

—Qué, ¿tienes novio ya? Una mujer como tú no puede estar sin novio...

La muchacha ríe a carcajadas.

—Bueno, me voy; llevo la mar de prisa.

—Pues, adiós, hija, y que no te pierdas. Oye, dile al señorito Martín, si le ves, que a las doce me pasaré por el bar de Narváez.

---

[8]   La situación penal de «libertad vigilada» era la de los excarcelados que seguían sometidos a control policial y judicial. En la posguerra afectó a muchas personas.

[9]   *de lance*: donde se efectúa la compraventa de objetos de segunda mano. A Cela le gusta dar nombres irónicos a las tiendas, como a esta librería, o a la zapatería «La clínica del calzado» (que recuerda a «La regeneración del calzado», el nombre de una zapatería en *La busca*, de Baroja). El café de doña Rosa se llama «La Delicia».

—Bueno.

La muchacha se va y Paco la sigue con la mirada hasta que se pierde entre la gente.

—Anda como una corza...

Paco, el señorito Paco, encuentra guapas a todas las mujeres, no se sabe si es un cachondo o un sentimental. La muchacha que acaba de saludarle, lo es, realmente, pero aunque no lo fuese hubiera sido lo mismo: para Paco, todas son miss España.

—Igual que una corza...

El hombre vuelve y piensa, vagamente, en su madre, muerta hace ya años. Su madre llevaba una cinta de seda negra al cuello, para sujetar la papada, y tenía muy buen aire, en seguida se veía que era de una gran familia. El abuelo de Paco había sido general y marqués, y murió en un duelo de pistola en Burgos; lo mató un diputado progresista que se llamaba don Edmundo Páez Pacheco, hombre masón [10] y de ideas disolventes.

A la muchachita le apuntaban sus cosas debajo del abriguillo de algodón. Los zapatos los llevaba un poco deformados ya. Tenía los ojos claritos, verdicastaños y algo achinados. Vengo de casa de mi hermana la casada. Je, je... Su hermana la casada, ¿te acuerdas, Paco?

Don Edmundo Páez Pacheco murió de unas viruelas, en Almería, el año del desastre [11].

---

[10]   *masón*: los masones constituyen una asociación secreta, se reconocen por signos y emblemas, celebran sus asambleas en «logias» y profesan principios filantrópicos y de fraternidad mutua. El régimen de Franco prohibió la masonería en 1940.

[11]   El *desastre* fue en 1898, la guerra con Estados Unidos y la pérdida de las últimas colonias (Cuba, Puerto Rico y Filipinas).

La chica, mientras hablaba con Paco, le había sostenido la mirada.

Una mujer pide limosna con un niño en el brazo, envuelto en trapos, y una gitana gorda vende lotería. Algunas parejas de novios se aman en medio del frío, contra viento y marea, muy cogiditos del brazo, calentándose mano sobre mano.

[7] Celestino, rodeado de cascos vacíos en la trastienda de su bar, habla solo. Celestino habla solo, algunas veces. De mozo su madre le decía:

—¿Qué?

—Nada, estaba hablando solo.

—¡Ay, hijo, por Dios, que te vas a volver loco!

La madre de Celestino no era tan señora como la de Paco.

—Pues no los doy, los rompo en pedazos, pero no los doy. O me pagan lo que valen o no se los llevan, no quiero que me tomen el pelo, no me da la gana, ¡a mí no me roba nadie! ¡Ésta, ésta es la explotación del comerciante! O se tiene voluntad o no se tiene. ¡Naturalmente! O se es hombre o no se es. ¡A robar a sierra Morena!

Celestino se encaja la dentadura y escupe rabioso contra el suelo.

—¡Pues estaría bueno!

[8] Martín Marco sigue caminando, lo de la bicicleta lo olvida pronto.

—Si esto de la miseria de los intelectuales se le hubiera ocurrido a Paco, ¡menuda! Pero no, Paco es un pelma, ya no se le ocurre nada. Desde que lo soltaron [12] anda por ahí

---

12 Desde que lo soltaron de la cárcel.

como un palomino sin hacer nada a derechas. Antes, aún componía de cuando en cuando algún verso, ¡pero lo que es ahora! Yo ya estoy harto de decírselo, ya no se lo digo más. ¡Allá él! Si piensa que haciendo el vago va a quedar, está listo.

El hombre siente un escalofrío y compra veinte [13] de castañas —cuatro castañas— en la boca del metro que hay esquina a Hermanos Álvarez Quintero, esa boca abierta de par en par, como la del que está sentado en el sillón del dentista, y que parece hecha para que se cuelen por ella los automóviles y los camiones.

Se apoya en la barandilla a comer sus castañas y, a la luz de los faroles de gas, lee distraídamente la placa de la calle.

—Éstos sí que han tenido suerte. Ahí están. Con una calle en el centro y una estatua en el Retiro [14]. ¡Para que nos riamos!

Martín tiene ciertos imprecisos raptos de respeto y de conservadurismo.

—¡Qué cuernos! Algo habrán hecho cuando tienen tanta fama, pero, ¡sí, sí!, ¿quién es el flamenco que lo dice?

Por su cabeza vuelan, como palomitas de la polilla, las briznas de la conciencia que se le resisten.

—Sí; una etapa del teatro español, un ciclo que se propusieron cubrir y lo lograron, un teatro fiel reflejo de las sanas costumbres andaluzas... Un poco caritativo me parece todo esto, bastante emparentado con los suburbios y

---

[13]   veinte céntimos, se entiende.
[14]   Los hermanos Joaquín (1881-1938) y Serafín (1873-1944) Álvarez Quintero, autores de muchos sainetes andaluces, fueron muy celebrados después de la guerra por su «españolismo».

la fiesta de la banderita [15]. ¡Qué le vamos a hacer! Pero no hay quien los mueva, ¡ahí están! ¡No los mueve ni Dios!

A Martín le trastorna que no haya un rigor en la clasificación de los valores intelectuales, una ordenada lista de cerebros.

—Está todo igual, todo mangas por hombro.

Dos castañas estaban frías y dos ardiendo.

[9]   Pablo Alonso es un muchacho joven, con cierto aire deportivo de moderno hombre de negocios, que tiene desde hace quince días una querida que se llama Laurita.

Laurita es guapa. Es hija de una portera de la calle de Lagasca. Tiene diecinueve años. Antes no tenía nunca un duro para divertirse y mucho menos cincuenta duros para un bolso. Con su novio, que era cartero, no se iba a ninguna parte. Laurita ya estaba harta de coger frío en Rosales, se le estaban llenando los dedos y las orejas de sabañones. A su amiga Estrella le puso un piso en Menéndez Pelayo un señor que se dedica a traer aceite [16].

Pablo Alonso levanta la cabeza.

—Manhattan [17].

—No hay whisky americano, señor.

—Di en el mostrador que es para mí.

—Bien.

Pablo vuelve a coger la mano de la chica.

---

[15] *La fiesta de la banderita:* la cuestación callejera a beneficio de la Cruz Roja. Se ponía una banderita en la solapa a los que hacían un donativo.

[16] O sea, un estraperlista.

[17] Un cóctel. El whisky solía ser de contrabando y por tanto sólo se servía a los clientes de confianza.

—Como te decía, Laurita. Es un gran muchacho, no puede ser más bueno de lo que es. Lo que pasa es que lo ves pobre y desastrado, a lo mejor con la camisa sucia de un mes y los pies fuera de los zapatos.

—¡Pobre chico! ¿Y no hace nada?

—Nada. Él anda con sus cosas a vueltas en la cabeza, pero, a fin de cuentas, no hace nada. Es una pena porque no tiene pelo de tonto.

—¿Y tiene donde dormir?

—Sí, en mi casa.

—¿En tu casa?

—Sí, mandé que le pusieran una cama en un cuarto ropero y allí se mete. Por lo menos, no le llueve encima y está caliente.

La chica, que ha conocido la miseria de cerca, mira a Pablo a los ojos. En el fondo está emocionadilla.

—¡Qué bueno eres, Pablo!

—No, bobita; es un amigo viejo, un amigo de antes de la guerra. Ahora está pasando una mala temporada, la verdad es que nunca lo pasó muy bien.

—¿Y es bachiller?

Pablo se ríe.

—Sí, hija, es bachiller. Anda, hablemos de otra cosa.

Laurita, para variar, volvió a la cantinela que empezara quince días atrás.

—¿Me quieres mucho?

—Mucho.

—¿Más que a nadie?

—Más que a nadie.

—¿Me querrás siempre?

—Siempre.

—¿No me dejarás nunca?

—Nunca.

—¿Aunque vaya tan sucia como tu amigo?

—No digas tonterías.

El camarero, al inclinarse para dejar el servicio sobre la mesa, sonrió.

—Quedaba un fondo en la botella, señor.

—¿Lo ves?

[10]   Al niño que cantaba flamenco le arreó una coz una golfa borracha. El único comentario fue un comentario puritano.

—¡Caray, con las horas de estar bebida! ¿Qué dejará para luego?

El niño no se cayó al suelo, se fue de narices contra la pared. Desde lejos dijo tres o cuatro verdades a la mujer, se palpó un poco la cara y siguió andando. A la puerta de otra taberna volvió a cantar:

> *Estando un maestro sastre*
> *cortando unos pantalones,*
> *pasó un chavea gitano*
> *que vendía camarones.*
> *Óigame usted señor sastre,*
> *hágamelos estrechitos*
> *pa que cuando vaya a misa*
> *me miren los señoritos.*

El niño no tiene cara de persona, tiene cara de animal doméstico, de sucia bestia, de pervertida bestia de corral. Son muy pocos sus años para que el dolor haya marcado aún el navajazo del cinismo —o de la resignación— en su cara, y su cara tiene una bella e ingenua expresión estúpida, una expresión de no entender nada de lo que pasa.

Todo lo que pasa es un milagro para el gitanito, que nació de milagro, que come de milagro, que vive de milagro y que tiene fuerzas para cantar de puro milagro.

Detrás de los días vienen las noches, detrás de las noches vienen los días. El año tiene cuatro estaciones: primavera, verano, otoño, invierno. Hay verdades que se sienten dentro del cuerpo, como el hambre o las ganas de orinar.

Las cuatro castañas se acabaron pronto y Martín, con el [11] real que le quedaba, se fue hasta Goya.

—Nosotros vamos corriendo por debajo de todos los que están sentados en el retrete. Colón: muy bien; duques, notarios y algún carabinero de la casa de la moneda. ¡Qué ajenos están, leyendo el periódico o mirándose para los pliegues de la barriga! Serrano: señoritos y señoritas. Las señoritas no salen de noche. Éste es un barrio donde vale todo hasta las diez. Ahora estarán cenando. Velázquez: más señoritas, da gusto. Éste es un metro muy fino. ¿Vamos a la Ópera? Bueno. ¿Has estado el domingo en los caballos? No. Goya [18]: se acabó lo que se daba.

Martín, por el andén, se finge cojo; algunas veces lo hace.

—Puede que cene en casa de la Filo (¡sin empujar, señora, que no hay prisa!) y si no, pues mira, ¡de tal día en un año!

La Filo es su hermana, la mujer de don Roberto González —la bestia de González, como le llamaba su cu-

_____

[18] Alonso Martínez, Colón, Serrano, Velázquez, Goya son estaciones del metro.

ñado—, empleado de la diputación y republicano de Alcalá Zamora[19].

El matrimonio González vive al final de la calle de Ibiza, en un pisito de los de la ley Salmón[20], y lleva un apañado pasar, aunque bien sudado. Ella trabaja hasta caer rendida, con cinco niños pequeños y una criadita de dieciocho años para mirar por ellos, y él hace todas las horas extraordinarias que puede y donde se tercie; esta temporada tiene suerte y lleva los libros en una perfumería, donde va dos veces al mes para que le den cinco duros por las dos, y en una tahona de ciertos perendengues[21] que hay en la calle de San Bernardo y donde le pagan treinta pesetas. Otras veces, cuando la suerte se le vuelve de espaldas y no encuentra un tajo para las horas de más, don Roberto se vuelve triste y ensimismado y le da el mal humor.

Los cuñados, por esas cosas que pasan, no se pueden ni ver. Martín dice de don Roberto que es un cerdo ansioso y don Roberto dice de Martín que es un cerdo huraño y sin compostura. ¡Cualquiera sabe quién tiene la razón! Lo único cierto es que la pobre Filo, entre la espada y la pared, se pasa la vida ingeniándoselas para capear el temporal de la mejor manera posible.

Cuando el marido no está en casa le fríe un huevo o le calienta un poco de café con leche al hermano, y cuando

---

[19]   Niceto Alcalá Zamora (1877-1948) fue político liberal y el primer presidente de la II República.
[20]   Federico Salmón fue ministro de Trabajo en 1935 y autor de una ley para favorecer la construcción de viviendas sociales.
[21]   *perendengue:* pendiente, adorno femenino. Aquí se aplica metafóricamente para describir una panadería con adornos superfluos o apariencia de lujo.

no puede, porque don Roberto, con sus zapatillas y su chaqueta vieja, hubiera armado un escándalo espantoso llamándole vago y parásito, la Filo le guarda las sobras de la comida en una vieja lata de galletas que baja la muchacha hasta la calle.

—¿Es esto justo, Petrita?

—No, señorito, no lo es.

—¡Ay, hija! ¡Si no fuera porque tú me endulzas un poco esta bazofia!

Petrita se pone colorada.

—Ande, deme la lata, que hace frío.

—¡Hace frío para todos, desgraciada!

—Usted perdone...

Martín reacciona en seguida.

—No me hagas caso. ¿Sabes que estás ya hecha una mujer?

—Ande, cállese.

—¡Ay, hija, ya me callo! ¿Sabes lo que yo te daría, si tuviese menos conciencia?

—Calle.

—¡Un buen susto!

—¡Calle!

Aquel día tocó que el marido de Filo no estuviese en casa y Martín se comió su huevo y se bebió su taza de café.

—Pan no hay. Hasta tenemos que comprar un poco de estraperlo para los niños.

—Está bien así, gracias; Filo, eres muy buena, eres una verdadera santa.

—No seas bobo.

A Martín se le nubló la vista.

—Sí; una santa, pero una santa que se ha casado con un miserable. Tu marido es un miserable, Filo.

—Calla, bien honrado es.

—Allá tú. Después de todo, ya le has dado cinco becerros.

Hay unos momentos de silencio. Al otro lado de la casa se oye la vocecita de un niño que reza.

La Filo sonríe.

—Es Javierín. Oye, ¿tienes dinero?

—No.

—Coge esas dos pesetas.

—No. ¿Para qué? ¿A dónde voy yo con dos pesetas?

—También es verdad. Pero ya sabes, quien da lo que tiene...

—Ya sé.

[12]   —¿Te has encargado la ropa que te dije, Laurita?

—Sí, Pablo. El abrigo me queda muy bien, ya verás cómo te gusto.

Pablo Alonso sonríe con la sonrisa de buey benévolo del hombre que tiene las mujeres no por la cara, sino por la cartera.

—No lo dudo... En esta época, Laurita, tienes que abrigarte; las mujeres podéis ir elegantes y, al mismo tiempo, abrigadas.

—Claro.

—No está reñido. A mí me parece que vais demasiado desnudas. ¡Mira que si te fueras a poner mala ahora!

—No, Pablo, ahora no. Ahora me tengo que cuidar mucho para que podamos ser muy felices...

Pablo se deja querer.

—Quisiera ser la chica más guapa de Madrid para gustarte siempre... ¡Tengo unos celos!

La castañera habla con una señorita. La señorita tiene [13] las mejillas ajadas y los párpados enrojecidos, como de tenerlos enfermos.

—¡Qué frío hace!

—Sí, hace una noche de perros. El mejor día me quedo pasmadita igual que un gorrión.

La señorita guarda en el bolso una peseta de castañas, la cena.

—Hasta mañana, señora Leocadia.

—Adiós, señorita Elvira, descansar.

La mujer se va por la acera, camino de la plaza de Alonso Martínez. En una ventana del café que hace esquina al bulevar, dos hombres hablan. Son dos hombres jóvenes, uno de veintitantos y otro de treinta y tantos años; el más viejo tiene aspecto de jurado en un concurso literario; el más joven tiene aire de ser novelista. Se nota en seguida que lo que están hablando es algo muy parecido a lo siguiente:

—La novela la he presentado bajo el lema Teresa de Cepeda [22] y en ella abordo algunas facetas inéditas de ese eterno problema que...

—Bien, bien. ¿Me da un poco de agua, por favor?

—Sin favor. La he repasado varias veces y creo poder decir con orgullo que en toda ella no hay una sola cacofonía [23].

—Muy interesante.

---

[22] No es casual la invocación a santa Teresa de Jesús. La doctrina política y religiosa del régimen de Franco exaltó a los héroes y santos que definían su idea del nacionalismo español.

[23] *cacofonía:* «que suena mal»; repetición de sonidos que resultan desagradables. Por ejemplo, en un texto en prosa, la rima de palabras próximas se considera una cacofonía, un defecto de estilo.

—Eso creo. Ignoro la calidad de las obras presentadas por mis compañeros. En todo caso, confío en que el buen sentido y la rectitud...

—Descuide; hacemos todo con una seriedad ejemplar.

—No lo dudo. Ser derrotado nada importa si la obra premiada tiene una calidad indudable; lo que descorazona...

La señorita Elvira, al pasar, sonrió: la costumbre.

[14]   Entre los hermanos hay otro silencio.

—¿Llevas camiseta?

—Pues claro que llevo camiseta. ¡Cualquiera anda por la calle sin camiseta!

—¿Una camiseta marcada P. A.?

—Una camiseta marcada como me da la gana.

—Perdona.

Martín acabó de liar un pitillo con tabaco de don Roberto.

—Estás perdonada, Filo. No hables de tanta terneza. Me revienta la compasión.

La Filo se creció de repente.

—¿Ya estás tú?

—No. Oye, ¿no ha venido Paco por aquí? Tenía que haberme traído un paquete.

—No, no ha venido. Lo vio la Petrita en la calle de Goya y le dijo que a las once te esperaba en el bar de Narváez.

—¿Qué hora es?

—No sé; deben de ser ya más de las diez.

—¿Y Roberto?

—Tardará aún. Hoy le tocaba ir a la panadería y no vendrá hasta pasadas las diez y media.

Sobre los dos hermanos se cuelgan unos instantes de si-

lencio, insospechadamente llenos de suavidad. La Filo
pone la voz cariñosa y mira a los ojos a Martín.

—¿Te acuerdas que mañana cumplo treinta y cuatro
años?

—¡Es verdad!

—¿No te acordabas?

—No, para qué te voy a mentir. Has hecho bien en decírmelo, quiero hacerte un regalo.

—No seas tonto, ¡pues sí que estás tú para regalos!

—Una cosita pequeña, algo que te sirva de recuerdo.

La mujer pone las manos sobre las rodillas del hombre.

—Lo que yo quiero es que me hagas un verso, como
hace años. ¿Te acuerdas?

—Sí...

La Filo posa su mirada, tristemente, sobre la mesa.

—El año pasado no me felicitasteis ni tú ni Roberto, os
olvidasteis los dos.

Filo pone la voz mimosa: una buena actriz la hubiera
puesto opaca.

—Estuve toda la noche llorando...

Martín la besa.

—No seas boba, parece que vas a cumplir catorce años.

—¿Qué vieja soy ya, verdad? Mira cómo tengo la cara
de arrugas. Ahora, esperar que los hijos crezcan, seguir
envejeciendo y después morir. Como mamá, la pobre.

Don Roberto, en la panadería, seca con cuidado el [15]
asiento [24] de la última partida de su libro. Después lo cierra y rompe unos papeles con los borradores de las cuentas.

---

[24]   *asiento:* anotación que se hace en un libro de un ingreso o gasto.

En la calle se oye lo de los pantalones estrechitos y lo de los señoritos de la misa.

—Adiós, señor Ramón, hasta el próximo día.

—A seguir bien, González, hasta más ver. Que cumpla muchos la señora y todos con salud.

—Gracias, señor Ramón, y usted que lo vea.

[16] Por los solares de la Plaza de Toros, dos hombres van de retirada.

—Estoy helado. Hace un frío como para destetar hijos de puta.

—Ya, ya.

[17] Los hermanos hablan en la diminuta cocina. Sobre la apagada chispa del carbón, arde un hornillo de gas.

—Aquí no sube nada a estas horas, abajo hay un hornillo ladrón [25].

En el gas cuece un puchero no muy grande. Encima de la mesa, media docena de chicharros espera la hora de la sartén.

—A Roberto le gustan mucho los chicharros fritos.

—Pues también es un gusto...

—Déjalo, ¿a ti qué daño te hace? Martín, hijo, ¿por qué le tienes esa manía?

—¡Por mí! Yo no le tengo manía, es él quien me la tiene a mí. Yo lo noto y me defiendo. Yo sé que somos de dos maneras distintas.

---

[25] *hornillo ladrón:* un hornillo que quemaba más de lo permitido y por ello el gas apenas subía a los pisos altos que dependían de la misma instalación. El gas era escaso en los primeros años cuarenta.

Martín toma un ligero aire retórico, parece un profesor.

—A él le es todo igual y piensa que lo mejor es ir tirando como se pueda. A mí, no; a mí no me es todo igual ni mucho menos. Yo sé que hay cosas buenas y cosas malas, cosas que se deben hacer y cosas que se deben evitar.

—¡Anda, no eches discursos!

—Verdaderamente. ¡Así me va!

La luz tiembla un instante en la bombilla, hace una finta, y se marcha. La tímida, azulenca llama del gas lame, pausadamente, los bordes del puchero.

—¡Pues sí!

—Pasa algunas noches, ahora hay una luz muy mala.

—Ahora tenía que haber la misma luz de siempre. ¡La compañía, que querrá subirla! Hasta que suban la luz no la darán buena, ya verás. ¿Cuánto pagas ahora de luz?

—Catorce o dieciséis pesetas, según.

—Después pagarás veinte o veinticinco.

—¡Qué le vamos a hacer!

—¿Así queréis que se arreglen las cosas? ¡Vais buenos!

La Filo se calla y Martín entrevé en su cabeza una de esas soluciones que nunca cuajan. A la incierta lucecilla del gas, Martín, tiene un impreciso y vago aire de zahorí [26].

A Celestino le coge el apagón en la trastienda.   [18]

—¡Pues la hemos liado! Esos desalmados son capaces de desvalijarme.

Los desalmados son los clientes.

---

[26]   *zahorí:* quien tiene la facultad de descubrir lo que está oculto, en concreto los manantiales subterráneos.

Celestino trata de salir a tientas y tira un cajón de gascosas. Las botellas hacen un ruido infernal al chocar contra los baldosines.

—¡Me cago hasta en la luz eléctrica!

Suena una voz desde la puerta.

—¿Qué ha pasado?

—¡Nada! ¡Rompiendo lo que es mío!

[19]   Doña Visitación piensa que una de las formas más eficaces para alcanzar el mejoramiento de la clase obrera, es que las señoras de la junta de damas organicen concursos de pinacle [27].

—Los obreros —piensan— también tienen que comer, aunque muchos son tan rojos que no se merecerían tanto desvelo.

Doña Visitación es bondadosa y no cree que a los obreros se les deba matar de hambre, poco a poco.

[20]   Al poco tiempo, la luz vuelve, enrojeciendo primero el filamento, que durante unos segundos parece hecho como de venitas de sangre, y un resplandor intenso se extiende, de repente, por la cocina. La luz es más fuerte y más blanca que nunca y los paquetillos, las tazas, los platos que hay sobre el vasar [28], se ven con mayor precisión, como si hubieran engordado, como si estuvieran recién hechos.

—Está todo muy bonito, Filo.

---

[27]   *pinacle:* juego inglés de cartas, parecido a la canasta, donde se trata de formar «escaleras» de número o de color.

[28]   *vasar:* estante en despensas y cocinas para colocar vasos y platos.

—Limpio...

—¡Ya lo creo!

Martín pasea su vista con curiosidad por la cocina, como si no la conociera. Después se levanta y coge su sombrero. La colilla la apagó en la pila de fregar y la tiró después, con mucho cuidado, en la lata de la basura.

—Bueno, Filo; muchas gracias, me voy ya.

—Adiós, hijo, de nada; yo bien quisiera darte algo más... Ese huevo lo tenía para mí, me dijo el médico que tomara dos huevos al día.

—¡Vaya!

—Déjalo, no te preocupes. A ti te hace tanta falta como a mí.

—Verdaderamente.

—Qué tiempos, ¿verdad, Martín?

—Sí, Filo, ¡qué tiempos! Pero ya se arreglarán las cosas, tarde o temprano.

—¿Tú crees?

—No lo dudes. Es algo fatal, algo incontenible, algo que tiene la fuerza de las mareas.

Martín va hacia la puerta y cambia de voz.

—En fin... ¿Y Petrita?

—¿Ya estás?

—No, mujer, era para decirle adiós.

—Déjala. Está con los dos peques, que tienen miedo; no los deja hasta que se duermen.

La Filo sonríe, para añadir:

—Yo, a veces, también tengo miedo, me imagino que me voy a quedar muerta de repente...

Al bajar la escalera, Martín se cruza con su cuñado que sube en el ascensor. Don Roberto va leyendo el periódico. A Martín le dan ganas de abrirle una puerta y dejarlo entre dos pisos.

[21]   Laurita y Pablo están sentados frente a frente; entre los dos hay un florerito esbelto con tres rosas pequeñas dentro.

—¿Te gusta el sitio?

—Mucho.

El camarero se acerca. Es un camarero joven, bien vestido, con el negro pelo rizado y el ademán apuesto. Laurita procura no mirarle; Laurita tiene un directo, un inmediato concepto del amor y de la fidelidad.

—La señorita, consomé; lenguado al horno y pechuga villeroy [29]. Yo voy a tomar consomé y lubina hervida, con aceite y vinagre.

—¿No vas a comer más?

—No, nena, no tengo ganas.

Pablo se vuelve al camarero.

—Media de sauternes y otra media de borgoña [30]. Está bien.

Laurita, por debajo de la mesa, acaricia una rodilla de Pablo.

—¿Estás malo?

—No, malo, no; he estado toda la tarde a vueltas con la comida, pero ya me pasó. Lo que no quiero es que repita.

La pareja se miró a los ojos y con los codos apoyados sobre la mesa, se cogieron las dos manos apartando un poco el florerito.

En un rincón, una pareja que ya no se coge las manos, mira sin demasiado disimulo.

—¿Quién es esa conquista de Pablo?

—No sé, parece una criada, ¿te gusta?

---

[29]   Pollo a la *villeroy:* pollo rebozado, empanado y frito con una salsa cremosa.

[30]   *Sauterne* y *borgoña:* dos vinos franceses.

—Psché, no está mal...

—Pues vete con ella, si te gusta, no creo que te sea demasiado difícil.

—¿Ya estás?

—Quien ya está eres tú. Anda, rico, déjame tranquila que no tengo ganas de bronca; esta temporada estoy muy poco folclórica.

El hombre enciende un pitillo.

—Mira, Mari Tere, ¿sabes lo que te digo?, que así no vamos a ningún lado.

—¡Muy flamenco estás tú! Déjame si quieres, ¿no es eso lo que buscas? Todavía tengo quien me mire a la cara.

—Habla más bajo, no tenemos por qué dar tres cuartos al pregonero.

La señorita Elvira deja la novela sobre la mesa de noche y apaga la luz. Los misterios de París [31] se quedan a oscuras al lado de un vaso mediado de agua, de unas medias usadas y de una barra de rouge [32] ya en las últimas.

Antes de dormirse, la señorita Elvira siempre piensa un poco.

—Puede que tenga razón doña Rosa. Quizá sea mejor volver con el viejo, así no puedo seguir. Es un baboso, pero, ¡después de todo! Yo ya no tengo mucho donde escoger.

[22]

---

[31] *Los misterios de París* es un folletín del francés Eugenio Sue (1804-1857), autor de mucho éxito en España. Narra las desventuras de una chica pobre que se ve obligada a prostituirse.

[32] *rouge:* carmín, pintura de labios. Este galicismo ha caído en desuso.

La señorita Elvira se conforma con poco, pero ese poco casi nunca lo consigue. Tardó mucho tiempo en enterarse de cosas que, cuando las aprendió, le cogieron ya con los ojos llenos de patas de gallo y los dientes picados y ennegrecidos. Ahora se conforma con no ir al hospital, con poder seguir en su miserable fonducha; a lo mejor, dentro de unos años, su sueño dorado es una cama en el hospital, al lado del radiador de la calefacción.

[23]   El gitanito, a la luz de un farol, cuenta un montón de calderilla. El día no se le dio mal: ha reunido, cantando desde la una de la tarde hasta las once de la noche, un duro y sesenta céntimos. Por el duro de calderilla le dan cinco cincuenta en cualquier bar; los bares andan siempre mal de cambios.

El gitanito cena, siempre que puede, en una taberna que hay por detrás de la calle de Preciados, bajando por la costanilla de los Ángeles; un plato de alubias, pan y un plátano le cuestan tres veinte.

El gitanito se sienta, llama al mozo, le da las tres veinte y espera a que le sirvan.

Después de cenar sigue cantando, hasta las dos, por la calle de Echegaray, y después procura coger el tope [33] del último tranvía. El gitanito, creo que ya lo dijimos, debe andar por los seis años.

[24]   Al final de Narváez está el bar donde, como casi todas las noches, Paco se encuentra con Martín. Es un bar pequeño, que hay a la derecha, conforme se sube, cerca

---

[33]   El *tope* del tranvía es el saliente frontal o parachoques.

del garaje de la policía armada. El dueño, que se llama
Celestino Ortiz, había sido comandante con Cipriano
Mera[34] durante la guerra, y es un hombre más bien alto,
delgado, cejijunto y con algunas marcas de viruela; en
la mano derecha lleva una gruesa sortija de hierro, con
un esmalte en colores que representa a León Tolstoi[35] y
que se había mandado hacer en la calle de la Colegiata,
y usa dentadura postiza que, cuando le molesta mucho,
deja sobre el mostrador. Celestino Ortiz guarda cuidadosamente, desde hace muchos años ya, un sucio y des-
baratado ejemplar de la Aurora de Nietzsche[36], que es
su libro de cabecera, su catecismo. Lo lee a cada paso y
en él encuentra siempre solución a los problemas de su
espíritu.

—Aurora —dice—. Meditación sobre los prejuicios
morales. ¡Qué hermoso título!

La portada lleva un óvalo con la foto del autor, su
nombre, el título, el precio —cuatro reales— y el pie
editorial: F. Sempere y Compañía, editores, calle del Pa-
lomar, 10, Valencia; Olmo, 4 (sucursal), Madrid. La tra-
ducción es de Pedro González Blanco. En la portada de

---

[34]   Cipriano Mera fue un líder del sindicato anarquista CNT y durante la guerra fue un destacado jefe del ejército republicano.

[35]   León Tolstoi (1828-1911), escritor ruso, autor de *Guerra y Paz*.
Sus novelas eran muy apreciadas por los anarquistas españoles.

[36]   Federico Nietzsche (1844-1900), filosófo alemán. *Aurora* es un
libro de aforismos y pensamientos críticos sobre la moral cristiana y los
valores establecidos, de los que, según Nietzsche, se debe prescindir
para alumbrar la aurora de unos tiempos nuevos. Era un autor prohibido
por la censura. *Aurora* es una palabra muy relacionada con el anar-
quismo: Celestino da ese nombre al bar (cap. IV), en testimonio de la
ideología que profesaba. Baroja noveló en *Aurora Roja* tipos y ambientes anarquistas de principios de siglo.

dentro aparece la marca de los editores: un busto de señorita con gorro frigio [37] y rodeado, por abajo, de una corona de laurel y, por arriba, de un lema que dice: Arte y Libertad.

Hay párrafos enteros que Celestino se los sabe de memoria. Cuando entran en el bar los guardias del garaje, Celestino Ortiz esconde el libro debajo del mostrador, sobre el cajón de los botellines de vermú [38].

—Son hijos del pueblo como yo —se dice—, ¡pero por si acaso!

Celestino piensa, con los curas del pueblo, que Nietzsche es realmente algo muy peligroso.

Lo que suele hacer, cuando se enfrenta con los guardias, es recitarles parrafitos, como en broma, sin decirles nunca de dónde los ha sacado.

—La compasión viene a ser el antídoto del suicidio, por ser un sentimiento que proporciona placer y que nos suministra, en pequeñas dosis, el goce de la superioridad.

Los guardias se ríen.

—Oye, Celestino, ¿tú no has sido nunca cura?

—¡Nunca! La dicha —continúa—, sea lo que fuere, nos da aire, luz y libertad de movimientos.

Los guardias ríen a carcajadas.

—Y agua corriente.

—Y calefacción central.

Celestino se indigna y les escupe con desprecio:

—¡Sois unos pobres incultos!

———————

[37]   *gorro frigio:* gorro cónico con la punta hacia adelante, parecido al que usaron los frigios (pueblo antiguo del Asia Menor). Lo adoptaron los revolucionarios franceses y luego pasó a ser símbolo del espíritu republicano.

[38]   *Aurora* era un libro prohibido y por tanto, peligroso.

Entre todos los que vienen hay un guardia, gallego y reservón, con el que Celestino hace muy buenas migas. Se tratan siempre de usted.

—Diga usted, patrón, ¿y eso lo dice siempre igual?

—Siempre, García, y no me equivoco ni una sola vez.

—¡Pues ya es mérito!

La señora Leocadia, arrebujada en su toquilla, saca una [25] mano.

—Tome, van ocho y bien gordas.

—Adiós.

—¿Tiene usted hora, señorito?

El señorito se desabrocha y mira la hora en su grueso reloj de plata.

—Sí, van a dar las once.

A las once viene a buscarla su hijo, que quedó cojo en la guerra y está de listero [39] en las obras de los nuevos ministerios. El hijo, que es muy bueno, le ayuda a recoger los bártulos y después se van, muy cogiditos del brazo, a dormir. La pareja sube por Covarrubias y tuerce por Nicasio Gallego. Si queda alguna castaña se la comen; si no, se meten en cualquier chigre [40] y se toman un café con leche bien caliente. La lata de las brasas la coloca la vieja al lado de su cama, siempre hay algún rescoldo que dura, encendido, hasta la mañana.

---

[39] El *listero* era el encargado de hacer la lista diaria de los obreros que acudían al trabajo.

[40] *chigre:* en Asturias se llama 'chigre' a una taberna o sidrería.

[26]   Martín Marco entra en el bar cuando salen los guardias. Celestino se le acerca.

—Paco no ha venido aún. Estuvo aquí esta tarde y me dijo que lo esperara usted.

Martín Marco adopta un displicente aire de gran señor.

—Bueno.

—¿Va a ser?

—Solo.

Ortiz trajina un poco con la cafetera, prepara la sacarina, el vaso, el plato y la cucharilla, y sale del mostrador. Coloca todo sobre la mesa, y habla. Se le nota en los ojos, que le brillan un poco, que ha hecho un gran esfuerzo para arrancar.

—¿Ha cobrado usted?

Martín lo mira como si mirase a un ser muy extraño.

—No, no he cobrado. Ya le dije a usted que cobro los días cinco y veinte de cada mes.

Celestino se rasca el cuello.

—Es que...

—¡Qué!

—Pues que con este servicio ya tiene usted veintidós pesetas.

—¿Veintidós pesetas? Ya se las daré. Creo que le he pagado a usted siempre, en cuanto he tenido dinero.

—Ya sé.

—¿Entonces?

Martín arruga un poco la frente y ahueca la voz.

—Parece mentira que usted y yo andemos a vueltas siempre con lo mismo, como si no tuviéramos tantas cosas que nos unan.

—¡Verdaderamente! En fin, perdone, no he querido molestarle, es que, ¿sabe usted?, hoy han venido a cobrar la contribución.

Martín levanta la cabeza con un profundo gesto de orgullo y de desprecio, y clava sus ojos sobre un grano que tiene Celestino en la barbilla.

Martín da dulzura a su voz, sólo un instante.

—¿Qué tiene usted ahí?

—Nada, un grano.

Martín vuelve a fruncir el entrecejo y a hacer dura y reticente la voz.

—¿Quiere usted culparme a mí de que haya contribuciones?

—¡Hombre, yo no decía eso!

—Decía usted algo muy parecido, amigo mío. ¿No hemos hablado ya suficientemente de los problemas de la distribución económica y del régimen contributivo?

Celestino se acuerda de su maestro y se engalla.

—Pero con sermones yo no pago el impuesto.

—¿Y eso le preocupa, grandísimo fariseo?

Martín lo mira fijamente, en los labios una sonrisa mitad de asco, mitad de compasión.

—¿Y usted lee a Nietzsche? Bien poco se le ha pegado. ¡Usted es un mísero pequeño burgués!

—¡Marco!

Martín ruge como un león.

—¡Sí, grite usted, llame a sus amigos los guardias!

—¡Los guardias no son amigos míos!

—¡Pégueme si quiere, no me importa! No tengo dinero, ¿se entera? ¡No tengo dinero! ¡No es ninguna deshonra!

Martín se levanta y sale a la calle con paso de triunfador. Desde la puerta se vuelve.

—Y no llore usted, honrado comerciante. Cuando tenga esos cuatro duros y pico, se los traeré para que pague la contribución y se quede tranquilo. ¡Allá usted con su conciencia! Y ese café me lo apunta y se lo guarda donde le quepa, ¡no lo quiero!

Celestino se queda perplejo, sin saber qué hacer. Piensa romperle un sifón en la cabeza, por fresco, pero se acuerda: Entregarse a la ira ciega es señal de que se está cerca de la animalidad. Quita su libro de encima de los botellines y lo guarda en el cajón. Hay días en que se le vuelve a uno el santo de espaldas, en que hasta Nietzsche parece como pasarse a la acera contraria.

[27]　　Pablo había pedido un taxi.

—Es temprano para ir a ningún lado. Si te parece nos meteremos en cualquier cine, a hacer tiempo.

—Como tú quieras, Pablo, el caso es que podamos estar muy juntitos.

El botones llegó. Después de la guerra casi ningún botones lleva gorra.

—El taxi, señor.

—Gracias. ¿Nos vamos, nena?

Pablo ayudó a Laurita a ponerse el abrigo. Ya en el coche, Laurita le advirtió:

—¡Qué ladrones! Fíjate cuando pasemos por un farol: va ya marcando seis pesetas.

[28]　　Martín, al llegar a la esquina de O'Donnell, se tropieza con Paco.

En el momento en que oye ¡hola!, va pensando:

—Sí, tenía razón Byron [41]: si tengo un hijo haré de él algo prosaico: abogado o pirata.

------

[41]　　Lord Byron (1788-1824), poeta romántico inglés. Al parecer, la frase «Si tengo un hijo...» era un dicho tópico entre los modernistas.

Paco le pone una mano sobre el hombro.

—Estás sofocado. ¿Por qué no me esperaste?

Martín parece un sonámbulo, un delirante.

—¡Por poco lo mato! ¡Es un puerco!

—¿Quién?

—El del bar.

—¿El del bar? ¡Pobre desgraciado! ¿Qué te hizo?

—Recordarme los cuartos. ¡Él sabe de sobra que, en cuanto tengo, pago!

—Pero, hombre, ¡le harían falta!

—Sí, para pagar la contribución. Son todos iguales.

Martín miró para el suelo y bajó la voz.

—Hoy me echaron a patadas de otro café.

—¿Te pegaron?

—No, no me pegaron, pero la intención era bien clara. ¡Estoy ya muy harto, Paco!

—Anda, no te excites, no merece la pena. ¿Adónde vas?

—A dormir.

—Es lo mejor. ¿Quieres que nos veamos mañana?

—Como tú quieras. Déjame recado en casa de Filo, yo me pasaré por allí.

—Bueno.

—Toma el libro que querías. ¿Me has traído las cuartillas?

—No, no pude. Mañana veré si las puedo coger.

La señorita Elvira da vueltas en la cama, está desazonada; cualquiera diría que se había echado al papo [42] una cena tremenda. Se acuerda de su niñez y de la picota de [29]

---

[42] *papo:* buche; *echarse al papo*: ingerir, comer. Es una expresión degradante.

Villalón; es un recuerdo que la asalta a veces. Para dese-
charlo, la señorita Elvira se pone a rezar el credo hasta
que se duerme; hay noches —en las que el recuerdo es
más pertinaz— que llega a rezar hasta ciento cincuenta o
doscientos credos seguidos.

[30]   Martín pasa las noches en casa de su amigo Pablo
Alonso, en una cama turca puesta en el ropero. Tiene una
llave del piso y no ha de cumplir, a cambio de la hospitali-
dad, sino tres cláusulas: no pedir jamás una peseta, no meter a nadie en la habitación, y marcharse a las nueve y media de la mañana para no volver hasta pasadas las once de
la noche. El caso de enfermedad no estaba previsto.

Por las mañanas, al salir de casa de Alonso, Martín se
mete en comunicaciones o en el Banco de España, donde
se está caliente y se pueden escribir versos por detrás de
los impresos de los telegramas y de las imposiciones de
las cuentas corrientes.

Cuando Alonso le da alguna chaqueta, que deja casi
nuevas, Martín Marco se atreve a asomar los hocicos, después de la hora de la comida, por el hall del Palace. No
siente gran atracción por el lujo, ésa es la verdad, pero
procura conocer todos los ambientes.

—Siempre son experiencias —piensa.

[31]   Don Leoncio Maestre se sentó en su baúl y encendió un
pitillo. Era feliz como nunca y por dentro cantaba La
donna è móbile [43], en un arreglo especial. Don Leoncio

---

[43]   Es un célebre fragmento de la ópera *Rigoletto*, de Giuseppe Verdi.

Maestre, en su juventud, se había llevado la flor natural en unos juegos florales que se celebraron en la isla de Menorca, su patria chica.

La letra de la canción que cantaba don Leoncio era, como es natural, en loa y homenaje de la señorita Elvira. Lo que le preocupaba era que, indefectiblemente, el primer verso tenía que llevar los acentos fuera de su sitio. Había tres soluciones:

    1.   *¡Oh, bella Elvírita!*
    2.   *¡Oh, bellá Elvírita!*
    3.   *¡Oh, bellá Elviríita!*

Ninguna era buena, ésta es la verdad, pero sin duda la mejor era la primera; por lo menos llevaba los acentos en el mismo sitio que la donna è móbile.

Don Leoncio, con los ojos entornados, no dejaba ni un instante de pensar en la señorita Elvira.

—¡Pobrecita mía! Tenía ganas de fumar. Yo creo, Leoncio, que has quedado como las propias rosas regalándole la cajetilla...

Don Leoncio estaba tan embebido en su amoroso recuerdo que no notaba el frío de la lata de su baúl debajo de sus posaderas.

El señor Suárez dejó el taxi a la puerta. Su cojera era ya [32] jacarandosa [44]. Se sujetó los lentes de pinza y se metió en el ascensor. El señor Suárez vivía con su madre, ya vieja, y se llevaban tan bien que, por las noches, antes de irse a la cama, la señora iba a taparlo y a darle su bendición.

---

[44]   *jacarandoso:* alegre, desenvuelto.

—¿Estás bien, hijito?

—Muy bien, mami querida.

—Pues hasta mañana, si Dios quiere. Tápate, no te vayas a enfriar. Que descanses.

—Gracias, mamita, igualmente; dame un beso.

—Tómalo, hijo; no te olvides de rezar tus oraciones.

—No, mami. Adiós.

El señor Suárez tiene unos cincuenta años; su madre, veinte o veintidós más.

El señor Suárez llegó al tercero, letra C, sacó su llavín y abrió la puerta. Pensaba cambiarse la corbata, peinarse bien, echarse un poco de colonia, inventar una disculpa caritativa y marcharse a toda prisa, otra vez en el taxi.

—¡Mami!

La voz del señor Suárez al llamar a su madre desde la puerta, cada vez que entraba en casa, era una voz que imitaba un poco la de los alpinistas del Tirol que salen en las películas.

—¡Mami!

Desde el cuarto de delante, que tenía la luz encendida, nadie contestó.

—¡Mami! ¡Mami!

El señor Suárez empezó a ponerse nervioso.

—¡Mami! ¡Mami! ¡Ay, santo Dios! ¡Ay, que yo no entro! ¡Mami!

El señor Suárez, empujado por una fuerza un poco rara, tiró por el pasillo. Esa fuerza un poco rara era, probablemente, curiosidad.

—¡Mami!

Ya casi con la mano en el picaporte, el señor Suárez dio marcha atrás y salió huyendo. Desde la puerta volvió a repetir:

—¡Mami! ¡Mami!

Después notó que el corazón le palpitaba muy de prisa y bajó las escaleras, de dos en dos.

—Lléveme a la carrera de San Jerónimo, enfrente del congreso[45].

El taxi le llevó a la carrera de San Jerónimo, enfrente del congreso.

Mauricio Segovia, cuando se aburrió de ver y de oír [33] cómo doña Rosa insultaba a sus camareros, se levantó y se marchó del café.

—Yo no sé quién será más miserable, si esa foca sucia y enlutada o toda esta caterva de gaznápiros[46]. ¡Si un día le dieran entre todos una buena tunda!

Mauricio Segovia es bondadoso, como todos los pelirrojos, y no puede aguantar las injusticias. Si él preconiza que lo mejor que podían hacer los camareros era darle una somanta a doña Rosa, es porque ha visto que doña Rosa los trataba mal; así, al menos, quedarían empatados —uno a uno— y se podría empezar a contar de nuevo.

—Todo es cuestión de cuajos: los hay que lo[47] deben tener grande y blanducho, como una babosa, y los hay también que lo tienen pequeñito y duro, como una piedra de mechero.

---

[45]   La Carrera de San Jerónimo es la calle donde está el palacio del Congreso de los Diputados.

[46]   *caterva:* multitud, dicho en sentido despectivo. *Gaznápiro:* bobo, paleto; como insulto benévolo equivale a llamar alguien insensato, informal.

[47]   *cuajos* y *lo* son eufemismos de testículos y pene.

[34]   Don Ibrahím de Ostolaza y Bofarull se encaró con el espejo, levantó la cabeza, se acarició la barba y exclamó:

—Señores académicos: No quisiera distraer vuestra atención más tiempo, etc., etc. (Sí, esto sale bordado... La cabeza en arrogante ademán... Hay que tener cuidado con los puños, a veces asoman demasiado, parece como si fueran a salir volando.)

Don Ibrahím encendió la pipa y se puso a pasear por la habitación, para arriba y para abajo. Con una mano sobre el respaldo de la silla y con la otra con la pipa en alto, como el rollito que suelen tener los señores de las estatuas, continuó:

—¿Cómo admitir, como quiere el señor Clemente de Diego, que la usucapión[48] sea el modo de adquirir derechos por el ejercicio de los mismos? Salta a la vista la escasa consistencia del argumento, señores académicos. Perdóneseme la insistencia y permítaseme que vuelva, una vez más, a mi ya vieja invocación a la lógica; nada, sin ella, es posible en el mundo de las ideas. (Aquí, seguramente, habrá murmullos de aprobación.) ¿No es evidente, ilustre senado, que para usar algo hay que poseerlo? En vuestros ojos adivino que pensáis que sí. (A lo mejor, uno del público dice en voz baja: evidente, evidente.) Luego si para usar algo hay que poseerlo, podremos, volviendo la oración por pasiva, asegurar que nada puede ser usado sin una previa posesión.

Don Ibrahím adelantó un pie hacia las candilejas[49] y

---

[48]   *usucapión:* adquirir un derecho mediante su ejercicio en el tiempo que marca la Ley.

[49]   *adelantarse hacia las candilejas*: avanzar en el esenario hacia el público. Don Ibrahím ensaya a solas su soñada «actuación» ante los académicos. El narrador parodia el pomposo discurso jurídico.

acarició, con un gesto elegante, las solapas de su batín. Bien: de su frac. Después sonrió.

—Pues bien, señores académicos: así como para usar algo hay que poseerlo, para poseer algo hay que adquirirlo. Nada importa a título de qué; yo he dicho, tan sólo, que hay que adquirirlo, ya que nada, absolutamente nada, puede ser poseído sin una previa adquisición. (Quizás me interrumpan los aplausos. Conviene estar preparado.)

La voz de don Ibrahím sonaba solemne como la de un fagot. Al otro lado del tabique de panderete [50], un marido, de vuelta de su trabajo, preguntaba a su mujer:

—¿Ha hecho su caquita la nena?

Don Ibrahím sintió algo de frío y se arregló un poco la bufanda. En el espejo se veía un lacito negro, el que se lleva en el frac por las tardes.

Don Mario de la Vega, el impresor del puro, se había [35] ido a cenar con el bachiller del plan del 3.

—Mire, ¿sabe lo que le digo? Pues que no vaya mañana a verme; mañana vaya a trabajar. A mí me gusta hacer las cosas así, sobre la marcha.

El otro, al principio, se quedó un poco perplejo. Le hubiera gustado decir que quizás fuera mejor ir al cabo de un par de días, para tener tiempo de dejar en orden algunas cosillas, pero pensó que estaba expuesto a que le dijeran que no.

—Pues nada, muchas gracias, procuraré hacerlo lo mejor que sepa.

---

[50] *tabique de panderete:* construido con ladrillos puestos de canto, por lo que al ser más delgado aísla menos de los ruidos.

—Eso saldrá usted ganando.

Don Mario de la Vega sonrió.

—Pues trato hecho. Y ahora, para empezar con buen pie, le invito a usted a cenar.

Al bachiller se le nubló la vista.

—Hombre...

El impresor le salió al paso.

—Vamos, se entiende que si no tiene usted ningún compromiso, yo no quisiera ser inoportuno.

—No, no, descuide usted, no es usted inoportuno, todo lo contrario. Yo no tengo ningún compromiso.

El bachiller se armó de valor y añadió:

—Esta noche no tengo ningún compromiso, estoy a su disposición.

Ya en la taberna, don Mario se puso un poco pesado y le explicó que a él le gustaba tratar bien a sus subordinados, que sus subordinados estuvieran a gusto, que sus subordinados prosperasen, que sus subordinados viesen en él a un padre, y que sus subordinados llegasen a cogerle cariño a la imprenta.

—Sin una colaboración entre el jefe y los subordinados, no hay manera de que el negocio prospere. Y si el negocio prospera, mejor para todos: para el amo y para los subordinados. Espere un instante, que voy a telefonear, tengo que dar un recado.

El bachiller, tras la perorata de su nuevo patrón, se dio cuenta perfectamente de que su papel era el de subordinado. Por si no lo había entendido del todo, don Mario, a media comida, le soltó:

—Usted entrará cobrando dieciséis pesetas; pero de contrato de trabajo, ni hablar. ¿Entendido?

—Sí, señor: entendido.

El señor Suárez se apeó de su taxi enfrente del con- [36]
greso y se metió por la calle del Prado, en busca del café
donde lo esperaban. El señor Suárez, para que no se le no-
tase demasiado que llevaba la boquita hecha agua, había
optado por no llegar con el taxi hasta la puerta del café.

—¡Ay chico! Estoy pasado. En mi casa debe suceder
algo horrible, mi mamita no contesta.

La voz del señor Suárez, al entrar en el café, se hizo
aún más casquivana[51] que de costumbre, era ya casi una
voz de golfa de bar de camareras.

—¡Déjala y no te apures! Se habrá dormido.

—¡Ay! ¿Tú crees?

—Lo más seguro. Las viejas se quedan dormidas en seguida.

Su amigo era un barbián[52] con aire achulado, corbata
verde, zapatos color corinto y calcetines a rayas. Se llama
José Giménez Figueras y aunque tiene un aspecto sobre-
cogedor, con su barba dura y su mirar de moro, le llaman,
por mal nombre, Pepito el Astilla.

El señor Suárez sonrió, casi con rubor.

—¡Qué guapetón estás, Pepe!

—¡Cállate, bestia, que te van a oír!

—¡Ay, bestia, tú siempre tan cariñoso!

El señor Suárez hizo un mohín. Después se quedó pensativo.

—¿Qué le habrá pasado a mi mamita?

—¿Te quieres callar?

---

[51]   *casquivano:* informal. Se aplica a la mujer coqueta o fresca. El
narrador insiste en la descripción afeminada del personaje, apodado la
Fotógrafa.

[52]   *barbián:* persona desenvuelta, atrevida. Se usa con valoración
negativa.

El señor Giménez Figueras, alias el Astilla, le retorció una muñeca al señor Suárez, alias la Fotógrafa.

—Oye, chata, ¿hemos venido para ser felices o para que me coloques el rollo de tu mamá querida?

—¡Ay, Pepe, tienes razón, no me riñas! ¡Es que estoy que no me llega la camisa al cuerpo!

[37]   Don Leoncio Maestre tomó dos decisiones fundamentales. Primero: es evidente que la señorita Elvira no es una cualquiera, se le ve en la cara. La señorita Elvira es una chica fina, de buena familia, que ha tenido algún disgusto con los suyos, se ha largado y ha hecho bien, ¡qué caramba! ¡A ver si va a haber derecho, como se creen muchos padres, a tener a los hijos toda la vida debajo de la bota! La señorita Elvira, seguramente, se fue de su casa porque su familia llevaba ya muchos años dedicada a hacerle la vida imposible. ¡Pobre muchacha! ¡En fin! Cada vida es un misterio, pero la cara sigue siendo el espejo del alma.

—¿En qué cabeza cabe pensar que Elvira pueda ser una furcia? Hombre, ¡por amor de Dios!

Don Leoncio Maestre estaba un poco incómodo consigo mismo.

La segunda decisión de don Leoncio fue la de acercarse de nuevo, después de cenar, al café de doña Rosa, a ver si la señorita Elvira había vuelto por allí.

—¡Quién sabe! Estas chicas tristes y desgraciadas que han tenido algún disgustillo en sus casas, son muy partidarias de los cafés donde se toca la música.

Don Leoncio Maestre cenó a toda prisa, se cepilló un poco, se puso otra vez el abrigo y el sombrero, y se marchó al café de doña Rosa. Vamos: él salió con intención de darse una vueltecita por el café de doña Rosa.

Mauricio Segovia fue a cenar con su hermano Herme- [38]
negildo, que había venido a Madrid a ver si conseguía que
lo hiciesen secretario de la C. N. S.[53] de su pueblo.

—¿Cómo van tus cosas?

—Pues, chico, van... Yo creo que van bien...

—¿Tienes alguna noticia nueva?

—Sí. Esta tarde estuve con don José María, el que está
en la secretaría particular de don Rosendo, y me dijo que
él apoyaría la propuesta con todo interés. Ya veremos lo
que hacen entre todos. ¿Tú crees que me nombrarán?

—Hombre, yo creo que sí. ¿Por qué no?

—Chico, no sé. A veces me parece que ya lo tengo en
la mano, y a veces me parece que lo que me van a dar, al
final, es un puñetazo en el culo. Esto de estar así, sin saber
a qué carta quedarse, es lo peor.

—No te desanimes, de lo mismo nos hizo Dios a todos.
Y además, ya sabes, el que algo quiere, algo le cuesta.

—Sí, eso pienso yo.

Los dos hermanos, después, cenaron casi todo el
tiempo en silencio.

—Oye, esto de los alemanes va de cabeza.

—Sí, a mí ya me empieza a oler a cuerno quemado[54].

Don Ibrahím de Ostolaza y Bofarull hizo como que no [39]
oía lo de la caquita de la nena del vecino, se volvió a arreglar un poco la bufanda, volvió a poner la mano sobre el
respaldo de la silla, y continuó:

---

[53] La Cámara Nacional Sindicalista era la delegación local de la
única organización sindical admitida por el franquismo.

[54] *oler a cuerno quemado:* sospechar algo desagradable. Al hablante le preocupan las derrotas de los alemanes en la guerra.

—Sí, señores académicos, quien tiene el honor de informar ante ustedes cree que sus argumentos no tienen vuelta de hoja. (¿No resultaría demasiado popular, un poco chabacano, esto de la vuelta de hoja?) Aplicando al concepto jurídico que nos ocupa, las conclusiones del silogismo precedente (aplicando al concepto jurídico que nos ocupa, las conclusiones del silogismo precedente, quizás quede algo largo) podemos asegurar que, así como para usar algo hay que poseerlo, paralelamente, para ejercer un derecho, cualquiera que fuere, habrá que poseerlo también. (Pausa.)

El vecino de al lado preguntaba por el color. Su mujer le decía que de color normal.

—Y un derecho no puede poseerse, corporación insigne, sin haber sido previamente adquirido. Creo que mis palabras son claras como las fluyentes aguas de un arroyo cristalino. (Voces: sí, sí.) Luego si para ejercer un derecho hay que adquirirlo, porque no puede ejercerse algo que no se tiene (¡Claro, claro!), ¿cómo cabe pensar, en rigor científico, que exista un modo de adquisición por el ejercicio, como quiere el profesor señor De Diego, ilustre por tantos conceptos, si esto sería tanto como afirmar que se ejerce algo que aún no se ha adquirido, un derecho que todavía no se posee? (Insistentes rumores de aprobación.)

El vecino de al lado preguntaba:

—¿Tuviste que meterle el perejilito?

—No, ya lo tenía preparado, pero después lo hizo ella solita. Mira, he tenido que comprar una lata de sardinas; me dijo tu madre que el aceite de las latas de sardinas es mejor para estas cosas.

—Bueno, no te preocupes, nos las comemos a la cena

y en paz. Eso del aceite de las sardinas son cosas de mi madre.

El marido y la mujer se sonrieron con terneza, se dieron un abrazo y se besaron. Hay días en que todo sale bien. El estreñimiento de la nena venía siendo ya una preocupación.

Don Ibrahím pensó que, ante los insistentes rumores de aprobación, debía hacer una breve pausa, con la frente baja y la vista mirando, como distraídamente, para la carpeta y el vaso de agua.

—No creo preciso aclarar, señores académicos, que es necesario tener presente que el uso de la cosa —no el uso o ejercicio del derecho a usar la cosa, puesto que todavía no existe— que conduce, por prescripción, a su posesión, a título de propietario, por parte del ocupante, es una situación de hecho, pero jamás un derecho. (Muy bien.)

Don Ibrahím sonrió como un triunfador y se estuvo unos instantes sin pensar en nada. En el fondo —y en la superficie también— don Ibrahím era un hombre muy feliz. ¿Que no le hacían caso? ¡Qué más da! ¿Para qué estaba la historia?

—Ella a todos, al fin y a la postre, hace justicia. Y si en este bajo mundo al genio no se le toma en consideración, ¿para qué preocuparnos si dentro de cien años, todos calvos?

A don Ibrahím vinieron a sacarlo de su dulce sopor unos timbrazos violentos, atronadores, descompuestos.

¡Qué barbaridad, qué manera de alborotar! ¡Vaya con la educación de algunas gentes! ¡Lo que faltaba es que se hubieran confundido!

La señora de don Ibrahím, que hacía calceta, sentada al

brasero, mientras su marido peroraba, se levantó y fue a abrir la puerta.

Don Ibrahím puso el oído atento. Quien llamó a la puerta había sido el vecino del cuarto.

—¿Está su esposo?

—Sí, señor, está ensayando su discurso.

—¿Me puede recibir?

—Sí, no faltaría más.

La señora levantó la voz:

—Ibrahím, es el vecino de arriba.

Don Ibrahím respondió:

—Que pase, mujer, que pase; no lo tengas ahí.

Don Leoncio Maestre estaba pálido.

—Veamos, convecino, ¿qué le trae por mi modesto hogar?

A don Leoncio le temblaba la voz.

—¡Está muerta!

—¿Eh?

—¡Que está muerta!

—¿Qué?

—Que sí, señor, que está muerta; yo le toqué la frente y está fría como el hielo.

La señora de don Ibrahím abrió unos ojos de palmo.

—¿Quién?

—La de al lado.

—¿La de al lado?

—Sí.

—¿Doña Margot?

—Sí.

Don Ibrahím intervino:

—¿La mamá del maricón?

Al mismo tiempo que don Leoncio le decía que sí, su mujer le reprendió:

LA COLMENA   187

—¡Por Dios, Ibrahím, no hables así!

—¿Y está muerta, definitivamente?

—Sí, don Ibrahím, muerta del todo. Está ahorcada con una toalla.

—¿Con una toalla?

—Sí, señor, con una toalla de felpa.

—¡Qué horror!

Don Ibrahím empezó a cursar órdenes, a dar vueltas de un lado para otro, y a recomendar calma.

—Genoveva, cuélgate del teléfono y llama a la policía.

—¿Qué número tiene?

—¡Yo qué sé, hija mía; míralo en la lista! Y Usted, amigo Maestre, póngase de guardia en la escalera, que nadie suba ni baje. En el perchero tiene usted un bastón. Yo voy a avisar al médico.

Don Ibrahím, cuando le abrieron la puerta de casa del médico, preguntó con un aire de gran serenidad:

—¿Está el doctor?

—Sí, señor; espere usted un momento.

Don Ibrahím ya sabía que el médico estaba en casa. Cuando salió a ver lo que quería, don Ibrahím, como no acertando por dónde empezar, le sonrió:

—¿Qué tal la nena, se le arregla ya su tripita?

Don Mario de la Vega, después de cenar, invitó a café a [40] Eloy Rubio Antofagasta, que era el bachiller del plan del 3. Se veía que quería abusar.

—¿Le apetece un purito?

—Sí, señor: muchas gracias.

—¡Caramba, amigo, no pasa usted a nada!

Eloy Rubio Antofagasta sonrió humildemente.

—No, señor.

Después añadió:

—Es que estoy muy contento de haber encontrado trabajo, ¿sabe usted?

—¿Y de haber cenado?

—Sí, señor; de haber cenado también.

[41]   El señor Suárez se estaba fumando un purito que le regaló Pepe, el Astilla.

—¡Ay, qué rico me sabe! Tiene tu aroma.

El señor Suárez miró a los ojos de su amigo.

—¿Vamos a tomarnos unos chatos? Yo no tengo ganas de cenar; estando contigo se me quita el apetito.

—Bueno, vámonos.

—¿Me dejas que te invite?

La Fotógrafa y el Astilla se fueron, muy cogiditos del brazo, por la calle del Prado arriba, por la acera de la izquierda, según se sube, donde hay unos billares. Algunas personas, al verlos, volvían un poco la cabeza.

—¿Nos metemos aquí un rato, a ver posturas?

—No, déjalo; el otro día por poco me meten un taco por la boca.

—¡Qué bestias! ¡Es que hay hombres sin cultura, hay que ver! ¡Qué barbaridad! Te habrás llevado un susto inmenso, ¿verdad, Astillita?

Pepe, el Astilla, se puso de mal humor.

—Oye, le vas a llamar Astillita a tu madre.

Al señor Suárez le dio la histeria.

—¡Ay, mi mamita! ¡Ay, qué le habrá pasado! ¡Ay, Dios mío!

—¿Te quieres callar?

—Perdóname, Pepe, ya no te hablaré más de mi mamá.

¡Ay, pobrecita! Oye, Pepe, ¿me compras una flor? Quiero que me compres una camelia roja; yendo contigo conviene llevar el cartelito de prohibido...

Pepe, el Astilla, sonrió, muy ufano, y le compró al señor Suárez una camelia roja.

—Póntela en la solapa.

—Donde tú quieras.

El doctor, después de comprobar que la señora estaba [42] muerta y bien muerta, atendió a don Leoncio Maestre, que el pobre estaba con un ataque de nervios, casi sin sentido y tirando patadas a todos lados.

—¡Ay, doctor! ¿Mire que si ahora se nos muere éste?

Doña Genoveva Cuadrado de Ostalaza estaba muy apurada.

—No se preocupe, señora, éste no tiene nada importante, un susto de órdago y nada más.

Don Leoncio, sentado en una butaca, tenía los ojos en blanco y echaba espuma por la boca. Don Ibrahím, mientras tanto, había organizado al vecindario.

—Calma, sobre todo una gran calma. Que cada cabeza de familia registre concienzudamente su domicilio. Sirvamos la causa de la justicia, prestándole el apoyo y la colaboración que esté a nuestros alcances.

—Sí, señor, muy bien hablado. En estos momentos, lo mejor es que uno mande y los demás obedezcamos.

Los vecinos de la casa del crimen, que eran todos españoles, pronunciaron, quien más, quien menos, su frase lapidaria.

—A éste, prepárenle una taza de tila.

—Sí, doctor.

[43]   Don Mario y el bachiller Eloy acordaron acostarse temprano.

—Bueno, amigo mío, mañana, ¡a chutar! ¿Eh?

—Sí, señor, ya verá usted como queda contento de mi
trabajo.

—Eso espero. Mañana a las nueve tendrá usted ocasión
de empezar a demostrármelo. ¿Hacia dónde va usted?

—Pues a casa, ¿adónde voy a ir? Iré a acostarme. ¿Usted también se acuesta temprano?

—Toda la vida. Yo soy un hombre de costumbres orde-
nadas.

Eloy Rubio Antofagasta se sintió cobista; el ser cobista
era, probablemente, su estado natural.

—Pues si usted no tiene inconveniente, señor Vega, yo
le acompaño primero.

—Como usted guste, amigo Eloy, y muy agradecido.
¡Cómo se ve que está usted seguro de que aún ha de caer
algún que otro pitillo!

—No es por eso, señor Vega, créame usted.

—¡Ande y no sea usted tonto, hombre de Dios, que todos hemos sido cocineros antes que frailes!

Don Mario y su nuevo corrector de pruebas, aunque la
noche estaba más bien fría, se fueron dando un paseíto,
con el cuello de los gabanes subido. A don Mario, cuando
le dejaban hablar de lo que le gustaba, no le hacían mella
ni el frío, ni el calor, ni el hambre.

Después de bastante andar, don Mario y Eloy Rubio
Antofagasta se encontraron con un grupo de gente esta-
cionada en una bocacalle, y con dos guardias que no dejaban pasar a nadie.

—¿Ha ocurrido algo?

Una mujer se volvió.

—No sé, dicen que han hecho un crimen, que han matado a puñaladas a dos señoras ya mayores.

—¡Caray!

Un hombre intervino en la conversación.

—No exagere usted, señora; no han sido dos señoras, ha sido una sola.

—¿Y le parece poco?

—No, señora; me parece demasiado. Pero más me parecería si hubieran sido dos.

Un muchacho joven se acercó al grupo.

—¿Qué pasa?

Otra mujer le sacó de dudas.

—Dicen que ha habido un crimen, que han ahogado a una chica con una toalla de felpa. Dicen que era una artista.

Los dos hermanos, Mauricio y Hermenegildo, acordaron echar una canita al aire [55]. [44]

—Mira, ¿sabes lo que te digo?, pues que hoy es una noche muy buena para irnos de bureo [56]. Si te dan eso, lo celebramos por anticipado, y si no, ¡pues mira!, nos vamos a consolar y de tal día en un año. Si no nos vamos por ahí, vas a andar toda la noche dándole vueltas a la cabeza. Tú ya has hecho todo lo que tenías que hacer; ahora ya sólo falta esperar a lo que hagan los demás.

Hermenegildo estaba preocupado.

—Sí, yo creo que tienes razón; así, todo el día pen-

---

[55]   *echar una cana al aire:* divertirse ocasionalmente quien no suele hacerlo.
[56]   *ir de bureo:* ir de juerga.

sando en lo mismo, no consigo más que ponerme nervioso. Vamos a donde tú quieras, tú conoces mejor Madrid.

—¿Te hace que nos vayamos a tomar unas copas?

—Bueno, vamos; pero, ¿así, a palo seco[57]?

—Ya encontraremos algo. A estas horas lo que sobran son chavalas.

Mauricio Segovia y su hermano Hermenegildo se fueron de copeo por los bares de la calle de Echegaray. Mauricio dirigía y Hermenegildo obedecía y pagaba.

—Vamos a pensar que lo que celebramos es que me dan eso; yo pago.

—Bueno; si no te queda para volver al pueblo, ya avisarás para que te eche una mano.

Hermenegildo, en una tasca de la calle de Fernández y González, le dio con el codo a Mauricio.

—Mira esos dos, qué verde se están dando[58].

Mauricio volvió la cabeza.

—Ya, ya. Y eso que Margarita Gautier[59] está mala la pobre, fíjate qué camelia roja lleva en la solapa. Bien mirado, hermano, aquí el que no corre, vuela.

Desde el otro extremo del local, rugió un vozarrón:

—¡No te propases, Fotógrafa, deja algo para luego!

Pepe, el Astilla, se levantó.

—¡A ver si aquí va a salir alguno a la calle!

---

[57] *a palo seco:* sin más, sin acompañamiento.

[58] *darse un verde:* hartarse, disfrutar de una cosa. Aquí se refiere al comportamiento amoroso.

[59] *Margarita Gautier* es la romántica protagonista de *La dama de las camelias*, obra de Alejandro Dumas. Siempre acudía a los espectáculos con un ramo de camelias. Aquí es nombrada para ridiculizar la condición homosexual del señor Suárez.

Don Ibrahím le decía el señor juez: [45]

—Mire usted, señor juez, nosotros nada hemos podido esclarecer. Cada vecino registró su propio domicilio y nada hemos encontrado que nos llamase la atención.

Un vecino del principal, don Fernando Cazuela, procurador de los tribunales, miró para el suelo; él sí había encontrado algo.

El juez interrogó a don Ibrahím.

—Vayamos por partes. ¿La finada tenía familia?

—Sí, señor juez, un hijo.

—¿Dónde está?

—¡Uf, cualquiera lo sabe, señor juez! Es un chico de malas costumbres.

—¿Mujeriego?

—Pues no, señor juez, mujeriego no.

—¿Quizás jugador?

—Pues no, que yo sepa, no.

El juez miró para don Ibrahím.

—¿Bebedor?

—No, no, tampoco bebedor.

El juez ensayó una sonrisita un poco molesta.

—Oiga usted, ¿a qué llama usted malas costumbres? ¿A coleccionar sellos?

Don Ibrahím se picó.

—No, señor, yo llamo malas costumbres a muchas cosas; por ejemplo, a ser marica.

—¡Ah, vamos! El hijo de la finada es marica.

—Sí, señor juez, un marica como una catedral.

—¡Ya! Bien, señores, muchas gracias a todos. Retírense a sus cuartos, por favor; si los necesito ya les requeriré.

Los vecinos, obedientes, se fueron volviendo a sus cuartos. Don Fernando Cazuela, al llegar al principal derecha, se encontró con que su mujer estaba hecha un mar de llanto.

—¡Ay, Fernando! ¡Mátame si quieres! Pero que nuestro hijito no se entere de nada.

—No, hija, ¡cómo te voy a matar con el juzgado en casa! Anda, vete a la cama. ¡Lo único que nos faltaba ahora es que tu querido resultase el asesino de doña Margot!

[46] Para distraer al grupo de la calle, que era ya de varios cientos de personas, un gitanito de unos seis años cantaba flamenco, acompañándose con sus propias palmas. Era un gitanito simpático, pero ya muy visto...

> *Estando un maestro sastre*
> *cortando unos pantalones*
> *pasó un chavea gitano*
> *que vendía camarones.*

Cuando sacaron a doña Margot, camino del depósito, el niño se calló, respetuoso.

CAPÍTULO TERCERO

Don Pablo, después de la comida, se va a un tranquilo [1] café de la calle de San Bernardo, a jugar una partida de ajedrez con don Francisco Robles y López-Patón, y a eso de las cinco o cinco y media sale en busca de doña Pura para dar una vuelta y recalar por el café de doña Rosa, a merendar su chocolatito, que siempre le parece que está un poco aguado.

En una mesa próxima, al lado de una ventana, cuatro hombres juegan al dominó: don Roque, don Emilio Rodríguez Ronda, don Tesifonte Ovejero y el señor Ramón.

Don Francisco Robles y López-Patón, médico de enfermedades secretas [1], tiene una chica, la Amparo, que está casada con don Emilio Rodríguez Ronda, médico también. Don Roque es marido de doña Visi, la hermana de doña Rosa; don Roque Moisés Vázquez, según su cuñada, es una de las peores personas del mundo. Don Tesifonte Ovejero y Solana, capitán veterinario, es un buen señorito del

---

[1] *enfermedades secretas:* se refiere a las enfermedades venéreas, que se producen por contagio sexual.

pueblo, un poco apocado, que lleva una sortija con una esmeralda. El señor Ramón, por último, es un panadero que tiene una tahona bastante importante cerca de por allí.

Estos seis amigos de todas las tardes son gente tranquila, formal, con algún devaneo[2] sin importancia, que se llevan bien, que no discuten, y que hablan de mesa a mesa, por encima de las conversaciones del juego, al que no siempre prestan gran interés.

Don Francisco acaba de perder un alfil.

—¡Mal se pone la cosa!

—¡Mal! Yo, en su lugar, abandonaba.

—Yo no.

Don Francisco mira para su yerno, que va de pareja con el veterinario.

—Oye, Emilio, ¿cómo está la niña?

La niña es la Amparo.

—Bien, ya está bien, mañana la levanto.

—¡Vaya, me alegro! Esta tarde va a ir la madre por vuestra casa.

—Muy bien. ¿Usted va a venir?

—No sé, ya veremos si puedo.

La suegra de don Emilio se llama doña Soledad, doña Soledad Castro de Robles.

El señor Ramón ha dado salida al cinco doble, que se le había atragantado. Don Tesifonte le gasta la broma de siempre:

—Afortunado en el juego...

—Y al revés, mi capitán, usted ya me entiende.

Don Tesifonte pone mala cara mientras los amigos se ríen. Don Tesifonte, ésa es la verdad, no es afortunado ni

---

2   *devaneo:* diversión, amorío pasajero.

con las mujeres ni con las fichas. Se pasa el día encerrado, no sale más que para jugar su partidita.

Don Pablo, que tiene la partida ganada, está distraído, no hace caso del ajedrez.

—Oye, Roque, ayer tu cuñada estaba de mala uva.

Don Roque hace un gesto de suficiencia, como de estar ya de vuelta de todo.

—Lo está siempre, yo creo que nació ya de mala uva[3]. ¡Mi cuñada es una bestia parda! ¡Si no fuera por las niñas, ya le había puesto yo las peras a cuarto[4] hace una temporada! Pero, en fin, ¡paciencia y barajar! Estas tías gordas y medio bebidas no suelen durar mucho.

Don Roque piensa que, sentándose y esperando, el café La Delicia, entre otro montón de cosas, será algún día de sus hijas. Bien mirado, a don Roque no le faltaba razón, y además la cosa merecía, sin duda alguna, la pena de aguantar, aunque fuesen cincuenta años. París bien vale una misa[5].

Doña Matilde y doña Asunción se reúnen todas las tardes, nada más comer, en una lechería de la calle de Fuencarral, donde son amigas de la dueña, doña Ramona Bragado, una vieja teñida pero muy chistosa, que había sido artista allá en los tiempos del general Prim[6]. Doña Ra- [2]

---

mona, que recibió, en medio de un escándalo mayúsculo, una manda[7] de diez mil duros del testamento del marqués de Casa Peña Zurana —el que fue senador y dos veces subsecretario de hacienda—, que había sido querido suyo lo menos veinte años, tuvo cierto sentido común y en vez de gastarse los cuartos, tomó el traspaso de la lechería, que marchaba bastante bien y que tenía una clientela muy segura. Además, doña Ramona, que no se perdía, se dedicaba a todo lo que apareciese y era capaz de sacar pesetas de debajo de los adoquines; uno de los comercios que mejor se le daba era el andar siempre de trapichera[8] y de correveidile[9], detrás del telón de la lechería, soplando dorados y bien adobados embustes en los oídos de alguna mocita que quería comprarse un bolso, y poniendo después la mano cerca del arca de algún señorito haragán[10], de esos que prefieren no molestarse y que se lo den todo hecho. Hay algunas personas que lo mismo sirven para un roto que para un descosido.

Aquella tarde estaba alegre la tertulia de la lechería.

—Traiga usted unos bollitos, doña Ramona, que yo pago.

—¡Pero, hija! ¿Le ha caído a usted la lotería?

—¡Hay muchas loterías, doña Ramona! He tenido carta de la Paquita, desde Bilbao. Mire usted lo que dice aquí.

—¿A ver? ¿A ver?

—Lea usted, yo cada vez tengo menos vista; lea usted aquí abajo.

---

[7]   *manda:* donación hecha a alguien en un testamento.
[8]   *trapichero:* el que hace *trapicheos,* es decir, cambalaches, tratos o negocios sucios.
[9]   *correveidile:* el que va y viene con recados y chismes.
[10]   *haragán:* que rehúye el trabajo, gandul.

Doña Ramona se caló los lentes y leyó:

—La esposa de mi novio ha fallecido de unas anemias perniciosas. ¡Caray, doña Asunción, así ya se puede!

—Siga, siga.

—Y mi novio dice que ya no usemos nada [11] y que si quedo en estado, pues él se casa. ¡Pero, hija, si es usted la mujer de la suerte!

—Sí, gracias a Dios, tengo bastante suerte con esta hija.

—¿Y el novio es el catedrático?

—Sí, don José María de Samas, catedrático de psicología, lógica y ética.

—¡Pues, hija, mi enhorabuena! ¡Bien la ha colocado!

—¡Sí, no va mal!

Doña Matilde también tenía su buena noticia que contar; no era una noticia definitiva, como podía serlo la de la Paquita, pero era, sin duda, una buena noticia. A su niño, el Florentino del Mare Nostrum, le había salido un contrato muy ventajoso para Barcelona, para trabajar en un salón del Paralelo [12], en un espectáculo de postín que se llamaba Melodías de la Raza y que, como tenía un fondo patriótico, esperaban que fuese patrocinado por las autoridades [13].

—A mí me da mucho sosiego que trabaje en una gran capital; en los pueblos hay mucha incultura y, a veces, a esta clase de artistas les tiran piedras. ¡Como si no fueran

---

[11]   Se refiere al empleo de algún método anticonceptivo.

[12]   Calle de Barcelona muy conocida por sus teatros y cabarés.

[13]   El patriótico título de tan postinero espectáculo es una burla del mito de la *raza,* exaltado por los vencedores de la guerra. En 1943 se estrenó una película de Sáinz de Heredia titulada así, *Raza,* cuyo guión había escrito el mismo general Franco.

como los demás! Una vez, en Jadraque, tuvo que intervenir hasta la guardia civil; si no llega a tiempo, al pobrecito
mío lo despellejan aquellos seres desalmados y sin cultura
que lo único que les gusta es la bronca y decir ordinarieces a las estrellas. ¡Angelito, qué susto más grande le hicieron pasar!

Doña Ramona asentía.

—Sí, sí, en una gran capital como Barcelona está mucho mejor; se aprecia más su arte, lo respetan más, ¡todo!

—¡Ay, sí! A mí, cuando me dice que se va de tournée[14]
por los pueblos, es que me da un vuelco el corazón. ¡Pobre Florentinín, con lo sensible que él es, teniendo que
trabajar para un público tan atrasado y, como él dice, lleno
de prejuicios! ¡Qué horror!

—Sí, verdaderamente. Pero, ¡en fin!, ahora va bien...

—Sí, ¡si le durase!

[3]   Laurita y Pablo suelen ir a tomar café a un bar de lujo,
donde uno que pase por la calle casi no se atreve ni a entrar, que hay detrás de la Gran Vía. Para llegar hasta las
mesas —media docenita, no más, todas con tapetillo y un
florero en el medio— hay que pasar por la barra, casi de-
sierta, con un par de señoritas soplando coñac y cuatro o
cinco pollitos tarambanas[15] jugándose los cuartos de casa
a los dados.

—Adiós, Pablo, ya no te hablas con nadie. Claro, desde
que estás enamorado...

—Adiós, Mari Tere. ¿Y Alfonso?

---

[14]   *tournée:* gira; es un galicismo.
[15]   *tarambana:* persona de poco juicio; *pollo tarambana:* señorito
juerguista.

—Con la familia, hijo; está muy regenerado esta temporada.

Laurita frunció el morro; cuando se sentaron en el sofá, no cogió las manos a Pablo, como de costumbre. Pablo, en el fondo, sintió cierta sensación de alivio.

—Oye, ¿quién es esa chica?

—Una amiga.

Laurita se puso triste y capciosa.

—¿Una amiga como soy yo ahora?

—No, hija.

—¡Como dices una amiga!

—Bueno, una conocida.

—Sí, una conocida... Oye, Pablo.

Laurita, de repente, apareció con los ojos llenos de lágrimas.

—Qué.

—Tengo un disgusto enorme.

—¿Por qué?

—Por esa mujer.

—¡Mira, niña, estáte callada y no marees!

Laurita suspiró.

—¡Claro! Y tú, encima me riñes.

—No, hija, ni encima ni debajo. No des la lata más de lo necesario.

—¿Lo ves?

—¿Veo, qué?

—¿Lo ves cómo me riñes?

Pablo cambió de táctica.

—No, nenita, no te estoy riñendo; es que me molestan estas escenitas de celos, ¡qué le vamos a hacer! Toda la vida me pasó lo mismo.

—¿Con todas tus novias igual?

—No, Laurita, con unas más y con otras menos...

—¿Y conmigo?

—Contigo mucho más que con nadie.

—¡Claro! ¡Porque no me quieres! Los celos no se tienen más que cuando se quiere mucho, muchísimo, como yo a ti.

Pablo miró para Laurita con el gesto con que se puede mirar a un bicho muy raro. Laurita se puso cariñosa.

—Óyeme, Pablito.

—No me llames Pablito. ¿Qué quieres?

—¡Ay, hijo, eres un cardo!

—Sí, pero no me lo repitas, varía un poco; es algo que me lo dijo ya demasiada gente.

Laurita sonrió.

—Pero a mí no me importa nada que seas un cardo. A mí me gustas así, como eres. ¡Pero tengo unos celos! Oye, Pablo, si algún día dejas de quererme, ¿me lo dirías?

—Sí.

—¡Cualquiera os puede creer! ¡Sois todos tan mentirosos!

Pablo Alonso, mientras se bebía el café, se empezó a dar cuenta de que se aburría al lado de Laurita. Muy mona, muy atractiva, muy cariñosa, incluso muy fiel, pero muy poco variada.

[4]   En el café de doña Rosa, como en todos, el público de la hora del café no es el mismo que el público de la hora de merendar. Todos son habituales, bien es cierto, todos se sientan en los mismos divanes, todos beben en los mismos vasos, toman el mismo bicarbonato, pagan en iguales pesetas, aguantan idénticas impertinencias a la dueña, pero, sin embargo, quizás alguien sepa por qué, la gente de las tres de la tarde no tiene nada que ver con la que

llega dadas ya las siete y media; es posible que lo único que pudiera unirlos fuese la idea, que todos guardan en el fondo de sus corazones, de que ellos son, realmente, la vieja guardia del café. Los otros, los de después de almorzar para los de la merienda y los de la merienda para los de después de almorzar, no son más que unos intrusos a los que se tolera, pero en los que ni se piensa. ¡Estaría bueno! Los dos grupos, individualmente o como organismo, son incompatibles, y si a uno de la hora del café se le ocurre esperar un poco y retrasar la marcha, los que van llegando, los de la merienda, lo miran con malos ojos, con tan malos ojos, ni más ni menos, como con los que miran los de la hora del café a los de la merienda que llegan antes de tiempo. En un café bien organizado, en un café que fuese algo así como la república de Platón [16], existiría sin duda una tregua de un cuarto de hora para que los que vienen y los que se van no se cruzasen ni en la puerta giratoria.

En el café de doña Rosa, después de almorzar, el único conocido que hay, aparte de la dueña y el servicio, es la señorita Elvira, que en realidad es ya casi como un mueble más.

—¿Qué tal, Elvirita? ¿Se ha descansado?

—Sí, doña Rosa, ¿y usted?

—Pues yo, regular, hija, nada más que regular. Yo me pasé la noche yendo y viniendo al water; se conoce que cené algo que me sentó mal y el vientre se me echó a perder.

—¡Vaya por Dios! ¿Y está usted mejor?

—Sí, parece que sí, pero me quedó muy mal cuerpo.

---

[16] En *La República,* el filósofo griego expone su visión de la ciudad ideal.

—No me extraña, la diarrea es algo que rinde.

—¡Y que lo diga! Yo ya lo tengo pensado, si de aquí a mañana no me pongo mejor, aviso que venga el médico. Así no puedo trabajar ni puedo hacer nada, y estas cosas, ya sabe usted, como una no esté encima...

—Claro.

Padilla, el cerillero, trata de convencer a un señor de que unos emboquillados que vende no son de colillas.

—Mire usted, el tabaco de colillas siempre se nota; por más que lo laven siempre le queda un gusto un poco raro. Además, el tabaco de colillas huele a vinagre a cien leguas y aquí ya puede usted meter la nariz, no notará nada raro. Yo no le voy a jurar que estos pitillos lleven tabaco de Gener, yo no quiero engañar a mis clientes; éstos llevan tabaco de cuarterón [17], pero bien cernido y sin palos. Y la manera de estar hechos, ya la ve usted; aquí no hay máquina, aquí está todo hecho a mano; pálpelos si quiere.

Alfonsito, el niño de los recados, está recibiendo instrucciones de un señor que dejó un automóvil a la puerta.

—A ver si lo entiendes bien, no vayamos a meter la pata entre todos. Tú subes al piso, tocas el timbre y esperas. Si te sale a abrir esta señorita, fíjate bien en la foto, que es alta y tiene el pelo rubio, tú le dices: Napoleón Bonaparte, apréndetelo bien, y si ella te contesta: sucumbió en Waterloo, tú vas y le das la carta. ¿Te enteras bien?

—Sí, señor.

—Bueno. Apunta eso de Napoleón y lo que te tiene que contestar y te lo vas aprendiendo por el camino. Ella en-

_____

[17] *Gener* era una marca de cigarros habanos. El *cuarterón* era un paquete de tabaco de picadura; se llamó así porque pesaba un cuarto de libra.

tonces, después de leer la carta, te dirá una hora, las siete, las seis, o la que sea, tú la recuerdas bien y vienes corriendo a decírmelo. ¿Entiendes?

—Sí, señor.

—Bueno, pues vete ya. Si haces bien el recado te doy un duro.

—Sí, señor. Oiga, ¿y si me sale a abrir la puerta alguien que no sea la señorita?

—¡Ah, es verdad! Si te sale a abrir otra persona, pues nada, dices que te has equivocado; le preguntas: ¿vive aquí el señor Pérez?, y como te dirán que no, te largas y en paz. ¿Está claro?

—Sí, señor.

A Consorcio López, el encargado, le llamó por teléfono [5] nada menos que Marujita Ranero, su antigua novia, la mamá de los dos gemelines.

—¿Pero qué haces tú en Madrid?

—Pues que se ha venido a operar mi marido.

López estaba un poco cortado; era hombre de recursos, pero aquella llamada, la verdad, le había cogido algo desprevenido.

—¿Y los nenes?

—Hechos unos hombrecetes. Este año van a hacer el ingreso [18].

—¡Cómo pasa el tiempo!

—Ya, ya.

Marujita tenía la voz casi temblorosa.

---

[18] Para ingresar en primer curso de Bachillerato se requería tener diez años y aprobar un examen.

—Oye.

—Qué.

—¿No quieres verme?

—Pero...

—¡Claro! Pensarás que estoy hecha una ruina.

—No, mujer, qué boba; es que ahora...

—No, ahora no; esta noche cuando salgas de ahí. Mi marido se queda en el sanatorio y yo estoy en una pensión.

—¿En cuál?

—En La Colladense, en la calle de la Magdalena.

A López, las sienes le sonaban como disparos.

—Oye, ¿y cómo entro?

—Pues por la puerta, ya te he tomado una habitación, la número 3.

—Oye, ¿y cómo te encuentro?

—¡Anda y no seas bobo! Ya te buscaré.

Cuando López colgó el teléfono y se dio la vuelta otra vez hacia el mostrador, tiró con el codo toda una estantería, la de los licores: cointreau, calisay, benedictine, curaçao, crema de café y pippermint. ¡La que se armó!

[6]   Petrita, la criada de Filo, se acercó al bar de Celestino Ortiz a buscar un sifón porque Javierín estaba con flato. Al pobre niño le da el flato algunas veces y no se le quita más que con sifón.

—Oye, Petrita, ¿sabes que el hermano de tu señorita se ha vuelto muy flamenco?

—Déjelo usted, señor Celestino, que el pobre lo que está es pasando las de Caín [19]. ¿Le dejó algo a deber?

---

[19]   *pasar las de Caín:* pasar apuros o calamidades.

—Pues sí, veintidós pesetas.

Petrita se acercó a la trastienda.

—Voy a coger un sifón, enciéndame la luz.

—Ya sabes dónde está.

—No, enciéndamela usted, a veces da calambre.

Cuando Celestino Ortiz se metió en la trastienda, a encender la luz, Petrita lo abordó:

—Oiga, ¿yo valgo veintidós pesetas?

Celestino Ortiz no entendió la pregunta.

—¿Eh?

—Que si yo valgo veintidós pesetas.

A Celestino Ortiz se le subió la sangre a la cabeza.

—¡Tú vales un imperio!

—¿Y veintidós pesetas?

Celestino Ortiz se abalanzó sobre la muchacha.

—Cóbrese usted los cafés del señorito Martín.

Por la trastienda del bar de Celestino Ortiz, pasó como un ángel que levantase un huracán con las alas.

—¿Y tú por qué haces esto por el señorito Martín?

—Pues porque me da la gana y porque lo quiero más que a nada en el mundo; a todo el que lo quiera saber se lo digo, a mi novio el primero.

Petrita con las mejillas arreboladas, el pecho palpitante, la voz ronca, el pelo en desorden y los ojos llenos de brillo, tenía una belleza extraña, como de leona recién casada.

—¿Y él te corresponde?

—No le dejo.

A las cinco, la tertulia del café de la calle de San Ber- [7] nardo se disuelve, y a eso de las cinco y media, o aún antes, ya está cada mochuelo en su olivo. Don Pablo y don Roque, cada uno en su casa; don Francisco y su yerno, en la consulta; don Tesifonte, estudiando, y el señor Ramón viendo cómo levantan los cierres de su panadería, su mina de oro.

En el café, en una mesa algo apartada, quedan dos hombres, fumando casi en silencio; uno se llama Ventura Aguado y es estudiante de notarías.

—Dame un pitillo.

—Cógelo.

Martín Marco enciende el pitillo.

—Se llama Purita y es un encanto de mujer, es suave como una niña, delicada como una princesa. ¡Qué vida asquerosa!

Pura Bartolomé, a aquellas horas, está merendando con un chamarilero [20] rico, en un figón [21] de Cuchilleros. Martín se acuerda de sus últimas palabras:

—Adiós, Martín; ya sabes, yo suelo estar en la pensión todas las tardes, no tienes más que llamarme por teléfono. Esta tarde no me llames; estoy ya comprometida con un amigo.

—Bueno.

—Adiós, dame un beso.

—Pero, ¿aquí?

—Sí, bobo; la gente se creerá que somos marido y mujer.

Martín Marco chupó del pitillo casi con majestad. Después respiró fuerte.

—En fin... Oye, Ventura, déjame dos duros, hoy no he comido.

---

[20]   *chamarilero*: el que compra y vende trastos y cosas usadas.

[21]   *figón:* establecimiento de poca categoría donde se sirven comidas.

—¡Pero, hombre, así no se puede vivir!

—¡Bien lo sé yo!

—¿Y no encuentras nada por ahí?

—Nada, los dos artículos de colaboración, doscientas pesetas con el nueve por ciento de descuento.

—¡Pues estás listo! Bueno, toma, ¡mientras yo tenga! Ahora mi padre ha tirado de la cuerda [22]. Toma cinco, ¿qué vas a hacer con dos?

—Muchas gracias; déjame que te invite con tu dinero.

Martín Marco llamó al mozo.

—¿Dos cafés corrientes?

—Tres pesetas.

—Cóbrese, por favor.

El camarero se echó mano al bolsillo y le dio las vueltas: veintidós pesetas.

Martín Marco y Ventura Aguado son amigos desde hace tiempo, buenos amigos; fueron compañeros de carrera, en la facultad de derecho, antes de la guerra.

—¿Nos vamos?

—Bueno, como quieras. Aquí ya no tenemos nada que hacer.

—Hombre, la verdad es que yo tampoco tengo nada que hacer en ningún otro lado. ¿Tú adónde vas?

—Pues no sé, me iré a dar una vuelta por ahí para hacer tiempo.

Martín Marco sonrió.

—Espera que me tome un poco de bicarbonato. Contra las digestiones difíciles no hay nada mejor que el bicarbonato.

---

[22] *tirar de la cuerda:* frenar; aquí quiere decir que ha restringido el dinero que enviaba.

[8]   Julián Suárez Sobrón, alias la Fotógrafa, de cincuenta y tres años de edad, natural de Vegadeo, provincia de Oviedo, y José Giménez Figueras, alias el Astilla, de cuarenta y seis años de edad, y natural del Puerto de Santa María, provincia de Cádiz, están mano sobre mano, en los sótanos de la dirección general de seguridad, esperando a que los lleven a la cárcel.

—¡Ay, Pepe, qué bien vendría a estas horas un cafetito!

—Sí, y una copita de triple [23]; pídelo a ver si te lo dan.

El señor Suárez está más preocupado que Pepe, el Astilla; el Giménez Figueras se ve que está más habituado a estos lances.

—Oye, ¿por qué nos tendrán aquí?

—Pues no sé. ¿Tú no habrás abandonado a alguna virtuosa señorita después de hacerla un hijo?

—¡Ay, Pepe, qué presencia de ánimo tienes!

—Es que, chico, lo mismo nos va a dar.

—Sí, eso es verdad también. A mí lo que más me duele es no haber podido avisar a mi mamita.

—¿Ya vuelves?

—No, no.

A los dos amigos los detuvieron la noche anterior, en un bar de la calle de Ventura de la Vega. Los policías que fueron por ellos, entraron en el bar, miraron un poquito alrededor y, ¡zas!, se fueron derechos como una bala. ¡Qué tíos, qué acostumbrados debían estar!

—Acompáñennos.

—¡Ay! ¿A mí por qué se me detiene? Yo soy un ciudadano honrado que no se mete con nadie, yo tengo la documentación en regla.

---

[23]   *triple:* un anís muy fuerte.

—Muy bien. Todo eso lo explica usted cuando se lo pregunten. Quítese esa flor.

—¡Ay! ¿Por qué? Yo no tengo por qué acompañarles, yo no estoy haciendo nada malo.

—No escandalice, por favor. Mire usted para aquí.

El señor Suárez miró. Del bolsillo del policía asomaban los plateados flejes [24] de las esposas.

Pepe, el Astilla, ya se había levantado.

—Vamos con estos señores, Julián; ya se pondrá todo en claro.

—Vamos, vamos. ¡Caray, qué modales!

En la dirección de seguridad no fue preciso ficharlos, ya lo estaban; bastó con añadir una fecha y tres o cuatro palabritas que no pudieron leer...

—¿Por qué se nos detiene [25]?

—¿No lo sabe?

—No, yo no sé nada, ¿qué voy a saber?

—Ya se lo dirán a usted.

—Oiga, ¿y no puedo avisar que estoy detenido?

—Mañana, mañana.

—Es que mi mamá es muy viejecita; la pobre va a estar muy intranquila.

—¿Su madre?

—Sí, tiene ya setenta y seis años.

—Bueno, yo no puedo hacer nada. Ni decir nada, tampoco. Ya mañana se aclararán las cosas.

En la celda donde los encerraron, una habitación inmensa, cuadrada, de techo bajo, mal alumbrada por una

---

[24]   *fleje*: el arco de las esposas.
[25]   En estos años había pocas garantías jurídicas para librarse de las detenciones arbitrarias. La ley de vagos y maleantes perseguía las conductas tenidas por inmorales, como la homosexualidad.

bombilla de quince bujías metida en una jaula de alambre, al principio no se veía nada. Después, al cabo de un rato, cuando ya la vista empezó a acostumbrarse, el señor Suárez y Pepe, el Astilla, fueron viendo algunas caras conocidas, maricas pobres, descuideros, tomadores del dos [26], sablistas de oficio, gente que siempre andaba dando tumbos como una peonza, sin levantar jamás cabeza.

—¡Ay, Pepe, qué bien vendría a estas horas un cafetito!

Olía muy mal allí dentro, a un olorcillo rancio, penetrante, que hacía cosquillas en la nariz.

[9]   —Hola, qué temprano vienes hoy. ¿Dónde has estado?

—Donde siempre, tomando café con los amigos.

Doña Visi besa en la calva a su marido.

—¡Si vieses qué contenta me pongo cuando vienes tan pronto!

—¡Vaya! A la vejez, viruelas [27].

Doña Visi sonríe; doña Visi, la pobre, sonríe siempre.

—¿Sabes quién va a venir esta tarde?

—Algún loro, como si lo viera.

Doña Visi no se incomoda jamás.

—No, mi amiga Montserrat.

—¡Buen elemento!

—¡Bien buena es!

—¿No te ha contado ningún milagro más de ese cura de Bilbao?

—¡Cállate, no seas hereje! ¿Por qué te empeñas en decir siempre esas cosas, si no las sientes?

------

[26] *descuideros:* carteristas. *Tomadores del dos:* rateros que «toman» con *dos* dedos. Son palabras argóticas.

[27] Se dice cuando alguien hace (o le pasa) algo impropio de su edad.

—Ya ves.

Don Roque está cada día que pasa más convencido de que su mujer es tonta.

—¿Estarás con nosotras?

—No.

—¡Ay, hijo!

Suena el timbre de la calle y la amiga de doña Visi entró en la casa al tiempo que el loro del segundo decía pecados.

—Mira, Roque, esto ya no se puede aguantar. Si ese loro no se corrige, yo lo denuncio.

—Pero, hija, ¿tú te das cuenta del choteo que se iba a organizar en la comisaría cuando te viesen llegar para denunciar a un loro?

La criada pasa a doña Montserrat a la sala.

—Voy a avisar a la señorita, siéntese usted.

Doña Visi voló a saludar a su amiga, y don Roque, después de mirar un poco por detrás de los visillos, se sentó al brasero y sacó la baraja.

Si sale la sota de bastos antes de cinco, buena señal. Si sale el as, es demasiado; yo ya no soy ningún mozo.

Don Roque tiene sus reglas particulares de cartomancia.

La sota de bastos salió en tercer lugar.

—¡Pobre Lola, la que te espera! ¡Te compadezco, chica! En fin...

Lola es hermana de Josefa López, una antigua criada de los señores de Robles con quien don Roque tuvo algo que ver, y que ahora, ya metida en carnes y en inviernos, ha sido desbancada por su hermana menor. Lola está para todo en casa de doña Matilde, la pensionista del niño imitador de estrellas.

Doña Visi y doña Montserrat charlan por los codos. Doña Visi está encantada; en la última página de El querubín misionero, revista quincenal, aparece su nombre y el de sus tres hijas.

—Lo va usted a ver por sus propios ojos cómo no son cosas mías, cómo es una gran verdad. ¡Roque! ¡Roque!

Desde el otro extremo de la casa, don Roque grita:

—¿Qué quieres?

—¡Dale a la chica el papel donde viene lo de los chinos!

—¿Eh?

Doña Visi comenta con su amiga:

—¡Ay, santo Dios! Estos hombres nunca oyen nada.

Levantando la voz volvió a dirigirse a su marido.

—¡Que le des a la chica...! ¿Me entiendes?

—¡Sí!

—¡Pues que le des a la chica el papel donde viene lo de los chinos!

—¿Qué papel?

—¡El de los chinos, hombre, el de los chinitos de las misiones [28]!

—¿Eh? No te entiendo. ¿Qué dices de chinos?

Doña Visi sonríe a doña Montserrat.

—Este marido mío es muy bueno, pero nunca se entera de nada. Voy yo a buscar el papel, no tardo ni medio minuto. Usted me perdonará un instante.

Doña Visi, al llegar al cuarto donde don Roque, sentado a la mesa de camilla, hacía solitarios, le preguntó:

—Pero, hombre, ¿no me habías oído?

Don Roque no levantó la vista de la baraja.

---

[28] El afán misionero estaba muy presente en la enseñanza religiosa, en revistas de Órdenes religiosas y en la colecta anual del DOMUND, cuando se pedía la voluntad «para los chinitos». El título de la revista citada es burlesco y ficticio.

—¡Estás tú fresca si piensas que me iba a levantar por los chinos!

Doña Visi revolvió en la cesta de la costura, encontró el número de El querubín misionero que buscaba y, rezongando en voz baja, se volvió a la fría sala de las visitas, donde casi no se podía estar.

El costurero, después del trajín de doña Visi, quedó abierto y, entre el algodón de zurcir y la caja de los botones —una caja de pastillas de la tos del año de la polca— asomaba tímidamente otra de las revistas de doña Visi.

Don Roque se echó atrás en la silla y la cogió.

—Ya está aquí éste.

Éste era el cura bilbaíno de los milagros.

Don Roque se puso a leer la revista:

Rosario Quesada (Jaén), la curación de una hermana suya de una fuerte colitis, 5 pesetas.

Ramón Hermida (Lugo), por varios favores obtenidos en sus actividades comerciales, 10 pesetas.

María Luisa del Valle (Madrid), la desaparición de un bultito que tenía en un ojo sin necesidad de acudir al oculista, 5 pesetas.

Guadalupe Gutiérrez (Ciudad Real), la curación de un niño de diecinueve meses de una herida producida al caerse del balcón de un entresuelo, 25 pesetas.

Marina López Ortega (Madrid), el que se amansase un animal doméstico, 5 pesetas.

Una viuda gran devota (Bilbao), el haber hallado un pliego de valores que había perdido un empleado de casa, 25 pesetas.

Don Roque se queda preocupado.

—A mí que no me digan; esto no es serio.

Doña Visi se siente un poco en la obligación de disculparse ante su amiga.

—¿No tiene usted frío, Montserrat? ¡Esta casa está algunos días heladora!

—No, por Dios, Visitación; aquí se está muy bien. Tienen ustedes una casa muy grata, con mucho confort, como dicen los ingleses.

—Gracias, Montserrat. Usted siempre tan amable.

Doña Visi sonrió y empezó a buscar su nombre en la lista. Doña Montserrat, alta, hombruna, huesuda, desgarbada, bigotuda, algo premiosa en el hablar y miope, se caló los impertinentes [29].

Efectivamente, como aseguraba doña Visi, en la última página de El querubín misionero, aparecía su nombre y el de sus tres hijas.

Doña Visitación Leclerc de Moisés, por bautizar dos chinitos con los nombres de Ignacio y Francisco Javier, 10 pesetas. La señorita Julia Moisés Leclerc, por bautizar un chinito con el nombre de Ventura, 5 pesetas. La señorita Visitación Moisés Leclerc, por bautizar un chinito con el nombre de Manuel, 5 pesetas. La señorita Esperanza Moisés Leclerc, por bautizar un chinito con el nombre de Agustín, 5 pesetas.

—¿Eh? ¿Qué le parece?

Doña Montserrat asiente, obsequiosa.

—Pues que muy bien me parece a mí todo esto, pero que muy bien. ¡Hay que hacer tanta labor! Asusta pensar los millones de infieles que hay todavía que convertir. Los países de los infieles, deben estar llenos como hormigueros.

—¡Ya lo creo! ¡Con lo monos que son los chinitos chiquitines! Si nosotras no nos privásemos de alguna cosilla,

_____

[29] *impertinentes:* lentes con una manija que se usan sosteniéndolos con una mano delante de los ojos.

se iban todos al limbo de cabeza. A pesar de nuestros pobres esfuerzos, el limbo tiene que estar abarrotado de chinos, ¿no cree usted?

—¡Ya, ya!

—Da grima sólo pensarlo. ¡Mire usted que es maldi-
ción la que pesa sobre los chinos! Todos paseando por
allí, encerrados sin saber qué hacer...

—¡Es espantoso!

—¿Y los pequeñitos, mujer, los que no saben andar,
que estarán siempre parados como gusanines en el mismo
sitio?

—Verdaderamente.

—Muchas gracias tenemos que dar a Dios por haber
nacido españolas. Si hubiéramos nacido en China, a lo
mejor nuestros hijos se iban al limbo sin remisión. ¡Tener
hijos para eso! ¡Con lo que una sufre para tenerlos y con
la guerra que dan de chicos!

Doña Visi suspira con ternura.

—¡Pobres hijas, qué ajenas están al peligro que corrie-
ron! Menos mal que nacieron en España, ¡pero mire usted
que si llegan a nacer en China! Igual les pudo pasar, ¿verdad, usted?

Los vecinos de la difunta doña Margot están reunidos [10]
en casa de don Ibrahím. Sólo faltan don Leoncio Maestre,
que está preso por orden del juez; el vecino del entresuelo D, don Antonio Jareño, empleado de wagons-lits [30], que
está de viaje; el del 2.º B, don Ignacio Galdácano, que el
pobre está loco, y el hijo de la finada, don Julián Suárez,

---

[30] Wagons-lits: empresa de coches cama de ferrocarril.

que nadie sabe dónde pueda estar. En el principal A hay una academia donde no vive nadie. De los demás no falta ni uno solo; están todos muy impresionados con lo ocurrido, y atendieron en el acto el requerimiento de don Ibrahím para tener un cambio de impresiones.

En la casa de don Ibrahím, que no era grande, casi no cabían los convocados, y la mayor parte se tuvo que quedar de pie, apoyados en la pared y en los muebles, como en los velatorios.

—Señores —empezó don Ibrahím—, me he permitido rogarles su asistencia a esta reunión, porque en la casa en que habitamos ha sucedido algo que se sale de los límites de lo normal.

—Gracias a Dios —interrumpió doña Teresa Corrales, la pensionista del 4.º B.

—A él sean dadas —replicó don Ibrahím con solemnidad.

—Amén —añadieron algunos en voz baja.

—Cuando anoche —siguió don Ibrahím de Ostolaza— nuestro convecino don Leoncio Maestre, cuya inocencia todos deseamos que pronto brille intensa y cegadora como la luz solar...

—¡No debemos entorpecer la acción de la justicia! —clamó don Antonio Pérez Palenzuela, un señor que estaba empleado en sindicatos y que vivía en el 1.º C—. ¡Debemos abstenernos de opinar antes de tiempo! ¡Soy el jefe de casa[31] y tengo el deber de evitar toda posible coacción al poder judicial!

---

[31]   El control policial era tan omnipresente que en cada comunidad de vecinos había un representante del poder o «jefe de casa»; su firma era imprescindible en ciertos documentos.

—Cállese usted, hombre —le dijo don Camilo Pérez, callista, vecino del principal D—, deje usted seguir a don Ibrahím.

—Bien, don Ibrahím, continúe usted, no quiero interrumpir la reunión, tan sólo quiero respeto para las dignas autoridades judiciales y consideración a su labor en pro de un orden...

—¡Chist...! ¡Chist...! ¡Deje seguir!

Don Antonio Pérez Palenzuela se calló.

—Como decía, cuando anoche don Leoncio Maestre me comunicó la mala nueva del accidente acaecido en la persona de doña Margot Sobrón de Suárez, que en gloria esté, me faltó tiempo para solicitar de nuestro buen y particular amigo el doctor don Manuel Jorquera, aquí presente, que diese un exacto y preciso diagnóstico del estado de nuestra convecina. El doctor Jorquera, con una presteza que dice mucho y muy alto de su pundonor profesional, se puso a mi disposición y juntos entramos en el domicilio de la víctima.

Don Ibrahím quintaesenció [32] su actitud tribunicia.

—Me tomo la libertad de solicitar de ustedes un voto de gracias para el ilustre doctor Jorquera, quien, en unión del también ilustre doctor don Rafael Masasana, cuya modestia, en estos momentos, le hace semiesconderse tras la cortina, a todos nos honran con su vecindad.

—Muy bien —dijeron al tiempo don Exuperio Estremera, el sacerdote del 4.º C, y el propietario, don Lorenzo Sogueiro, del bar El Fonsagradino, que estaba en uno de los bajos.

---

[32] *quintaesencia:* lo más puro de una cosa. Don Ibrahím apura o sintetiza su elocuente actitud.

Las miradas de aplauso de todos los reunidos iban de un médico al otro; aquello se parecía bastante a una corrida de toros, cuando el matador que quedó bien y es llamado a los medios, se lleva consigo al compañero que tuvo menos suerte con el ganado y no quedó tan bien.

—Pues bien, señores —exclamó don Ibrahím—; cuando pude ver que los auxilios de la ciencia eran ineficaces ya ante el monstruoso crimen perpetrado, tan sólo tuve dos preocupaciones que, como buen creyente, a Dios encomendé: que ninguno de nosotros (y ruego a mi querido señor Pérez Palenzuela que no vea en mis palabras la más ligera sombra de conato de coacción sobre nadie), que ninguno de nosotros, decía, se viese encartado en este feo y deshonroso asunto, y que a doña Margot no le faltasen las honras fúnebres que todos, llegado el momento, quisiéramos para nosotros y para nuestros deudos y allegados.

Don Fidel Utrera, el practicante del entresuelo A, que era muy flamenco, por poco dice ¡bravo!; ya lo tenía en la punta de la lengua, pero, por fortuna, pudo dar marcha atrás.

—Propongo, por tanto, amables convecinos, que con vuestra presencia dais lustre y prestancia a mis humildes muros...

Doña Juana Entrena, viuda de Sisemón, la pensionista del 1.º B, miró para don Ibrahím. ¡Qué manera de expresarse! ¡Qué belleza! ¡Qué precisión! ¡Parece un libro abierto! Doña Juana, al tropezar con la mirada del señor Ostolaza, volvió la vista hacia Francisco López, el dueño de la peluquería de señoras Cristi and Quico, instalada en el entresuelo C, que tantas veces había sido su confidente y su paño de lágrimas.

Las dos miradas, al cruzarse, tuvieron un breve, un instantáneo diálogo.

—¿Eh? ¿Qué tal?

—¡Sublime, señora!

Don Ibrahím continuaba impasible.

—... que nos encarguemos, individualmente, de encomendar a doña Margot en nuestras oraciones, y colectivamente, de costear los funerales por su alma.

—Estoy de acuerdo —dijo don José Leciñena, el propietario del 2.º D.

—Completamente de acuerdo —corroboró don José María Olvera, un capitán de intendencia que vivía en el 1.º A.

—¿Piensan todos ustedes igual?

Don Arturo Ricote, empleado del banco Hispano Americano y vecino del 4.º D, dijo con su vocecilla cascada:

—Sí, señor.

—Sí, sí —votaron don Julio Maluenda, el marino mercante retirado del 2.º C, que tenía la casa que parecía una chamarilería, llena de mapas y de grabados y de maquetas de barcos, y don Rafael Sáez, el joven aparejador del 3.º D.

—Sin duda alguna tiene razón el señor Ostolaza; debemos atender los sufragios de nuestra desaparecida convecina —opinó don Carlos Luque, del comercio, inquilino del 1.º D.

—Yo, lo que digan todos, a mí todo me parece bien.

Don Pedro Pablo Tauste, el dueño del taller de reparación de calzado La clínica del chapín, no quería marchar contra la corriente.

—Es una idea oportuna y plausible. Secundémosla —habló don Fernando Cazuela, el procurador de los tribunales del principal B, que la noche anterior, cuando todos los vecinos buscaban al criminal por orden de don Ibrahím se encontró con el amigo de su mujer, que estaba escondido, muy acurrucado, en la cesta de la ropa sucia.

—Igual digo —cerró don Luis Noalejo, representante en Madrid de las Hilaturas viuda e hijos de Casimiro Pons, y habitante del principal C.

—Muchas gracias, señores, ya veo que todos estamos de acuerdo; todos nosotros hemos hablado y expresado nuestros coincidentes puntos de vista. Recojo vuestra amable adhesión y la pongo en manos del pío presbítero don Exuperio Estremera, nuestro vecino, para que él organice todos los actos con arreglo a sus sólidos conocimientos de canonista [33].

Don Exuperio puso un gesto mirífico [34].

—Acepto vuestro mandato.

La cosa había llegado a su fin y la reunión comenzó a disolverse poco a poco. Algunos vecinos tenían cosas que hacer; otros, los menos, pensaban que quien tendría cosas que hacer era, probablemente, don Ibrahím, y otros, que de todo hay siempre, se marcharon porque ya estaban cansados de llevar una hora larga de pie. Don Gumersindo López, empleado de la Campsa y vecino del entresuelo C, que era el único asistente que no había hablado, se iba preguntando, a medida que bajaba, pensativamente, las escaleras:

—¿Y para eso pedí yo permiso en la oficina?

[11]   Doña Matilde, de vuelta de la lechería de doña Ramona, habla con la criada.

—Mañana traiga usted hígado para el mediodía, Lola. Don Tesifonte dice que es muy saludable.

Don Tesifonte es el oráculo de doña Matilde. Es también su huésped.

---

[33]   *canonista:* especialista en cánones y normas eclesiásticas.
[34]   *mirífico:* admirable.

—Un hígado que esté tiernecito para poder hacerlo con el guiso de los riñones, con un poco de vino y cebollita picada.

Lola dice a todo que sí; después, del mercado, trae lo primero que encuentra o lo que le da la gana.

Seoane sale de su casa. Todas las tardes, a las seis y [12] media, empieza a tocar el violín en el café de doña Rosa. Su mujer se queda zurciendo calcetines y camisetas en la cocina. El matrimonio vive en un sótano de la calle de Ruiz, húmedo y malsano, por el que pagan quince duros; menos mal que está a un paso del café y Seoane no tiene que gastarse jamás ni un real en tranvías.

—Adiós, Sonsoles, hasta luego.

La mujer ni levanta la vista de la costura.

—Adiós, Alfonso, dame un beso.

Sonsoles tiene debilidad en la vista, tiene los párpados rojos; parece siempre que acaba de estar llorando. A la pobre, Madrid no le prueba. De recién casada estaba hermosa, gorda, reluciente, daba gusto verla, pero ahora, a pesar de no ser vieja aún, está ya hecha una ruina. A la mujer le salieron mal sus cálculos, creyó que en Madrid se ataban los perros con longanizas, se casó con un madrileño, y ahora que ya las cosas no tenían arreglo, se dio cuenta de que se había equivocado. En su pueblo, en Navarredondilla, provincia de Ávila, era una señorita y comía hasta hartarse; en Madrid era una desdichada que se iba a la cama sin cenar la mayor parte de los días.

Macario y su novia, muy cogiditos de la mano, están [13] sentados en un banco, en el cuchitril de la señora Fructuosa, tía de Matildita y portera en la calle de Fernando VI.

—Hasta siempre...

Matildita y Macario hablan en un susurro.

—Adiós, pajarito mío, me voy a trabajar.

—Adiós, amor, hasta mañana. Yo estaré todo el tiempo pensando en ti.

Macario aprieta largamente la mano de la novia y se levanta; por el espinazo le corre un temblor.

—Adiós, señora Fructuosa, muchas gracias.

—Adiós, hijo, de nada.

Macario es un chico muy fino que todos los días da las gracias a la señora Fructuosa. Matildita tiene el pelo como la panocha y es algo corta de vista. Es pequeñita y graciosa, aunque feuchita, y da, cuando puede, alguna clase de piano. A las niñas les enseña tangos de memoria, que es de mucho efecto.

En su casa siempre echa una mano a su madre y a su hermana Juanita, que bordan para fuera.

Matildita tiene treinta y nueve años.

[14]   Las hijas de doña Visi y de don Roque, como ya saben los lectores de El querubín misionero, son tres: las tres jóvenes, las tres bien parecidas, las tres un poco frescas, un poco ligeras de cascos.

La mayor se llama Julita, tiene veintidós años y lleva el pelo pintado de rubio. Con la melena suelta y ondulada, parece Jean Harlow [35].

_____

[35]   Artista de cine, llamada «la rubia platino», símbolo erótico de los años treinta. «Con relación al pelo, primer reclamo erótico y tentación de caricia, las normas aconsejaban recogerlo... Se veía muy mal "soltarse el pelo", expresión que metafóricamente se empleaba también para aludir a cualquier actitud de desmesura, de romper diques. En la cabeza de una chica honesta, cuantas más horquillas mejor» (C. Martín Gaite, cit. pág. 133).

La del medio se llama Visitación, como la madre, tiene veinte años y es castaña, con los ojos profundos y soñadores.

La pequeña se llama Esperanza. Tiene novio formal, que entra en casa [36] y habla de política con el padre. Esperanza está ya preparando su equipo y acaba de cumplir los diecinueve años.

Julita, la mayor, anda por aquellas fechas muy enamoriscada de un opositor a notarías que le tiene sorbida la sesera. El novio se llama Ventura Aguado Sans, y lleva ya siete años, sin contar los de la guerra, presentándose a notarías sin éxito alguno.

—Pero, hombre, preséntate de paso a registros [37] —le suele decir su padre, un cosechero de almendra de Riudecols, en el campo de Tarragona.

—No, papá, no hay color.

—Pero, hijo, en notarías, ya lo ves, no sacas plaza ni de milagro.

—¿Que no saco plaza? ¡El día que quiera! Lo que pasa es que para no sacar Madrid o Barcelona, no merece la pena. Prefiero retirarme, siempre se queda mejor. En notarías, el prestigio es una cosa muy importante, papá.

—Sí, pero, vamos... ¿Y Valencia? ¿Y Sevilla? ¿Y Zaragoza? También deben estar bastante bien, creo yo.

—No, papá, sufres un error de enfoque. Yo tengo hecha mi composición de lugar. Si quieres, lo dejo...

---

[36] El novio que «entraba en casa» formalizaba oficialmente sus relaciones. «El novio que sube al piso, merienda, juega las partidas de cartas,... ese novio, hija mía, es más difícil que huya..., ése ¡no se escapa!» (J. V. Puente: *Una chica topolino*, 1945. cit. por C. Martín Gaite, pág, 207).

[37] Se entiende: a oposiciones para Registrador de la Propiedad.

—No, hombre, no, no saques las cosas de quicio. Si-gue. En fin, ¡ya que has empezado! Tú de eso sabes más que yo.

—Gracias, papá, eres un hombre inteligente. Ha sido una gran suerte para mí ser hijo tuyo.

—Es posible. Otro padre cualquiera te hubiera man-dado al cuerno hace ya una temporada. Pero bueno, lo que yo me digo, ¡si algún día llegas a notario!

—No se tomó Zamora en una hora, papá.

—No, hijo, pero mira, en siete años y pico ya hubo tiempo de levantar otra Zamora al lado, ¿eh?

Ventura sonríe.

—Llegaré a notario de Madrid, papá, no lo dudes. ¿Un lucky?

—¿Eh?

—¿Un pitillo rubio?

—¡Huy, huy! No, deja, prefiero del mío.

Don Ventura Aguado Despujols piensa que su hijo, fu-mando pitillos rubios como una señorita, no llegará nunca a notario. Todos los notarios que él conoce, gente seria, grave, circunspecta y de fundamento, fuman tabaco de cuarterón.

—¿Te sabes ya el castán [38] de memoria?

—No, de memoria, no; es de mal efecto.

—¿Y el código?

—Sí, pregúntame lo que quieras y por donde quieras.

—No, era sólo por curiosidad.

Ventura Aguado Sans hace lo que quiere de su padre, lo

---

[38] «El castán» fue, durante décadas, el manual de Derecho civil más consultado por universitarios y opositores, obra del catedrático José Castán Tobeñas (1889-1969).

abruma con eso de la composición de lugar y del error de enfoque.

La segunda de las hijas de doña Visi, Visitación, acaba de reñir con su novio, llevaban ya un año de relaciones. Su antiguo novio se llama Manuel Cordel Esteban y es estudiante de medicina. Ahora, desde hace una semana, la chica sale con otro muchacho, también estudiante de medicina. A rey muerto, rey puesto.

Visi tiene una intuición profunda para el amor. El primer día permitió que su nuevo acompañante le estrechase la mano, con cierta calma, ya durante la despedida, a la puerta de su casa; habían estado merendando té con pastas en Garibay. El segundo, se dejó coger del brazo para cruzar las calles; estuvieron bailando y tomándose una media combinación en Casablanca [39]. El tercero, abandonó la mano, que él llevó cogida toda la tarde; fueron a oír música y a mirarse, silenciosos, al café María Cristina.

—Lo clásico, cuando un hombre y una mujer empiezan a amarse —se atrevió a decir él, después de mucho pensarlo.

El cuarto, la chica no opuso resistencia a dejarse coger del brazo, hacía como que no se daba cuenta.

—No, al cine, no. Mañana.

El quinto, en el cine, él la besó furtivamente, en una mano. El sexto, en el Retiro, con un frío espantoso, ella dio la disculpa que no lo es, la disculpa de la mujer que tiende su puente levadizo.

—No, no, por favor, déjame, te lo suplico, no he traído la barra de los labios, nos pueden ver...

---

[39]   *combinación:* cóctel de vermú, ginebra y otros licores. Casablanca era un cabaré y sala de espectáculos que había en la plaza del Rey.

Estaba sofocada y las aletas de la nariz le temblaban al respirar. Le costó un trabajo inmenso negarse, pero pensó que la cosa quedaba mejor así, más elegante.

El séptimo, en un palco del cine Bilbao, él, cogiéndola de la cintura, le suspiró al oído:

—Estamos solos, Visi..., querida Visi..., vida mía.

Ella, dejando caer la cabeza sobre su hombro, habló con un hilo de voz, con un hilito de voz delgado, quebrado, lleno de emoción.

—Sí, Alfredo, ¡qué feliz soy!

A Alfredo Angulo Echevarría le temblaron las sienes vertiginosamente, como si tuviese calentura, y el corazón le empezó a latir a una velocidad desusada.

—Las suprarrenales [40]. Ya están ahí las suprarrenales soltando su descarga de adrenalina.

La tercera de las niñas, Esperanza, es ligera como una golondrina, tímida como una paloma. Tiene sus conchas, como cada quisque, pero sabe que le va bien su papel de futura esposa, y habla poco y con voz suave y dice a todo el mundo:

—Lo que tú quieras, yo hago lo que tú quieras.

Su novio, Agustín Rodríguez Silva, le lleva quince años y es dueño de una droguería de la calle Mayor.

El padre de la chica está encantado, su futuro yerno le parece un hombre de provecho. La madre también lo está.

—Jabón lagarto, del de antes de la guerra, de ese que nadie tiene, y todo, todito lo que le pida, le falta tiempo para traérmelo. Sus amigas la miran con cierta envidia. ¡Qué mujer de suerte! ¡Jabón lagarto! [41]

---

[40]   Las glándulas suprarrenales.
[41]   En la posguerra el jabón era escaso y de mala calidad. El de la marca Lagarto era caro y, por tanto, signo de lujo.

Doña Celia está planchando unas sábanas cuando suena [15] el teléfono.

—¿Diga?

—Doña Celia, ¿es usted? Soy don Francisco.

—¡Hola, don Francisco! ¿Qué dice usted de bueno?

—Pues ya ve, poca cosa. ¿Va a estar usted en casa?

—Sí, sí, yo de aquí no me muevo, ya sabe usted.

—Bien, yo iré a eso de las nueve.

—Cuando usted guste, ya sabe que usted me manda. ¿Llamo a...?

—No, no llame a nadie.

—Bien, bien.

Doña Celia colgó el teléfono, chascó los dedos, y se metió en la cocina, a echarse al cuerpo una copita de anís. Había días en que todo se ponía bien. Lo malo es que también se presentaban otros en los que las cosas se torcían y, al final, no se vendía una escoba.

Doña Ramona Bragado, cuando doña Matilde y doña [16] Asunción se marcharon de la lechería, se puso el abrigo y se fue a la calle de la Madera, donde trataba de catequi- zar [42] a una chica que estaba empleada de empaquetadora en una imprenta.

—¿Está Victorita?

—Sí, ahí la tiene usted.

Victorita, detrás de una larga mesa, se dedicaba a pre- parar unos paquetes de libros.

—¡Hola, Victorita, hija! ¿Te quieres pasar después por la lechería? Van a venir mis sobrinas a jugar a la brisca; yo creo que lo pasaremos bien y que nos divertiremos.

---

[42]   *catequizar:* instruir en la doctrina de la fe católica.

Victorita se puso colorada.

—Bueno; sí, señora, como usted quiera.

A Victorita no le faltó nada para echarse a llorar; ella sabía muy bien dónde se metía. Victorita andaba por los dieciocho años, pero estaba muy desarrollada y parecía una mujer de veinte o veintidós años. La chica tenía un novio, a quien habían devuelto del cuartel porque estaba tuberculoso[43]; el pobre no podía trabajar y se pasaba todo el día en la cama, sin fuerzas para nada, esperando a que Victorita fuese a verlo, al salir del trabajo.

—¿Cómo te encuentras?

—Mejor.

Victorita, en cuanto la madre de su novio salía de la alcoba, se acercaba a la cama y lo besaba.

—No me beses, te voy a pegar esto.

—Nada me importa, Paco. ¿A ti no te gusta besarme?

—¡Mujer, sí!

—Pues lo demás no importa; yo por ti sería capaz de cualquier cosa.

Un día que Victoria estaba pálida y demacrada, Paco le preguntó:

—¿Qué te pasa?

—Nada, que he estado pensando.

—¿En qué pensaste?

—Pues pensé que eso se te quitaba a ti con medicinas y comiendo hasta hartarte.

—Puede ser, pero, ¡ya ves!

---

[43]   La tuberculosis fue la enfermedad más extendida tras la guerra. La sospecha de padecerla suponía un grave impedimento para el noviazgo (*Usos*..., cit. 172). En *Pabellón de reposo* (1943), novela «pensada sobre amargas experiencias personales», Cela muestra las vivencias de unos enfermos en un sanatorio antituberculoso.

—Yo puedo buscar dinero.

—¿Tú?

A Victoria se le puso la voz gangosa, como si estuviera bebida.

—Yo, sí. Una mujer joven, por fea que sea, siempre vale dinero.

—¿Qué dices?

Victoria estaba muy tranquila.

—Pues lo que oyes. Si te fueses a curar me liaba con el primer tío rico que me sacase de querida.

A Paco le subió un poco el color y le temblaron ligeramente los párpados. Victoria se quedó algo extrañada cuando Paco le dijo:

—Bueno.

Pero en el fondo, Victoria lo quiso todavía un poco más.

En el café, doña Rosa estaba que echaba las muelas. La [17] que le había armado a López por lo de las botellas de licor había sido épica; broncas como aquélla no entraban muchas en quintal⁴⁴.

—Cálmese, señora; yo pagaré las botellas.

—¡Anda, pues naturalmente! ¡Eso sí que estaría bueno, que encima se me pegasen a mí al bolsillo! Pero no es eso sólo. ¿Y el escándalo que se armó? ¿Y el susto que se llevaron los clientes? ¿Y el mal efecto de que ande todo rodando por el suelo? ¿Eh? ¿Eso cómo se paga? ¿Eso quién me lo paga a mí? ¡Bestia! ¡Que lo que eres es un bestia, y

---

⁴⁴ *quintal*: peso de cien libras, 46 kilos. Quiere decir que era una bronca excepcional.

un rojo indecente, y un chulo! ¡La culpa la tengo yo por no denunciaros a todos! ¡Di que una es buena! ¿Dónde tienes los ojos? ¿En qué furcia estabas pensando? ¡Sois igual que bueyes! ¡Tú y todos! ¡No sabéis dónde pisáis!

Consorcio López, blanco como el papel, procuraba tranquilizarla.

—Fue una desgracia, señora; fue sin querer.

—¡Hombre, claro! ¡Lo que faltaba es que hubiera sido aposta! ¡Sería lo último! ¡Que en mi café y en mis propias narices, un mierda de encargado que es lo que eres tú, me rompiese las cosas porque sí, porque le daba la gana! ¡No, si a todo llegaremos! ¡Eso ya lo sé yo! ¡Pero vosotros no lo vais a ver! ¡El día que me harte vais todos a la cárcel, uno detrás de otro! ¡Tú el primero, que no eres más que un golfo! ¡Di que una no quiere, que si tuviera mala sangre como la tenéis vosotros...!

En plena bronca, con todo el café en silencio y atento a los gritos de la dueña, entró en el local una señora alta y algo gruesa, no muy joven pero bien conservada, guapetona, un poco ostentosa, que se sentó a una mesa enfrente del mostrador. López, al verla, perdió la poca sangre que le quedaba: Marujita, con diez años más, se había convertido en una mujer espléndida, pletórica, rebosante, llena de salud y de poderío. En la calle, cualquiera que la viese la hubiera diagnosticado de lo que era, una rica de pueblo, bien casada, bien vestida y bien comida, y acostumbrada a mandar en jefe y a hacer siempre su santa voluntad.

Marujita llamó a un camarero.

—Tráigame usted café.

—¿Con leche?

—No, solo. ¿Quién es esa señora que grita?

—Pues, la señora de aquí; vamos, el ama.

—Dígale usted que venga, que haga el favor.

Al pobre camarero le temblaba la bandeja.

—Pero, ¿ahora mismo tiene que ser?

—Sí. Dígale que venga, que yo la llamo.

El camarero, con el gesto del reo que camina hacia el garrote, se acercó al mostrador.

—López, marche uno solo. Oiga, señora, con permiso.

Doña Rosa se volvió.

—¡Qué quieres!

—No, yo nada, es que aquella señora la llama a usted.

—¿Cuál?

—Aquella de la sortija; aquella que mira para aquí.

—¿Me llama a mí?

—Sí, a la dueña, me dijo; yo no sé qué querrá; parece una señora importante, una señora de posibles. Me dijo, dice, diga usted a la dueña que haga el favor de venir.

Doña Rosa, con el ceño fruncido, se acercó a la mesa de Marujita. López se pasó la mano por los ojos.

—Buenas tardes. ¿Me buscaba usted?

—¿Es usted la dueña?

—Servidora.

—Pues sí, a usted buscaba. Déjeme que me presente: soy la señora de Gutiérrez, doña María Ranero de Gutiérrez; tome usted una tarjeta, ahí va la dirección. Mi esposo y yo vivimos en Tomelloso, en la provincia de Ciudad Real, donde tenemos la hacienda, unas finquitas de las que vivimos.

—Ya, ya.

—Sí, pero ahora ya nos hemos hartado del pueblo, ahora queremos liquidar todo aquello y venirnos a vivir a Madrid. Aquello, desde la guerra, se puso muy mal, siempre hay envidias, malos quereres, ya sabe usted.

—Sí, sí.

—Pues, claro. Y además los chicos ya son mayorcitos y, lo que pasa, que si los estudios, que si después las carreras, lo de siempre: que si no nos venimos con ellos, pues los perdemos ya para toda la vida.

—Claro, claro. ¿Tienen ustedes muchos chicos?

La señora de Gutiérrez era algo mentirosa.

—Pues, sí, tenemos cinco ya. Los dos mayorcitos van a cumplir los diez años, están ya hechos unos hombres. Estos gemelos son de mi otro matrimonio; yo quedé viuda muy joven. Mírelos usted.

A doña Rosa le sonaban, ella no podía recordar de qué, las caras de aquellos dos chiquillos de primera comunión.

—Y natural, pues al venirnos a Madrid, queremos, poco más o menos, ver lo que hay.

—Ya, ya.

Doña Rosa se fue calmando, ya no parecía la misma de unos minutos antes. A doña Rosa, como a todos los que gritan mucho, la dejaban como una malva en cuanto que la ganaban por la mano.

—Mi marido había pensado que, a lo mejor, no sería malo esto de un café; trabajando, parece que se le debe sacar provecho.

—¿Eh?

—Pues, sí, bien claro, que andamos pensando en comprar un café, si el amo se pone en razón.

—Yo no vendo.

—Señora, nadie le había dicho a usted nada. Además, eso no se puede nunca decir. Todo es según cómo. Lo que yo le digo es que lo piense. Mi esposo está ahora malo, lo van a operar de una fístula en el ano, pero nosotros queremos estar algún tiempo en Madrid. Cuando se ponga bueno ya vendrá a hablar con usted; los cuartos son de los dos, pero vamos, el que lo lleva todo es él. Usted, mientras tanto, lo piensa si quiere. Aquí no hay compromiso ninguno, nadie ha firmado ningún papel.

La voz de que aquella señora quería comprar el café corrió, como una siembra de pólvora, por todas las mesas.

—¿Cuál?

—Aquélla.

—Parece mujer rica.

—Hombre, para comprar un café no va a estar viviendo de una pensión.

Cuando la noticia llegó al mostrador, López, que estaba ya agonizante, tiró otra botella. Doña Rosa se volvió, con silla y todo. Su voz retumbó como un cañonazo.

—¡Animal, que eres un animal!

Marujita aprovechó la ocasión para sonreír un poco a López. Lo hizo de una manera tan discreta, que nadie se enteró; López, probablemente, tampoco.

—¡Ande, que como se queden con un café, ya pueden usted y su esposo tener vista con este ganado!

—¿Destrozan mucho?

—Todo lo que usted les eche. Para mí que lo hacen aposta. La cochina envidia, que se los come vivitos...

Martín habla con Nati Robles, compañera suya de los [18] tiempos de la FUE [45]. Se la encontró en la Red de San Luis. Martín estaba mirando para el escaparate de una joyería y Nati estaba dentro; había ido a que le arreglasen el broche de una pulsera. Nati está desconocida, parece otra

---

[45]   FUE: Federación Universitaria Escolar, sindicato estudiantil fundado en 1927 contra el dictador Primo de Rivera. En los años treinta adoptó una ideología izquierdista. Fue suprimido, obviamente, por el régimen de Franco.

mujer. Aquella muchacha delgaducha, desaliñada, un poco con aire de sufragista[46], con zapato bajo y sin pintar, de la época de la facultad, era ahora una señorita esbelta, elegante, bien vestida y bien calzada, compuesta con coquetería e incluso con arte. Fue ella quien lo reconoció.

—¡Marco!

Martín la miró temeroso. Martín mira con cierto miedo a todas las caras que le resultan algo conocidas, pero que no llega a identificar. El hombre siempre piensa que se le van a echar encima y que le van a empezar a decir cosas desagradables; si comiese mejor, probablemente no le pasaría eso.

—Soy Robles, ¿no te acuerdas?, Nati Robles.

Martín se quedó pegado, estupefacto.

—¿Tú?

—Sí, hijo, yo.

A Martín le invadió una alegría muy grande.

—¡Qué bárbara, Nati! ¡Cómo estás! ¡Pareces una duquesa!

Nati se rió.

—Chico, pues no lo soy; no creas que por falta de ganas, pero ya ves, soltera y sin compromiso, ¡como siempre! ¿Llevas prisa?

Martín titubeó un momento.

—Pues no, la verdad; ya sabes que soy un hombre que no merece la pena que ande de prisa.

Nati lo cogió del brazo.

—¡Tan bobo como siempre!

---

[46]   *sufragista:* nombre que se daba a la mujer que a fines del XIX y principios del XX luchó por el voto femenino. En sentido machista y despectivo, se aplicaba a una mujer sin encantos o descuidada en el vestir.

Martín se azoró un poco y trató de escurrirse.

—Nos van a ver.

Nati soltó la carcajada, una carcajada que hizo volver la cabeza a la gente. Nati tenía una voz bellísima, alta, musical, jolgoriosa, llena de alegría, una voz que parecía una campana finita.

—Perdona, chico, no sabía que estuvieses comprometido.

Nati empujó con un hombro a Martín y no se soltó, al contrario, lo cogió más fuerte.

—Sigues lo mismo que siempre.

—No, Nati; yo creo que peor.

La muchacha echó a andar.

—¡Venga, no seas pelma! Me parece que a ti lo que te vendría de primera es que te espabilasen. ¿Sigues haciendo versos?

A Martín le dio un poco de vergüenza seguir haciendo versos.

—Pues, sí; yo creo que esto ya tiene mal arreglo.

—¡Y tan malo!

Nati volvió a reír.

—Tú eres una mezcla de fresco, de vago, de tímido y de trabajador.

—No te entiendo.

—Yo tampoco. Anda, vamos a meternos en cualquier lado, tenemos que celebrar nuestro encuentro.

—Bueno, como quieras.

Nati y Martín se metieron en el café Gran Vía, que está lleno de espejos. Nati, con tacón alto, era incluso un poco más alta que él.

—¿Nos sentamos aquí?

—Sí, muy bien, donde tú quieras.

Nati le miró a los ojos.

—Chico, ¡qué galante! Parece que soy tu última conquista.

Nati olía maravillosamente bien...

[19]   En la calle de Santa Engracia, a la izquierda, cerca ya de la plaza de Chamberí, tiene su casa doña Celia Vecino, viuda de Cortés.

Su marido, don Obdulio Cortés López, del comercio, había muerto después de la guerra, a consecuencia, según decía la esquela del ABC, de los padecimientos sufridos durante el dominio rojo.

Don Obdulio había sido toda su vida un hombre ejemplar, recto, honrado, de intachable conducta, lo que se llama un modelo de caballeros. Fue siempre muy aficionado a las palomas mensajeras, y cuando murió, en una revista dedicada a estas cosas, le tributaron un sentido y cariñoso recuerdo: una foto suya, de joven todavía, con un pie donde podía leerse: Don Obdulio Cortés López, ilustre prócer de la colombofilia hispana, autor de la letra del himno Vuela sin cortapisas, paloma de la paz, ex presidente de la Real Sociedad Colombófila de Almería, y fundador y director de la que fue gran revista Palomas y palomares (boletín mensual con información del mundo entero), a quien rendimos, con motivo de su óbito [47], el más ferviente tributo de admiración con nuestro dolor. La foto aparecía rodeada, toda ella, de una gruesa orla de luto. El pie lo redactó don Leonardo Cascajo, maestro nacional.

Su señora, la pobre, se ayuda a malvivir alquilando a algunos amigos de confianza unos gabinetitos muy cursis,

---

[47]   *óbito:* fallecimiento de una persona.

de estilo cubista y pintados de color naranja y azul, donde el no muy abundante confort es suplido, hasta donde pueda serlo, con buena voluntad, con discreción y con mucho deseo de agradar y de servir.

En la habitación de delante, que es un poco la de respeto, la reservada para los mejores clientes, don Obdulio, desde un dorado marco de purpurina, con el bigote enhiesto y la mirada dulce, protege, como un malévolo y picardeado diosecillo del amor, la clandestinidad que permite comer a su viuda.

La casa de doña Celia es una casa que rezuma ternura por todos los poros; una ternura, a veces, un poco agraz; en ocasiones, es posible que un poco venenosilla. Doña Celia tiene recogidos dos niños pequeños, hijos de una sobrinita que murió medio de sinsabores y disgustos, medio de avitaminosis [48], cuatro o cinco meses atrás. Los niños, cuando llega alguna pareja, gritan jubilosos por el pasillo: ¡Viva, viva, que ha venido otro señor! Los angelitos saben que el que entre un señor con una señorita del brazo significa comer caliente al otro día.

Doña Celia, el primer día que Ventura asomó con la novia por su casa, le dijo:

—Mire usted, lo único que le pido es decencia, mucha decencia, que hay criaturas. Por amor de Dios, no me alborote.

—Descuide, usted, señora, no pase cuidado, uno es un caballero.

Ventura y Julita solían meterse en la habitación a las tres y media o cuatro y no se marchaban hasta dadas las ocho. No se les oía ni hablar; así daba gusto.

---

[48] *avitaminosis:* carencia de vitaminas. El hambre y la mala alimentación era la causa de distintas enfermedades.

El primer día, Julita estuvo mucho menos azarada de lo corriente; en todo se fijaba y todo lo tenía que comentar.

—Qué horrorosa es esa lámpara; fíjate, parece un irrigador[49].

Ventura no encontraba una semejanza muy precisa.

—No, mujer, qué va a parecer un irrigador. Anda, no seas gansa, siéntate aquí a mi lado.

—Voy.

Don Obdulio, desde su retrato, miraba a la pareja casi con severidad.

—Oye, ¿quién será ése?

—¿Yo qué sé? Tiene cara de muerto, ése debe estar ya muerto.

Julita seguía paseando por el cuarto. A lo mejor los nervios la hacían andar dando vueltas de un lado para otro; en otra cosa, desde luego, no se le notaban.

—¡A nadie se le ocurre poner flores de cretona! Las clavan en serrín porque seguramente piensan que eso hace muy bonito, ¿verdad?

—Sí, puede ser.

Julita no se paraba ni de milagro.

—¡Mira, mira, ese corderito es tuerto! ¡Pobre!

Efectivamente, al corderito bordado sobre uno de los almohadones del diván le faltaba un ojo.

Ventura se puso serio, aquello empezaba a ser el cuento de nunca acabar.

—¿Quieres estarte quieta?

—¡Ay, hijo mío, qué brusco eres!

---

[49] *irrigador:* utensilio para introducir un líquido en el intestino por el ano.

Por dentro, Julita estaba pensando:

—¡Con el encanto que tiene llegar de puntillas al amor!

Julita era muy artista, mucho más artista, sin duda, que su novio.

Marujita Ranero, cuando salió del café, se metió en una [20] panadería a llamar por teléfono al padre de sus dos geme-litos.

—¿Te gusté?

—Sí. Oye, Maruja, ¡pero tú estás loca!

—No, ¡qué voy a estarlo! Fui a que me vieses, no que-ría que esta noche te cogiera la cosa de sorpresa y te lleva-ras una desilusión.

—Sí, sí...

—Oye, ¿de verdad que te gusto todavía?

—Más que antes, te lo juro, y antes me gustabas más que el pan frito.

—Oye, y si yo pudiese, ¿te casarías conmigo?

—Mujer...

—Oye, con éste no he tenido hijos.

—¿Pero él?

—Él tiene un cáncer como una casa; el médico me dijo que no puede salir adelante.

—Ya, ya. Oye.

—Qué.

—¿De verdad que piensas comprar el café?

—Si tú quieres, sí. En cuanto que se muera y nos poda-mos casar. ¿Lo quieres de regalo de boda?

—¡Pero, mujer!

—Sí, chico, yo he aprendido mucho. Y además soy rica y hago lo que me da la gana. Él me lo deja todo; me en-

señó el testamento. Dentro de unos meses no me dejo
ahorcar por cinco millones.

—¿Eh?

—Pues que dentro de unos meses, ¿me oyes?, no me
dejo ahorcar por cinco millones.

—Sí, sí...

—¿Llevas en la cartera las fotos de los nenes?

—Sí.

—¿Y las mías?

—No; las tuyas, no. Cuando te casaste, las quemé; me
pareció mejor.

—Allá tú. Esta noche te daré unas cuantas. ¿A qué hora
irás, poco más o menos?

—Cuando cerremos, a la una y media o dos menos
cuarto.

—No tardes, ¿eh?, vete derecho.

—Sí.

—¿Te acuerdas del sitio?

—Sí, La colladense, en la calle de la Magdalena.

—Eso es, habitación número tres.

—Sí. Oye, cuelgo, que arrima para aquí la bestia.

—Adiós, hasta luego. ¿Te echo un beso?

—Sí.

—Tómalo, tómalos todos; no uno, sino mil millones...

La pobre panadera estaba asustadita. Cuando Marujita
Ranero se despidió y le dio las gracias, la mujer no pudo
ni contestarle.

[21]   Doña Montserrat dio por terminada su visita.

—Adiós, amiga Visitación; por mí estaría aquí todo el
santo día; escuchando su agradable charla.

—Muchas gracias.

—No es coba, es la pura verdad. Lo que pasa, ya le digo, es que hoy no quiero perderme la reserva [50].

—¡Si es por eso!

—Sí, ya he faltado ayer.

—Yo estoy hecha una laica. En fin, ¡que Dios no me castigue!

Ya en la puerta, doña Visitación piensa decirle a doña Montserrat:

—¿Quiere que nos tuteemos? Yo creo que ya debemos tutearnos, ¿no te parece?

Doña Montserrat es muy simpática, hubiera dicho encantada que sí.

Doña Visitación piensa decirle, además:

—Y si nos tuteamos, lo mejor será que yo te llame Montse y tú me llames Visi, ¿verdad?

Doña Montserrat también hubiera aceptado. Es muy complaciente y, bien mirado, las dos son amigas ya casi veteranas. Pero, ¡lo que son las cosas!, con la puerta abierta, doña Visitación no se atrevió más que a decir:

—Adiós, amiga Montserrat, no se nos venda usted tan cara.

—No, no; ahora voy a ver si vengo por aquí con más frecuencia.

—¡Ojalá sea cierto!

—Sí. Óigame, Visitación, no se me olvide usted de que me prometió dos pastillas de jabón lagarto a buen precio.

—No, no; descuide.

Doña Montserrat, que entró en casa de doña Visi bajo el mismo signo, se marchó al tiempo que el loro del segundo barbarizaba.

---

[50] La «reserva» era la ceremonia vespertina de guardar en el Sagrario el Santísimo, la Sagrada Forma.

—¡Qué horror! ¿Qué es eso?

—No me hable usted, hija, un loro que es el mismo diablo.

—¡Qué vergüenza! ¡A eso no debía haber derecho!

—Verdaderamente. Yo ya no sé lo que hacer.

Rabelais[51] es un loro de mucho cuidado, un loro procaz y sin principios, un loro descastado y del que no hay quien haga carrera. A lo mejor está una temporada algo más tranquilo, diciendo chocolate y Portugal y otras palabras propias de un loro fino, pero como es un inconsciente, cuando menos se piensa y a lo mejor su dueña está con una visita de cumplido, se descuelga declamando ordinarieces y pecados con una voz cascada de solterona vieja. Angelito, que es un chico muy piadoso de la vecindad, estuvo tratando de llevar a Rabelais al buen camino, pero no consiguió nada; sus esfuerzos fueron en vano y su labor cayó en el vacío. Después se desanimó y lo fue dejando poco a poco, y Rabelais, ya sin preceptor, pasó unos quince días en que sonrojaba oírle hablar. Cómo sería la cosa, que hasta llamó la atención a su dueña un señor del principal, don Pío Navas Pérez, interventor de los ferrocarriles.

—Mire, usted, señora, lo de su lorito ya pasa de castaño oscuro. Yo no pensaba decirla[52] nada, pero la verdad es que ya no hay derecho. Piense usted que tengo ya una po-

---

[51] La onomástica de Cela está frecuentemente motivada por razones irónicas, humorísticas o burlescas. El deslenguado loro se llama así en recuerdo del jocoso y mordaz escritor francés Rabelais (1483-1553), autor del *Pantagruel*.

[52] *decirla:* el laísmo delata el nivel cultural del personaje. Un par de laísmos se encuentran dos secuencias más adelante, en la carta de Tinín, cuyas deficiencias lingüísticas motiva la supuesta nota del editor.

llita en estado de merecer [53] y que no está bien que oiga estas cosas. ¡Vamos, digo yo!

—Sí, don Pío, tiene usted más razón que un santo. Perdone usted, ya le llamaré la atención. ¡Este Rabelais es incorregible!

Alfredo Angulo Echevarría le dice a su tía doña Lolita [22] Echevarría de Cazuela:

—Visi es un encanto de chica, ya la verás. Es una chica moderna, con muy buen aire, inteligente, guapa, en fin, todo. Yo creo que la quiero mucho.

Su tía Lolita está como distraída. Alfredo sospecha que no le está haciendo maldito el caso.

—Me parece, tía, que a ti no te importa nada esto que te estoy contando de mis relaciones.

—Sí, sí, ¡qué bobo! ¿Cómo no me va a importar?

Después, la señora de Cazuela empezó a retorcerse las manos y a hacer extraños, y acabó rompiendo en un llanto violento, dramático, aparatoso. Alfredo se asustó.

—¿Qué te pasa?

—Nada, nada, ¡déjame!

Alfredo trató de consolarla.

—Pero mujer, tía, ¿qué tienes? ¿Metí la pata en algo?

—No, no, déjame, déjame llorar.

Alfredo quiso gastarle una bromita a ver si se animaba.

—Bueno, tía, no seas histérica, que ya no andas por los dieciocho años. Cualquiera que te vea va a pensar que lo que tú tienes son contrariedades amorosas...

---

[53] *pollita en estado de merecer:* jovencita con edad y condiciones para tener nòvio.

Nunca lo hubiera dicho, la señora de Cazuela palideció, puso los ojos en blanco y, ¡pum!, se fue de bruces contra el suelo. El tío Fernando no estaba en casa; estaba reunido con todos los vecinos porque la noche anterior había habido un crimen en la casa y querían tener un cambio de impresiones y tomar algunos acuerdos. Alfredo sentó a la tía Lolita en una butaca y le echó un poco de agua por la cara; cuando se repuso, Alfredo les dijo a las criadas que le preparasen una taza de tila.

Cuando doña Lolita pudo hablar, miró para Alfredo y le dijo, con una voz lenta y opaca:

—¿Tú sabes quién me compraría el cestón de la ropa sucia?

Alfredo se quedó un poco extrañado de la pregunta.

—No sé, cualquier trapero.

—Si te encargas de que salga de casa, te lo regalo; yo no quiero ni verlo. Lo que te den, para ti.

—Bueno.

A Alfredo le entró cierta preocupación. Cuando volvió su tío, lo llamó aparte y le dijo:

—Mira, tío Fernando, yo creo que debes llevar a la tía al médico, a mí me parece que tiene una gran debilidad nerviosa. Además, tiene manías; me dijo que me llevara de casa el cestón de la ropa sucia; que ella no quería ni verlo.

Don Fernando Cazuela no se inmutó, se quedó tan fresco, como si tal cosa. Alfredo, cuando lo vio tan tranquilo, pensó que allá ellos, que lo mejor sería no meterse en nada.

—Mira —se dijo—, si loquea, que loquee. Yo ya lo dije bien claro; si no me hacen caso, peor para ellos. Después vendrán las lamentaciones y el llevarse las manos a la cabeza.

La carta está sobre la mesa. El papel tiene un membrete [23] que dice: Agrosil. Perfumería y droguería. Calle Mayor, 20. Madrid. La carta está escrita con una bella letra de pendolista, llena de rabos, de florituras y de jeribeques[54]. La carta, que ya está terminada, dice así:

Querida madre:

Le escribo a usted estas dos líneas para comunicarle una noticia que sé que le va a agradar a usted. Antes de dársela quiero desearle que su salud sea perfecta como la mía lo es por el momento, a Dios gracias sean dadas, y que siga usted disfrutándola muchos años en compañía de la buena hermana Paquita, y de su esposo y nenes.

Pues, madre, lo que la tengo que decir es que ya no estoy solo en el mundo, aparte de ustedes, y que he encontrado la mujer que me puede ayudar a fundar una familia y a erigir un hogar, y que puede acompañarme en el trabajo y que me ha de hacer feliz, si Dios quiere, con sus virtudes de buena cristiana. A ver si para el verano se anima usted a visitar a este hijo que tanto la echa de menos, y así la conoce. Pues, madre, he de decirla que de los gastos del viaje no debe preocuparse y que yo, sólo por verla a usted, ya sabe que pagaría eso y mucho más. Ya verá usted cómo mi novia la parece un ángel. Es buena y hacendosa y tan lucida como honrada. Su mismo nombre de pila, que es Esperanza, ya viene a ser como eso, una esperanza de que todo salga con bien. Pida usted mucho a Dios por nuestra futura felicidad, que será también la antorcha que alumbrará su vejez.

---

[54]   *pendolista:* calígrafo, el que escribe con letra elegante y artística; con *jeribeques,* con trazos retorcidos.

Sin más por hoy, reciba usted, querida madre, el beso de cariño de su hijo que mucho la quiere y no la olvida,

Tinín *.

El autor de la carta, al terminar de escribirla, se levantó, encendió un pitillo y la leyó en voz alta.

—Yo creo que me ha salido bastante bien. Este final de la antorcha está bastante bien.

Después se acercó a la mesa de noche y besó, galante y rendido como un caballero de la Tabla Redonda [55], una foto con marquito de piel y con una dedicatoria que decía: a mi Agustín de mi vida con todos los besos de su Esperanza.

—Bueno; si viene mi madre, la guardo.

[24]   Una tarde, a eso de las seis, Ventura abrió la puerta y llamó en voz baja a la señora.

—¡Señora!

Doña Celia dejó el puchero en el que se estaba preparando una taza de café para merendar.

—¡Va en seguida! ¿Desea usted algo?

—Sí, haga el favor.

Doña Celia cortó un poco el gas, para que el café no llegara a cocer, y se presentó presurosa, recogiéndose el mandil a la espalda y secándose las manos con la bata.

---

*   *N. del E.* La carta de Agustín Rodríguez Silva tenía puntos, pero no tenía comas; al copiarla aquí se le pusieron algunas. También se corrigieron ciertas pequeñas faltas de ortografía.

[55]   Los caballeros del legendario rey Arturo (s. VI) se reunían en torno a una mesa redonda. Fueron modelo de cortesía y caballerosidad.

—¿Llamaba usted, señor Aguado?

—Sí, ¿me presta usted el parchís?

Doña Celia cogió el parchís del trinchero del comedor, se lo pasó a los novios y se puso a cavilar. A doña Celia le da pena, y también cierto temblor al bolsillo, el pensar que el cariño de los tortolitos puede ir cuesta abajo, que las cosas puedan empezar a marchar mal.

—No, a lo mejor no es eso —se decía doña Celia tratando de ver siempre el lado bueno—, también puede ser que la chica esté mala...

Doña Celia, negocio aparte, es una mujer que coge cariño a las gentes en cuanto las conoce; doña Celia es muy sentimental, es una dueña de casa de citas muy sentimental.

Martín y su compañera de facultad llevan ya una hora [25] larga hablando.

—¿Y tú no has pensado nunca en casarte?

—Pues no, chico, por ahora no. Ya me casaré cuando se me presente una buena proporción; como comprenderás, casarse para no salir de pobre, no merece la pena. Ya me casaré, yo creo que hay tiempo para todo.

—¡Feliz tú! Yo creo que no hay tiempo para nada; yo creo que si el tiempo sobra es porque, como es tan poco, no sabemos lo que hacer con él.

Nati frunció graciosamente la nariz.

—¡Ay, Marco, hijo! ¡No empieces a colocarme frases profundas!

Martín se rió.

—No me tomes el pelo, Nati.

La muchacha lo miró con un gesto casi picaresco, abrió el bolso y sacó una pitillera de esmalte.

—¿Un pitillo?

—Gracias, estoy sin tabaco. ¡Qué pitillera tan bonita!

—Sí, no es fea, un regalo.

Martín se busca por los bolsillos.

—Yo tenía una caja de cerillas...

—Toma fuego, también me regalaron el mechero.

—¡Caray!

Nati fuma con un aire muy europeo, jugando las manos con soltura y con elegancia. Martín se le quedó mirando.

—Oye, Nati, yo creo que hacemos una pareja muy extraña, tú de punta en blanco y sin que te falte un detalle, y yo hecho un piernas, lleno de lámparas [56] y con los codos fuera...

La chica se encogió de hombros.

—¡Bah, no hagas caso! ¡Mejor, bobo! Así la gente no sabrá a qué carta quedarse.

Martín se fue poniendo triste poco a poco de una manera casi imperceptible, mientras Nati lo mira con una ternura infinita, con una ternura que por nada del mundo hubiera querido que se la notasen.

—¿Qué te pasa?

—Nada. ¿Te acuerdas cuando los compañeros te llamábamos Natacha?

—Sí.

—¿Te acuerdas cuando Gascón te echó de clase de administrativo?

Nati también se puso algo triste.

—Sí.

—¿Te acuerdas de aquella tarde que te besé en el parque del Oeste?

—Sabía que me lo ibas a preguntar. Sí, también me

---

[56] *lámparas:* manchas de grasa en la ropa.

acuerdo. He pensado en aquella tarde muchas veces, tú fuiste el primer hombre a quien besé en la boca... ¡Cuánto tiempo ha pasado! Oye, Marco.

—Qué.

—Te juro que no soy una golfa.

Martín sintió unos ligeros deseos de llorar.

—¡Pero, mujer, a qué viene eso!

—Yo sí lo sé, Marco, yo siempre te debo a ti un poquito de fidelidad, por lo menos para contarte las cosas.

Martín, con el pitillo en la boca y las manos enlazadas sobre las piernas, mira cómo una mosca da vueltas por el borde de un vaso. Nati siguió hablando.

—Yo he pensado mucho en aquella tarde. Entonces me figuraba que jamás necesitaría un hombre al lado y que la vida podía llenarse con la política y con la filosofía del derecho. ¡Qué estupidez! Pero aquella tarde yo no aprendí nada; te besé, pero no aprendí nada. Al contrario, creí que las cosas eran así, como fueron entre tú y yo, y después vi que no, que no eran así...

A Nati le tiembla un poco la voz.

—... que eran de otra manera mucho peor...

Martín hizo un esfuerzo.

—Perdona, Nati. Es ya tarde, me tengo que marchar, pero el caso es que no tengo un duro para invitarte. ¿Me dejas un duro para invitarte?

Nati revolvió en su bolso y, por debajo de la mesa, buscó la mano de Martín.

—Toma, van diez, con las vueltas hazme un regalo.

CAPÍTULO CUARTO

[1]   El guardia Julio García Morrazo lleva ya una hora paseando por la calle de Ibiza. A la luz de los faroles se le ve pasar, para arriba y para abajo, siempre sin alejarse demasiado. El hombre anda despacio, como si estuviera meditabundo, y parece que va contando los pasos, cuarenta para allí, cuarenta para aquí, y vuelta a empezar. A veces da algunos más y llega hasta la esquina.

El guardia Julio García Morrazo es gallego. Antes de la guerra no hacía nada, se dedicaba a llevar a su padre ciego de romería en romería cantando las alabanzas de San Sibrán y tocando el guitarrillo. A veces, cuando había vino por medio, Julio tocaba un poco la gaita, aunque, por lo común, prefería bailar y que la gaita la tocasen otros.

Cuando vino la guerra y le llamaron a quintas [1], el guardia Julio García Morrazo era ya un hombre lleno de vida, como un ternero, con ganas de saltar y de brincar como un potro salvaje, y aficionado a las sardinas cabezudas, a las mozas tetonas y al vino del Ribeiro. En el frente de Astu-

---

[1]   *llamar a quintas:* llamar para hacer el servicio militar.

rias, un mal día le pegaron un tiro en un costado y desde entonces el Julio García Morrazo empezó a enflaquecer y ya no levantó cabeza; lo peor de todo fue que el golpe no resultó lo bastante grande para que le diesen inútil y el hombre tuvo que volver a la guerra y no pudo reponerse bien.

Cuando la guerra terminó, Julio García Morrazo se buscó una recomendación y se metió a guardia.

—Para el campo no quedaste bien —le dijo su padre— y además a ti tampoco te gusta trabajar. ¡Si te hicieran carabinero[2]!

El padre de Julio García Morrazo se encontraba ya viejo y cansado y no quería volver a las romerías.

—Yo ya me quedo en casa. Con lo que tengo ahorrado puedo ir viviendo, pero para los dos no hay.

Julio estuvo varios días pensativo, dándole vueltas a la cosa, y al final, al ver que su padre insistía, se decidió.

—No; carabinero es muy difícil, para carabinero echan instancia los cabos y los sargentos; yo ya me conformaba con guardia.

—Bueno, tampoco está mal. Lo que yo te digo es que aquí no hay para los dos, ¡que si hubiera!

—Ya, ya.

Al guardia Julio García Morrazo se le mejoró algo la salud y, poco a poco, fue cogiendo hasta media arrobita más de carne. No volvió, bien es cierto, a lo que había sido, pero tampoco se quejaba; otros, al lado suyo, se habían quedado en el campo, tumbados panza arriba. Su primo Santiaguiño, sin ir más lejos, que le dieron un tiro en el macuto

---

[2]   Los *carabineros* era los guardias de aduana que vigilaban el contrabando fronterizo. En 1940 se suprimió el Cuerpo de Carabineros y sus agentes quedaron integrados en la Guardia Civil.

donde llevaba las bombas de mano y del que el pedazo más grande que se encontró no llegaba a los cuatro dedos.

El guardia Julio García Morrazo era feliz en su oficio; subirse de balde a los tranvías era algo que, al principio, le llamaba mucho la atención.

—Claro —pensaba—, es que uno es autoridad.

En el cuartel lo querían bien todos los jefes porque era obediente y disciplinado y nunca había sacado los pies del plato, como otros guardias que se creían tenientes generales. El hombre hacía lo que le mandaban, no ponía mala cara a nada, y todo lo encontraba bien; él sabía que no le quedaba otra cosa que hacer, y no se le ocurría pensar en nada más.

—Cumpliendo la orden —se decía— nunca tendrán que decirme nada. Y además, el que manda, manda; para eso tienen galones y estrellas y yo no los tengo.

El hombre era de buen conformar y tampoco quería complicaciones.

—Mientras me den de comer caliente todos los días y lo que tenga que hacer no sea más que pasear detrás de los estraperlistas...

[2]   Victorita, a la hora de la cena, riñó con la madre.

—¿Cuándo dejas a ese tísico[3]? ¡Anda, que lo que vas a sacar tú de ahí!

—Yo saco lo que me da la gana.

—Sí, microbios y que un día te hinche el vientre.

—Yo ya sé lo que me hago, lo que me pase es cosa mía.

---

[3]   Llamar tísico a alguien era un insulto. Un eufemismo frecuente era decir que «estaba del pecho» o «estaba del pulmón».

—¿Tú? ¡Tú qué vas a saber! Tú no eres más que una mocosa que no sabe de la misa la media.

—Yo sé lo que necesito.

—Sí, pero no lo olvides; si te deja en estado, aquí no pisas.

Victorita se puso blanca.

—¿Eso es lo que te dijo la abuela?

La madre se levantó y le pegó dos tortas con toda su alma. Victorita ni se movió.

—¡Golfa! ¡Mal educada! ¡Que eres una golfa! ¡Así no se le habla a una madre!

Victorita se secó con el pañuelo un poco de sangre que tenía en los dientes.

—Ni a una hija tampoco. Si mi novio está malo, bastante desgracia tiene para que tú estés todo el día llamándole tísico.

Victorita se levantó de golpe y salió de la cocina. El padre había estado callado todo el tiempo.

—¡Déjala que se vaya a la cama! ¡Tampoco hay derecho a hablarla así! ¿Que quiere a ese chico? Bueno, pues déjala que lo quiera, cuanto más le digas va a ser peor. Además, ¡para lo que va a durar el pobre!

Desde la cocina se oía un poco el llanto entrecortado de la chica, que se había tumbado encima de la cama.

—¡Niña, apaga la luz! Para dormir no hace falta luz.

Victorita buscó a tientas la pera [4] de la luz y la apagó.

Don Roberto llama al timbre de su casa; se había dejado las llaves en el otro pantalón, siempre le pasa lo mismo y eso que no hacía más que decirlo: cambiarme las

---

[4]   *pera:* el interruptor, que se parecía a una pera.

llaves del pantalón, cambiarme las llaves del pantalón. Le sale a abrir la puerta su mujer.

—Hola, Roberto.

—Hola.

La mujer procura tratarlo bien y ser amable; el hombre trabaja como un negro para mantenerlos con la cabeza a flote.

—Vendrás con frío, ponte las zapatillas, te las tuve puestas al lado del gas.

Don Roberto se puso las zapatillas y la chaqueta vieja de casa, una americana raída, que fue marrón en sus tiempos, con una rayita blanca que hacía muy fino, muy elegante.

—¿Y los niños?

—Bien, acostaditos ya; el pequeño dio un poco de guerra para dormirse, no sé si estará algo malito.

El matrimonio fue hacia la cocina; la cocina es el único sitio de la casa donde se puede estar durante el invierno.

—¿Arrimó ese botarate [5] por aquí?

La mujer eludió la respuesta, a lo mejor se habían cruzado en el portal y metía la pata. A veces, por querer que las cosas salgan bien y que no haya complicaciones, se mete la pata y se organizan unos líos del diablo.

—Te tengo de cena chicharros fritos.

Don Roberto se puso muy contento, los chicharros fritos es una de las cosas que más le gustan.

—Muy bien.

La mujer le sonrió, mimosa.

—Y con unas perras que fui sisando de la plaza, te he traído media botella de vino. Trabajas mucho, y un poco

---

[5]   *botarate:* persona poco juiciosa; alguien que es «una calamidad».

de vino, de vez en cuando, siempre te vendrá bien al cuerpo.

La bestia de González, según le llamaba su cuñado, era un pobre hombre, un honesto padre de familia, más infeliz que un cubo, que en seguida se ponía tierno.

—¡Qué buena eres, hija! Muchas veces lo he pensado; hay días en que, si no fuera por ti, yo no sé lo que haría. En fin, un poco de paciencia, lo malo son estos primeros años, hasta que yo me vaya situando, estos diez primeros años. Después ya todo será coser y cantar, ya verás.

Don Roberto besó a su mujer en la mejilla.

—¿Me quieres mucho?

—Mucho, Roberto, ya lo sabes tú.

El matrimonio cenó sopa, chicharros fritos y un plátano. Después del postre, don Roberto miró fijo para su mujer.

—¿Qué quieres que te regale mañana?

La mujer sonrió, llena de felicidad y de agradecimiento.

—¡Ay, Roberto! ¡Qué alegría! Creí que este año tampoco te ibas a acordar.

—¡Calla, boba! ¿Por qué no me iba a acordar? El año pasado fue por lo que fue, pero este año...

—¡Ya ves! ¡Me encuentro tan poquita cosa!

A la mujer, como hubiese seguido, tan sólo un instante, pensando en su pequeñez, se le hubieran arrasado los ojos de lágrimas.

—Di, ¿qué quieres que te regale?

—Pero, hombre, ¡con lo mal que andamos!

Don Roberto, mirando para el plato, bajó un poco la voz.

—En la panadería pedí algo a cuenta.

La mujer lo miró cariñosa, casi entristecida.

—¡Qué tonta soy! Con la conversación me había olvidado de darte tu vaso de leche.

Don Roberto, mientras su mujer fue a la fresquera [6], continuó:

—Me dieron también diez pesetas para comprarles alguna chuchería a los niños.

—¡Qué bueno eres, Roberto!

—No, hija, son cosas tuyas; como todos, ni mejor ni peor.

Don Roberto se bebió su vaso de leche, su mujer le da siempre un vaso de leche de sobrealimentación.

—A los chicos pensé comprarles una pelota. Si sobra algo, me tomaré un vermú. No pensaba decirte nada, pero, ¡ya ves!, no sé guardar un secreto.

[4]   A doña Ramona Bragado le llamó por teléfono don Mario de la Vega, uno que tiene una imprenta. El hombre quería noticias de algo detrás de lo que andaba ya desde hacía varios días.

—Y además, son ustedes del mismo oficio, la chica trabaja en una imprenta, yo creo que no ha pasado de aprendiza.

—¿Ah, sí? ¿En cuál?

—En una que se llama tipografía El porvenir, que está en la calle de la Madera.

—Ya, ya; bueno, mejor, así todo queda en el gremio. Oiga, ¿y usted cree que...? ¿Eh?

---

[6] *fresquera:* lugar o armarito de cocina con tela metálica, abierto al exterior, para conservar frescos los alimentos.

—Sí, descuide usted, eso es cosa mía. Mañana, cuando eche usted el cierre, pásese por la lechería y me saluda con cualquier disculpa.

—Sí, sí.

—Pues eso. Yo se la tendré allí, ya veremos con qué motivo. La cosa me parece que ya está madurita, que ya está al caer. La criatura está muy harta de calamidades y no aguanta más que lo que queramos dejarla tranquila. Además, tiene el novio enfermo y quiere comprarle medicinas; estas enamoradas son las más fáciles, ya verá usted. Esto es pan comido.

—¡Ojalá!

—Usted lo ha de ver. Oiga, don Mario, que de aquello no bajo un real, ¿eh? Bastante en razón me he puesto.

—Bueno, mujer, ya hablaremos.

—No, ya hablaremos, no, ya está todo hablado. ¡Mire usted que doy marcha atrás!

—Bueno, bueno.

Don Mario se rió, como dándoselas de hombre muy baqueteado[7]. Doña Ramona quería atar bien todos los cabos.

—¿De acuerdo?

—Sí, mujer, de acuerdo.

Cuando don Mario volvió a la mesa, le dijo al otro:

—Usted entrará cobrando dieciséis pesetas, ¿entendido?

Y el otro le contestó:

—Sí, señor, entendido.

El otro es un pobre chico que había estudiado algo, pero que no acababa de encajar en nada; el hombre no te-

---

[7] *baqueteado:* experimentado.

nía buena suerte ni tampoco buena salud. En su familia
había una vena de tísicos; a un hermano suyo que se llamaba Paco lo habían devuelto del cuartel porque ya no
podía ni con su alma.

[5]   Los portales llevan ya algún tiempo cerrados, pero el
mundo de los noctámbulos sigue todavía goteando, cada
vez más lentamente, camino del autobús.

La calle, al cerrar de la noche, va tomando un aire entre
hambriento y misterioso, mientras un vientecillo que corre como un lobo, silba por entre las casas.

Los hombres y las mujeres que van, a aquellas horas,
hacia Madrid, son los noctámbulos puros, los que salen
por salir, los que tienen ya la inercia de trasnochar: los
clientes con dinero de los cabarets, de los cafés de la Gran
Vía, llenos de perfumadas, de provocativas mujeres que
llevan el pelo teñido y unos impresionantes abrigos de
pieles, de color negro, con alguna canita blanca de cuando
en cuando; o los noctívagos [8] de bolsillo más ruin, que se
meten a charlar en una tertulia, o se van de copeo por los
tupis [9]. Todo, menos quedarse en casa.

Los otros, los trasnochadores accidentales, los clientes
de los cines, que sólo salen alguna que otra noche, siempre a tiro hecho y jamás a lo que caiga, han pasado hace
ya rato, antes de cerrar los portales. Primero los clientes
de los cines del centro, apresurados, mejor vestidos, que

---

[8]   *noctívago:* que anda vagando de noche; se suele decir de los animales.

[9]   *tupi:* pequeño establecimiento donde se servía café y licores. Esta
palabra es apócope de *Tupinamba,* una marca de café que abrió en Madrid puestos de degustación.

tratan de coger un taxi: los clientes del Callao, del Capitol, del Palacio de la Música, que pronuncian casi correctamente los nombres de las actrices, que incluso alguno de ellos es invitado, de vez en cuando, a ver películas en la embajada inglesa, en el local de la calle de Orfila [10]. Saben mucho de cine y en vez de decir, como los habituales de los cines de barrio, es una película estupenda de la Joan Crawford, dicen, como hablando siempre para iniciados, es una grata comedia, muy francesa, de René Clair, o es un gran drama de Frank Capra [11]. Ninguno sabe con exactitud qué es lo muy francés, pero no importa; vivimos un poco el tiempo de la osadía, ese espectáculo que algunos hombres de limpio corazón contemplan atónitos desde la barrera [12] sin entender demasiado lo que sucede, que es bien claro.

Los clientes de los cines de barrio, los hombres que no saben nunca quiénes son los directores, pasan un poco después, ya con los portales cerrados, sin grandes prisas, peor vestidos, menos preocupados también, por lo menos

---

[10] En la embajada inglesa y norteamericana se proyectaban películas para invitados. Es muy interesante esta descripción costumbrista y social de la noche en la colmena madrileña; entre los noctámbulos los hay «puros» y ocasionales, y en cada grupo ricos y pobres. Cada grupo y subgrupo se refugia en su correspondiente local o celdilla.

[11] Joan Crawford: famosa actriz de cine de los años treinta. René Claire, director de cine francés, autor de *Viva la libertad, Me casé con una bruja...;* Frank Capra (1897-1991), gran director de comedias sentimentales y optimistas sobre un fondo de armonía social: *Sucedió una noche* (1934), *El secreto de vivir* (1936), *¡Qué bello es vivir!* (1946). Ésta y otras películas de la época, «donde se daba por sentado el derecho a la felicidad terrenal, [..] fueron criticadas por su frivolidad y feroz individualismo» (C. Martín Gaite, cit., pág. 82).

[12] *ver los toros desde la barrera:* observar algo sin participar; desentenderse. Imagen taurina.

a esas horas. Marchan dando un paseíto hasta el Narváez, el Alcalá, el Tívoli, el Salamanca, donde ven películas ya famosas, con una fama quizá ya un poco marchita por varias semanas de Gran Vía, películas de hermosos, poéticos nombres que plantean tremendos enigmas humanos no siempre descifrados.

Los clientes de los cines de barrio todavía deberán esperar algún tiempo para ver Sospecha o Las aventuras de Marco Polo o Si no amaneciera [13].

[6]   El guarda Julio García Morrazo, en una de las veces en que se llegó hasta la esquina, se acordó de Celestino, el del bar.

—Este Celestino es el mismo diablo, ¡qué cosas se le ocurren! Pero no tiene un pelo de tonto, es hombre que ha leído la mar de libros.

Celestino Ortiz, después de recordar aquello de la ira ciega y de la animalidad, quitó su libro, su único libro, de encima de los botellines de vermú y lo guardó en el cajón. ¡Las cosas que pasan! Martín Marco no salió del bar con la frente rota en pedazos, gracias a Nietzsche. ¡Si Nietzsche levantara la cabeza!

[7]   Detrás de los visillos de su entresuelo, doña María Morales de Sierra, hermana de doña Clarita Morales de Pérez, la mujer de don Camilo, el callista que vivía en la

---

[13]   *Las aventuras de Marco Polo* (con Gary Cooper) se estrenó en un cine de la Gran Vía el 3 de diciembre de 1943, y seis días después *Sospecha*, de A. Hitchcock. *Si no amaneciera* es un melodrama rodado en 1941.

misma casa de don Ignacio Galdácano, el señor que no podrá asistir a la reunión en casa de don Ibrahím porque está loco, habla a su marido, don José Sierra, ayudante de obras públicas.

—¿Te has fijado en ese guardia? No hace más que ir de un lado para otro, como si esperase a alguien.

El marido ni le contesta. Leyendo el periódico está totalmente evadido, igual que si viviese en un mundo mudo y extraño, muy lejos de su mujer. Si don José Sierra no hubiera alcanzado un grado tan perfecto de abstracción, no podría leer el periódico en su casa.

—Ahora vuelve otra vez para aquí. ¡Lo que daría por saber qué hace! Y eso que éste es un barrio tranquilo, de gente de orden. ¡Si fuera por ahí detrás, por los solares de la plaza de toros, que está todo negro como boca de lobo!

Los solares de la antigua plaza de toros están a unas docenas de pasos del entresuelo de doña María.

—Por ahí ya sería otra cosa, por ahí son capaces hasta de atracarla a una, ¡pero por aquí! Por amor de Dios, ¡si esto está como una balsa de aceite! ¡Si por aquí no se mueve ni una rata!

Doña María se volvió, sonriente. Su sonrisa no pudo verla su marido, que seguía leyendo.

Victorita lleva ya mucho rato llorando y en su cabeza [8] los proyectos se atropellan unos a otros: desde meterse monja hasta echarse a la vida, todo le parece mejor que seguir en su casa. Si su novio pudiera trabajar, le propondría que se escapasen juntos; trabajando los dos, malo sería que no pudiesen reunir lo bastante para comer. Pero su novio, la cosa era bien clara, no estaba para nada más que para estarse en la cama todo el día, sin hacer nada y casi sin hablar. ¡También era fatalidad! Lo del novio, todo el mundo lo dice, a veces se cura con mucha comida y con inyecciones; por lo menos, si no se curan del todo, se ponen bastante bien y pueden durar muchos años, y casarse, y hacer vida normal. Pero Victorita no sabe cómo buscar dinero. Mejor dicho, sí lo sabe, pero no acaba de decidirse; si Paco se enterase, la dejaría en el momento, ¡menudo es! Y si Victorita se decidiese a hacer alguna barbaridad, no sería por nada ni por nadie más que por Paco. Victorita hay algunos momentos en los que piensa que Paco le iba a decir: bueno, haz lo que quieras, a mí no me importa, pero pronto se da cuenta de que no, de que Paco no le iba a decir eso. Victorita en su casa no puede seguir, ya está convencida; su madre le hace la vida imposible, todo el día con el mismo sermón. Pero, también, lanzarse así, a la buena de Dios, sin alguien que le eche una mano, es muy expuesto. Victorita había hecho ya sus cálculos y vio que la cosa tenía sus más y sus menos; yendo todo bien era como un tobogán, pero las cosas, bien del todo, no van casi nunca, y a veces van muy mal. La cuestión estaba en tener suerte y que alguien se acordase de una; pero, ¿quién se iba a acordar de Victorita? Ella no conocía a nadie que tuviera diez duros ahorrados, a nadie que no viviese de un jornal. Victorita está muy cansada, en la imprenta está todo el día de pie, a su novio lo encuentra cada día peor, su madre es un sargento de caballería que no hace más que gritar, su padre es un hombre blandengue y medio bebido con el que no se puede contar para nada. Quien tuvo suerte fue la Pirula, que estaba con Victorita en la imprenta, de empaquetadora también, y que se la llevó un señor que además de tenerla como una reina y de darle todos los caprichos, la quiere y la respeta. Si le pidiese dinero, la Pirula no se lo negaría; pero, claro, la Pirula podría darle veinte duros, pero tampoco tenía por qué darle más. La Pirula, ahora, vivía como una duquesa, la llamaba todo el mundo señorita, iba bien vestida y tenía un piso con radio. Victorita la vio un día por la calle; en un año que llevaba con ese señor, hay que ver el cambio que había hecho, no parecía la misma mujer, hasta parecía que había crecido y todo. Victorita no pedía tanto...

El guardia Julio García Morrazo habla con el sereno, [9] Gumersindo Vega Calvo, paisano suyo.

—¡Mala noche!

—Las hay peores.

El guardia y el sereno tienen, desde hace ya varios meses, una conversación que les gusta mucho a los dos, una conversación sobre la que vuelven, noche a noche, con un paciente regodeo.

—Entonces, ¿usted dice que es de la parte de Porriño?

—Eso es, de cerca; yo le vengo a ser de Mos [14].

—Pues yo tengo una hermana casada en Salvatierra, que se llama Rosalía.

—¿La del Burelo, el de los clavos?

—Ésa; sí, señor.

—Ésa está muy bien, ¿eh?

—Ya lo creo, ésa casó muy bien.

La señora del entresuelo sigue en sus conjeturas, es una señora algo cotilla.

---

[14]   Los serenos vigilaban la calle de noche y abrían el portal a los vecinos. La mayoría eran de origen asturiano (como el que sale en *Luces de bohemia*) y gallego, como éste, que traduce giros de su lengua: «le vengo a ser de...». Ver más adelante la anotación burlona del narrador: «hablaban en castellano..., para no ser unos pailanes».

—Ahora se junta con el sereno, seguramente le estará pidiendo informes de algún vecino, ¿no te parece?

Don José Sierra seguía leyendo con un estoicismo y una resignación ejemplares.

—Los serenos están siempre muy al tanto de todo, ¿verdad? Cosas que no sabemos los demás, ellos ya están hartos de saberlas.

Don José Sierra acabó de leer un editorial sobre previsión social y se metió con otro que trataba del funcionamiento y de las prerrogativas de las cortes tradicionales españolas [15].

—A lo mejor, en cualquier casa de éstas, hay un masón camuflado. ¡Como no se les conoce por fuera!

Don José Sierra hizo un sonido raro con la garganta, un sonido que tanto podía significar que sí, como que no, como que quizá, como que quién sabe. Don José es un hombre que, a fuerza de tener que aguantar a su mujer, había conseguido llegar a vivir horas enteras, a veces hasta días enteros, sin más que decir, de cuando en cuando, ¡hum!, y al cabo de otro rato, ¡hum!, y así siempre. Era una manera muy discreta de darle a entender a su mujer que era una imbécil, pero sin decírselo claro.

El sereno está contento con la boda de su hermana Rosalía; los Burelos son gente muy considerada en toda la comarca.

—Tiene ya nueve rapaces y está ya del décimo.

—¿Casó hace mucho?

—Sí, hace ya bastante; casó hace ya diez años.

---

[15]   Las Cortes del régimen franquista se inauguraron en marzo de 1943. Proscritos los partidos, los «procuradores» de la cámara lo eran en razón de su cargo, la representación «orgánica» —la familia, el sindicato...— o por designación de Franco.

El guardia tarda en echar la cuenta. El sereno, sin darle tiempo a terminar, vuelve a coger el hilo de la conversación.

—Nosotros somos de más a la parte de la Cañiza, nosotros somos de Covelo. ¿No oyó usted nombrar a los Pelones?

—No, señor.

—Pues ésos somos nosotros.

El guardia Julio García Morrazo se vio en la obligación de corresponder.

—A mí y a mi padre nos dicen los Raposos.

—Ya.

—A nosotros no nos da por tomarlo a mal, todo el mundo nos lo llama.

—Ya.

—El que se cabreaba la mar era mi hermano Telmo, uno que se murió de los tifus, que le llamaban Pito tiñoso.

—Ya. Hay algunas personas que tienen muy mal carácter, ¿verdad, usted?

—¡Huy! ¡Le hay algunos que tienen el demonio en la sangre! Mi hermano Telmo no aguantaba que le diesen una patada.

—Ésos acaban siempre mal.

—Es lo que yo digo.

El guardia y el sereno hablan siempre en castellano; quieren demostrarse, el uno al otro, que no son ningunos pailanes [16].

El guardia Julio García Morrazo, a aquellas horas, empieza a ponerse elegíaco.

—¡Aquél sí que es buen país! ¿Eh?

---

[16]   *pailán:* paleto. Es palabra gallega.

El sereno Gumersindo Vega Calvo es un gallego de los otros, un gallego un poco escéptico y al que da cierto rubor la confesión de la abundancia.

—No es malo.

—¡Qué ha de ser! ¡Allí se vive! ¿Eh?

—¡Ya, ya!

De un bar abierto en la acera de enfrente, salen a la fría calle los compases de un fox [17] lento hecho para ser oído, o bailado, en la intimidad.

Al sereno le llama alguien que llega.

—¡Sereno!

El sereno está como recordando.

—Allí lo que mejor se da son las patatas y el maíz; por la parte de donde somos nosotros también hay vino.

El hombre que llega vuelve a llamarlo, más familiarmente.

—¡Sindo!

—¡Va!

[10]   Al llegar a la boca del metro de Narváez, a pocos pasos de la esquina de Alcalá, Martín se encontró con su amiga la Uruguaya, que iba con un señor. Al principio disimuló, hizo como que no la veía.

—Adiós, Martín, pasmado.

Martín volvió la cabeza, ya no había más remedio.

—Adiós, Trinidad, no te había visto.

—Oye, ven, os voy a presentar.

Martín se acercó.

---

[17] *fox*: es abreviatura de *fox-trot,* un baile o la música de esa clase de baile.

—Aquí, un buen amigo; aquí, Martín, que es escritor.

La Uruguaya es una golfa tirada, sin gracia, sin educación, sin deseos de agradar; una golfa de lo peor, una golfa que, por no ser nada, no es ni cobista; una mujer repugnante, con el cuerpo lleno de granos y de bubones [18], igual, probablemente que el alma; una sota [19] arrastrada que ni tiene conciencia, ni vocación y amor al oficio, ni discreción, ni siquiera —y sería lo menos que se le pudiera pedir— un poco de hermosura. La Uruguaya es una hembra grande y bigotuda, lo que se dice un caballo, que por seis reales sería capaz de vender a su padre y que está enchulada con el chófer de unos marqueses, que la saca hasta el último céntimo y le arrea cada tunda que la desloma. La Uruguaya tiene una lengua como una víbora y la maledicencia le da por rachas. Una temporada le da por hablar mal de los maricas; otra, por meterse con las compañeras; otra, por sacarle el pellejo a tiras a los clientes con quienes acaba de estar, y así con todo lo demás. Ahora con las que la tiene emprendida es con las lesbianas, las tiernas, las amorosas putas del espíritu, dulces, entristecidas, soñadoras y silenciosas como varas de nardo [20].

A la Uruguaya la llaman así porque es de Buenos Aires.

—Éste que ves —le dice al amigo—, aquí donde lo tienes, hace versos. ¡Pero venga, hombre, saludaros, que os he presentado!

Los dos hombres obedecieron y se dieron la mano.

—Mucho gusto, ¿cómo está usted?

---

[18]   *bubón:* tumor grande y con pus, de origen sifilítico, que sale en las ingles.

[19]   *sota:* prostituta.

[20]   Este párrafo, tan tremendo, falta en las siete primeras ediciones.

—Muy bien cenado, muchas gracias.

El hombre que va con la Uruguaya es uno de ésos que se las dan de graciosos.

La pareja empezó a reírse a voces. La Uruguaya tenía los dientes de delante picados y ennegrecidos.

—Oye, tómate un café con nosotros.

Martín se quedó indeciso, pensaba que al otro, a lo mejor, le iba a sentar mal.

—En fin... No me parece...

—Sí, hombre, métase usted aquí con nosotros. ¡Pues no faltaría más!

—Bueno, muchas gracias, sólo un momento.

—¡No tenga usted prisas, hombre, todo el tiempo que quiera! ¡La noche es larga! Quédese usted, a mí me hacen mucha gracia los poetas.

Se sentaron en un café que hay en el chaflán, y el cabrito pidió café y coñac para todos.

—Dígale al cerillero que venga.

—Sí, señor.

Martín se puso enfrente de la pareja. La Uruguaya estaba un poco bebida, no había más que verla.

—Oye, viejito, ándate con ojo con tu amor.

—¿Con mi amor?

—Sí, ya sabes con quién te digo, con la Marujita.

—¿Sí?

—Sí, me parece que no anda nada bien, para mí que las ha enganchado[21].

—¿Tú crees?

—¡Vaya si lo creo! ¡Lo sé de sobras!

Martín puso el gesto algo preocupado.

---

[21]   *las ha enganchado:* le han contagiado una enfermedad venérea.

—¡Pobre chica!

—Sí, ¡menuda lagarta! Y no quiere decir nada, ni estarse una semana en casa. ¡Si doña Jesusa se entera! ¡Pues buena es! La Marujita dice que su madre tiene que comer. ¡Como si los demás viviéramos del aire!

El cerillero se acercó.

—Buenas noches, señor Flores, ya hacía tiempo que no se dejaba usted ver... ¿Va usted a querer algo?

—Sí, danos dos puritos que sean buenos. Oye, Uruguaya, ¿tienes tabaco?

—No, ya me queda poco; cómprame un paquete.

—Dale también un paquete de rubio a ésta.

El bar de Celestino Ortiz está vacío. El bar de Celestino [11] Ortiz es un bar pequeñito, con la portada de color verde oscuro, que se llama Aurora - Vinos y comidas[22]. Comidas, por ahora, no hay. Celestino instalará el servicio de comidas cuando se le arreglen un poco las cosas; no se puede hacer todo en un día.

En el mostrador, el último cliente, un guardia, bebe su ruin copeja de anís.

—Pues eso mismo es lo que yo le digo a usted, a mí que no me vengan con cuentos de la China.

Cuando el guardia se largue, Celestino piensa bajar el cierre, sacar su jergón y echarse a dormir; Celestino es hombre a quien no le gusta trasnochar, prefiere acostarse pronto y hacer vida sana, por lo menos todo lo sana que se pueda.

—¡Pues mire usted que lo que me puede importar a mí!

---

[22]   *Aurora,* por el pasado anarquista del dueño (V. cap. II. n. 36).

Celestino duerme en su bar por dos razones: porque le sale más barato y porque así evita que lo desvalijen la noche menos pensada.

—El mal donde está es más arriba. Ahí, desde luego, no.

Celestino aprendió pronto a hacerse la gran cama, de la que se viene abajo alguna que otra vez, colocando su colchoneta de crin sobre ocho o diez sillas juntas.

—Eso de prender a las estraperlistas del metro, me parece una injusticia. La gente tiene que comer y si no encuentra trabajo, pues ha de apañárselas como pueda. La vida está por las nubes, eso lo sabe usted tan bien como yo, y lo que dan en el suministro no es nada, no llega ni para empezar. No quiero ofender, pero yo creo que el que unas mujeres vendan pitillos o barras[23] no es para que anden ustedes los guardias detrás.

El guardia del anís no era un dialéctico.

—Yo soy un mandado.

—Ya lo sé. Yo sé distinguir, amigo mío.

Cuando el guardia se marcha, Celestino, después de armar el tinglado sobre el que duerme, se acuesta y se pone a leer un rato; le gusta solazarse un poco con la lectura antes de apagar la luz y echarse a dormir. Celestino, en la cama, lo que suele leer son romances y quintillas, a Nietzsche lo deja para por el día. El hombre tiene un verdadero montón y algunos pliegos[24] se los sabe enteros, de pe a pa. Todos son bonitos, pero los que más le gustan a él son los titulados La insurrección en Cuba y Relación de los crímenes que cometieron los dos fieles amantes don

---

[23] *barras* de pan.

[24] Desde el siglo XVI, la literatura popular de romances, coplas y vidas de santos se difundía en *pliegos de cordel,* llamados así porque los cuadernillos colgaban de cuerdas en los puestos de venta.

Jacinto del Castillo y doña Leonor de la Rosa para conseguir sus promesas de amor. Este último es un romance de los clásicos, de los que empiezan como Dios manda:

> *Sagrada Virgen María,*
> *Antorcha del Cielo Empíreo,*
> *Hija del Eterno Padre,*
> *Madre del Supremo Hijo*
> *y del Espíritu Esposa,*
> *pues con virtud, y dominio*
> *en tu vientre virginal*
> *concibió el ser más benigno,*
> *y al cabo de nueve meses,*
> *nació el Autor más divino*
> *para redención del hombre,*
> *de carne humana vestido,*
> *quedando tu intacto Seno*
> *casto, terso, puro y limpio.*

Estos romances antiguos eran sus preferidos. A veces, para justificarse un poco, Celestino se ponía a hablar de la sabiduría del pueblo y de otras monsergas por el estilo. A Celestino también le gustaban mucho las palabras del cabo Pérez ante el piquete:

> *Soldados, ya que mi suerte*
> *me ha puesto en estos apuros,*
> *os regalo cuatro duros*
> *porque me deis buena muerte;*
> *sólo Pérez os advierte*
> *para que apuntéis derecho,*
> *aunque delito no ha hecho*
> *para tal carnicería*
> *que toméis la puntería*
> *dos al cráneo y dos al pecho.*

—¡Vaya tíos! ¡Antes sí que había hombres! —dice Celestino en voz alta, poco antes de apagar la luz.

[12]   Al fondo del semioscuro salón, un violinista melenudo y lleno de literatura toca, apasionadamente, las czardas de Monti [25].

Los clientes beben. Los hombres whisky, las mujeres champán; las que han sido porteras hasta hace quince días, beben pippermint [26]. En el local hay todavía muchas mesas, es aún un poco pronto.

—¡Cómo me gusta esto, Pablo!

—Pues hínchate, Laurita, no tienes otra cosa que hacer.

—Oye, ¿es verdad que esto excita?

[13]   El sereno fue a donde lo llamaban.

—Buenas noches, señorito.

—Hola.

El sereno sacó la llave y empujó la puerta. Después, como sin darle mayor importancia, puso la mano.

—Muchas gracias.

El sereno encendió la luz de la escalera, cerró el portal y se vino, dando golpes con el chuzo contra el suelo, a seguir hablando con el guardia.

—Éste viene todas las noches a estas horas y no se marcha hasta eso de las cuatro. En el ático tiene una señorita que está la mar de bien, se llama la señorita Pirula.

—Así cualquiera.

---

[25]   *czardas* : danza húngara. Franz Liszt compuso varias piezas. El italiano Monti las popularizó para violín.

[26]   *pippermint* o *pipermín:* licor de menta.

La señora del entresuelo no les quita ojo de encima.

—Y de algo hablarán cuando no se separan. Fíjate, cuando el sereno tiene que abrir algún portal, el guardia lo espera.

El marido dejó el periódico.

—¡También tienes tú ganas de ocuparte de lo que no te importa! Estará esperando a alguna criada.

—Sí, claro, así todo lo arreglas en seguida.

El señor que tiene la querida en el ático, se quitó el [14] abrigo y lo dejó sobre el sofá del hall. El hall es muy pequeñito, no tiene más mueble que un sofá de dos y enfrente una repisa de madera, debajo de un espejo de marco dorado.

—¿Qué hay, Pirula?

La señorita Pirula había salido a la puerta en cuanto oyó la llave.

—Nada, Javierchu; para mí, todo lo que hay eres tú.

La señorita Pirula es una chica joven y con aire de ser muy fina y muy educadita, que aún no hace mucho más de un año decía denén, y leñe, y cocretas [27].

De una habitación de dentro, suavemente iluminada por una luz baja, llegaba, discreto, el sonar de la radio: un suave, un lánguido, un confortable fox lento escrito, sin duda, para ser oído y bailado en la intimidad.

—Señorita, ¿usted baila?

—Muchas gracias, caballero, estoy algo cansada, he estado bailando toda la noche.

---

[27] *denén:* gitanismo: es negación enfática, como «ni hablar». *Cocreta:* vulgarismo por croqueta.

La pareja se puso a reír a carcajadas, no unas carcajadas como las de la Uruguaya y el señor Flores, claro es, y después se besó.

—Pirula, eres una chiquilla.

—Y tú un colegial, Javier.

Hasta el cuartito del fondo, la pareja fue abrazada del talle, como si estuvieran paseando por una avenida de acacias en flor.

—¿Un cigarrillo?

El rito es el mismo todas las noches, las palabras que se dicen, poco más o menos, también. La señorita Pirula tiene un instinto conservador muy perspicaz, probablemente hará carrera. Desde luego, por ahora no puede quejarse: Javier la tiene como una reina, la quiere, la respeta...

[15] Victorita no pedía tanto. Victorita no pedía más que comer y seguir queriendo a su novio, si llegaba a curarse alguna vez. Victorita no sentía deseos ningunos de golfear; pero a la fuerza ahorcan. La muchacha no había golfeado jamás, nunca se había acostado con nadie más que con su novio. Victorita tenía fuerza de voluntad y, aunque era cachonda, procuraba resistirse. Con Paco siempre se había portado bien y no lo engañó ni una sola vez.

—A mí me gustáis todos los hombres —le dijo un día, antes de que él se pusiera malo—, por eso no me acuesto más que contigo. Si empezase, iba a ser el cuento de nunca acabar.

La chica estaba colorada y muerta de risa al hacer su confesión, pero al novio no le gustó la broma.

—Si te soy igual yo que otro, haz lo que quieras, puedes hacer lo que te dé la gana.

Una vez, ya durante la enfermedad del novio, la fue siguiendo por la calle un señor muy bien vestido.

—Oiga usted, señorita, ¿adónde va usted tan de prisa?

A la muchacha le gustaron los modales del señor; era un señor fino, con aire elegante, que sabía presentarse.

—Déjeme, que voy a trabajar.

—Pero, mujer, ¿por qué voy a dejarla? Que vaya usted a trabajar me parece muy bien; es señal de que, aunque joven y guapa, es usted decente. Pero, ¿qué mal puede haber en que crucemos unas palabras?

—¡Mientras no sea más que eso!

—¿Y qué más puede ser?

La muchacha sintió que las palabras se le escapaban.

—Podría ser lo que yo quisiese...

El señor bien vestido no se inmutó.

—¡Hombre, claro! Comprenda usted, señorita, que uno tampoco es manco y que hace lo que sabe.

—Y lo que le dejan.

—Bueno, claro, y lo que le dejan.

El señor acompañó a Victorita durante un rato. Poco antes de llegar a la calle de la Madera, Victorita lo despidió.

—Adiós, déjeme ya. Puede vernos cualquiera de la imprenta.

El señor frunció un poquito las cejas.

—¿Trabaja usted en una imprenta de por aquí?

—Sí, ahí en la calle de la Madera. Por eso le decía que me dejase usted, otro día nos veremos.

—Espérate un momento.

El señor, cogiendo la mano de la chica, sonrió.

—¿Tú quieres?

Victorita sonrió también.

—¿Y usted?

El señor la miró fijo a los ojos.

—¿A qué hora sales esta tarde?

Victorita bajó la mirada.

—A las siete. Pero no venga a buscarme, tengo novio.

—¿Y viene a recogerte?

La voz de Victorita se puso un poco triste.

—No, no viene a recogerme. Adiós.

—¿Hasta luego?

—Bueno, como usted quiera, hasta luego.

A las siete, cuando Victorita salió de trabajar en la tipografía El porvenir, se encontró con el señor, que la estaba esperando en la esquina de la calle del Escorial.

—Es sólo un momento, señorita, ya me hago cargo de que tiene que verse con su novio.

A Victorita le extrañó que volviera a tratarla de usted.

—Yo no quisiera ser una sombra en las relaciones entre usted y su novio, comprenda usted que no puedo tener ningún interés.

La pareja fue bajando hasta la calle de San Bernardo. El señor era muy correcto, no la cogía del brazo ni para cruzar las calles.

—Yo me alegro mucho de que usted pueda ser muy feliz con su novio. Si de mí dependiese, usted y su novio se casaban mañana mismo.

Victorita miró de reojo al señor. El señor le hablaba sin mirarla, como si hablase consigo mismo.

—¿Qué más se puede desear, para una persona a la que se aprecia, sino que sea muy feliz?

Victorita iba como en una nube. Era remotamente dichosa, con una dicha vaga, que casi no se sentía, con una dicha que era también un poco triste, un poco lejana e imposible.

—Vamos a meternos aquí, hace frío para andar paseando.

—Bueno.

Victorita y el señor entraron en el café San Bernardo y se sentaron a una mesa del fondo, uno frente al otro.

—¿Qué quiere usted que pidamos?

—Un café calentito.

Cuando el camarero se acercó, el señor le dijo:

—A la señorita tráigale un exprés con leche y un tortel; a mí déme uno solo.

El señor sacó una cajetilla de rubio.

—¿Fuma?

—No, yo no fumo casi nunca.

—¿Qué es casi nunca?

—Bueno, pues que fumo de vez en cuando, en nochebuena...

El señor no insistió, encendió su cigarrillo y guardó la cajetilla.

—Pues sí, señorita, si de mí dependiese, usted y su novio se casaban mañana sin falta.

Victorita lo miró.

—¿Y por qué quiere usted casarnos? ¿Qué saca usted con eso?

—No saco nada, señorita. A mí, como usted comprenderá, ni me va ni me viene con que usted se case o siga soltera. Si se lo decía es porque me figuraba que a usted le agradaría casarse con su novio.

—Pues sí me agradaría. ¿Por qué voy a mentirle?

—Hace usted bien, hablando se entiende la gente. Para lo que yo quiero hablarle a usted, nada importa que sea casada o soltera.

El señor tosió un poquito.

—Estamos en un local público, rodeados de gente y separados por esta mesa.

El señor rozó un poco con sus piernas las rodillas de Victorita.

—¿Puedo hablarle a usted con entera libertad?

—Bueno. Mientras no falte...

—Nunca puede haber falta, señorita, cuando se hablan las cosas claras. Lo que voy a decirle es como un negocio, que puede tomarse o dejarse, aquí no hay compromiso ninguno.

La muchacha estaba un poco perpleja.

—¿Puedo hablarla?

—Sí.

El señor cambió de postura.

—Pues mire usted, señorita, vayamos al grano. Por lo menos, usted me reconocerá que no quiero engañarla, que le presento las cosas tal como son.

El café estaba cargado, hacía calor, y Victorita se echó un poco hacia atrás su abriguillo de algodón.

—El caso es que no sé cómo empezar... Usted me ha impresionado mucho, señorita.

—Ya me figuraba yo lo que quería decirme.

—Me parece que se equivoca usted. No me interrumpa, ya hablará usted al final.

—Bueno, siga.

—Bien. Usted, señorita, le decía, me ha impresionado mucho: sus andares, su cara, sus piernas, su cintura, sus pechos...

—Sí, ya entiendo, todo.

La muchacha sonrió, sólo un momento, con cierto aire de superioridad.

—Exactamente: todo. Pero no sonría usted, le estoy hablando en serio.

El señor volvió a rozarle las rodillas y le cogió una mano que Victorita dejó ir, complaciente, casi con sabiduría.

—Le juro que le estoy hablando completamente en serio. Todo en usted me gusta, me imagino su cuerpo, duro y tibio, de un color suave...

El señor apretó la mano de Victorita.

—No soy rico y poco puedo ofrecerle...

El señor se extrañó de que Victorita no retirase la mano.

—Pero lo que voy a pedirle tampoco es mucho.

El señor tosió otro poquito.

—Yo quisiera verla desnuda, nada más que verla.

Victorita apretó la mano del señor.

—Me tengo que marchar, se me hace tarde.

—Tiene usted razón. Pero contésteme antes. Yo quisiera verla desnuda, le prometo no tocarla a usted ni un dedo, no rozarla ni un pelo de la ropa. Mañana iré a buscarla. Yo sé que usted es una mujer decente, que no es ninguna cocotte [28]... Guárdese usted eso, se lo ruego. Sea cual sea su decisión, acépteme usted esto para comprarse cualquier cosita que le sirva de recuerdo.

Por debajo de la mesa, la muchacha cogió un billete que le dio el señor. No le tembló el pulso al cogerlo.

Victorita se levantó y salió del café. Desde una de las mesas próximas, un hombre la saludó:

—Adiós, Victorita, orgullosa, que desde que te tratas con marqueses, ya no saludas a los pobres.

—Adiós, Pepe.

Pepe era uno de los oficiales de la tipografía El porvenir.

....

Victorita lleva ya mucho rato llorando. En su cabeza, los proyectos se agolpan como la gente a la salida del Metro. Desde irse monja hasta hacer la carrera, todo le parece mejor que seguir aguantando a su madre.

---

[28]   *cocotte:* prostituta. Es palabra francesa.

[16]   Don Roberto levanta la voz.

—¡Petrita! ¡Tráeme el tabaco del bolsillo de la chaqueta!

Su mujer interviene.

—¡Calla, hombre! Vas a despertar a los niños.

—No, ¡qué se van a despertar! Son igual que angelitos, en cuanto cogen el sueño no hay quien los despierte.

—Yo te daré lo que necesites. No llames más a Petrita, la pobre tiene que estar rendida.

—Déjala, éstas ni se dan cuenta. Más motivos para estar rendida tienes tú.

—¡Y más años!

Don Roberto sonríe.

—¡Vamos, Filo, no presumas, todavía no te pesan!

La criada llega a la cocina con el tabaco.

—Tráeme el periódico, está en el recibidor.

—Sí, señorito.

—¡Oye! Ponme un vaso de agua en la mesa de noche.

—Sí, señorito.

Filo vuelve a intervenir.

—Yo te pondré todo, hombre, déjala que se acueste.

—¿Que se acueste? Si ahora le dieses permiso se largaba para no volver hasta las dos o las tres de la mañana, ya lo verías.

—Eso también es verdad...

[17]   La señorita Elvira da vueltas en la cama, está desasosegada, impaciente, y una pesadilla se le va mientras otra le llega. La alcoba de la señorita Elvira huele a ropa usada y a mujer: las mujeres no huelen a perfume, huelen a pescado rancio. La señorita Elvira tiene jadeante y como entrecortado el respirar, y su sueño violento, desapacible, su

sueño de cabeza caliente y panza fría, hace crujir, quejum-
broso, el vetusto colchón.

Un gato negro y medio calvo que sonríe enigmática-
mente, como si fuera una persona, y que tiene en los ojos
un brillo que espanta, se tira, desde una distancia tremenda,
sobre la señorita Elvira. La mujer se defiende a patadas, a
golpes. El gato cae contra los muebles y rebota, como una
pelota de goma, para lanzarse de nuevo encima de la cama.
El gato tiene el vientre abierto y rojo como una granada y
del agujero del culo le sale como una flor venenosa y malo-
liente de mil colores, una flor que parece un plumero de
fuegos artificiales. La señorita Elvira se tapa la cabeza con
la sábana. Dentro de la cama, multitud de enanos se mas-
turban enloquecidos, con los ojos en blanco. El gato se
cuela, como un fantasma, coge del vientre a la señorita Elvira, le lame la barriga y se ríe a grandes carcajadas, unas
carcajadas que sobrecogen el ánimo. La señorita Elvira
está espantada y lo tira fuera de la habitación: tiene que hacer grandes esfuerzos, el gato pesa mucho, parece de hierro. La señorita Elvira procura no aplastar a los enanos. Un
enano le grita «¡Santa María! ¡Santa María!». El gato pasa
por debajo de la puerta, estirando todo el cuerpo como una
hoja de bacalao. Mira siniestramente, como un verdugo. Se
sube a la mesa de noche y fija sus ojos sobre la señorita Elvira con un gesto sanguinario. La señorita Elvira no se
atreve ni a respirar. El gato baja a la almohada y le lame la
boca y los párpados con suavidad, como un baboso. Tiene
la lengua tibia como las ingles y suave, igual que el terciopelo. Le suelta con los dientes las cintas del camisón. El
gato muestra su vientre abierto que late acompasadamente,
como una vena. La flor que le sale por detrás está cada vez
más lozana, más hermosa. El gato tiene una piel suavísima.
Una luz cegadora empieza a inundar la alcoba. El gato

crece hasta hacerse como un tigre delgado. Los enanos siguen meneándosela desesperadamente. A la señorita Elvira le tiembla todo el cuerpo con violencia. Respira con fuerza mientras siente la lengua del gato lamiéndole los labios. El gato sigue estirándose cada vez más. La señorita Elvira se va quedando sin respiración, con la boca seca. Sus muslos se entreabren, un instante cautelosos, descarados después...

La señorita Elvira se despierta de súbito y enciende la luz. Tiene el camisón empapado en sudor. Siente frío, se levanta y se echa el abrigo sobre los pies. Los oídos le zumban un poco y los pezones, como en los buenos tiempos, se le muestran rebeldes, casi altivos.

Se duerme con la luz encendida, la señorita Elvira.

[18]   —¡Pues sí! ¡Qué pasa! Le di tres duros a cuenta, mañana es el cumpleaños de su señora.

El señor Ramón no consigue ponerse lo bastante enérgico; por más esfuerzos que hace, no consigue ponerse lo bastante enérgico.

—¿Que qué pasa? ¡Tú bien lo sabes! ¿No te andas con ojos? ¡Allá tú! Yo siempre te lo tengo dicho, así no salimos de pobres. ¡Mira tú que andar ahorrando para esto!

—Pero, mujer, si se los descuento después. ¿A mí qué más me da! ¡Si se los hubiera regalado!

—Sí, sí, se los descuentas. ¡Menos cuando te olvidas!

—¡Nunca me he olvidado!

—¿No? ¿Y aquellas siete pesetas de la señora Josefa? ¿Dónde están aquellas siete pesetas?

—Mujer, es que necesitaba una medicina. Aun así, ya ves cómo ha quedado.

—¿Y a nosotros, qué se nos da que los demás anden malos? ¿Me quieres decir?

El señor Ramón apagó la colilla con el pie.

—Mira, Paulina, ¿sabes lo que te digo?

—¿Qué?

—Pues que en mis cuartos mando yo, ¿te das cuenta? Yo bien sé lo que me hago y tengamos la fiesta en paz.

La señora Paulina rezongó en voz baja sus últimas razones.

Victorita no consigue dormirse; le asalta el recuerdo de [19] su madre, que es una bestia.

—¿Cuándo dejas a ese tísico, niña?

—Nunca lo dejaré, los tísicos dan más gusto que los borrachos.

Victorita nunca se hubiera atrevido a decirle a su madre nada semejante. Sólo si el novio se pudiera curar... si el novio se pudiera curar, Victorita hubiera sido capaz de hacer cualquier cosa, todo lo que le hubieran pedido.

A vueltas en la cama, Victorita sigue llorando. Lo de su novio se arreglaba con unos duros. Ya es sabido: los tísicos pobres pringan [29]; los tísicos ricos, si no se curan del todo, por lo menos se van bandeando, se van defendiendo. El dinero no es fácil de encontrar, Victorita lo sabe muy bien. Hace falta suerte. Todo lo demás lo puede poner uno, pero la suerte no; la suerte viene si le da la gana, y lo cierto es que no le da la gana casi nunca.

Las treinta mil pesetas que le había ofrecido aquel señor, se perdieron porque el novio de Victorita estaba lleno de escrúpulos.

—No, no, a ese precio no quiero nada, ni treinta mil pesetas, ni treinta mil duros.

---

[29] *pringan:* «la pringan», se mueren.

—¿Y a nosotros, qué más nos da? —le decía la muchacha—. No deja rastro y no se entera nadie.

—¿Tú te atreverías?

—Por ti, sí. Lo sabes de sobra.

El señor de las treinta mil pesetas era un usurero de
quien le habían hablado a Victorita.

—Tres mil pesetas te las presta fácil. Las vas a estar pa-
gando toda la vida, pero te las presta fácil.

Victorita fue a verlo; con tres mil pesetas se hubiera podido casar. El novio aún no estaba malo; cogía sus catarros, tosía, se cansaba, pero aún no estaba malo, aún no
había tenido que meterse en la cama.

—¿De modo, hija, que quieres tres mil pesetas?

—Sí, señor.

—¿Y para qué las quieres?

—Pues ya ve usted, para casarme.

—¡Ah, conque enamorada! ¿Eh?

—Pues, sí...

—¿Y quieres mucho a tu novio?

—Sí, señor.

—¿Mucho, mucho?

—Sí, señor, mucho.

—¿Más que a nadie?

—Sí, señor, más que a nadie.

El usurero dio dos vueltas a su gorrito de terciopelo
verde. Tenía la cabeza picuda, como una pera, y el pelo
descolorido, lacio, pringoso.

—Y tú, hija, ¿estás virgo?

Victorita se puso de mala uva.

—¿Y a usted qué leche le importa?

—Nada, hijita, nada. Ya ves, curiosidad... ¡Caray con
las formas! Oye, ¿sabes que eres bastante mal educada?

—¡Hombre, usted dirá!

El usurero sonrió.

—No, hija, no hay que ponerse así. Después de todo, si tienes o no tienes el virgo en su sitio, eso es cosa tuya y de tu novio.

—Eso pienso yo.

—Pues por eso.

Al usurero le brillaban los ojitos como a una lechuza.

—Oye.

—¿Qué?

—Y si yo te diera, en vez de tres mil pesetas, treinta mil, ¿tú qué harías?

Victorita se puso sofocada.

—Lo que usted me mandase.

—¿Todo lo que yo te mandase?

—Sí, señor, todo.

—¿Todo?

—Todo, sí, señor.

—¿Y tu novio, qué me haría?

—No sé; si quiere, se lo pregunto.

Al usurero le brotaron, en las pálidas mejillas, unas rosetitas de arrebol [30].

—Y tú, rica, ¿sabes lo que yo quiero?

—No, señor, usted dirá.

El usurero tenía un ligero temblorcillo en la voz.

—Oye, sácate las tetitas.

La muchacha se sacó las tetitas por el escote.

—¿Tú sabes lo que son treinta mil pesetas?

—Sí, señor.

—¿Las has visto alguna vez juntas?

—No, señor, nunca.

----

[30] *arrebol:* color rojo.

—Pues yo te las voy a enseñar. Es cuestión de que tú quieras; tú y tu novio.

....

Un aire abyecto voló, torpemente, por la habitación, rebotando de mueble en mueble, como una mariposa moribunda.

—¿Hace?

Victorita sintió que un chorro de desvergüenza le subía a la cara.

—Por mí, sí. Por seis mil duros soy capaz de pasarme toda la vida obedeciéndole a usted. ¡Y más vidas que tuviera!

—¿Y tu novio?

—Ya se lo preguntaré, a ver si quiere.

[20]   El portal de doña María se abre y de él sale una muchachita, casi una niña, que cruza la calle.

—¡Oye, oye! ¡Si parece que ha salido de esta casa!

El guardia Julio García se aparta del sereno, Gumersindo Vega.

—¡Suerte!

—Es lo que hace falta.

El sereno, al quedarse solo, se pone a pensar en el guardia. Después se acuerda de la señorita Pirula. Después, del chuzazo [31] que le arreó en los riñones, el verano pasado, a un lila que andaba propasándose. Al sereno le da la risa.

———————————

[31]   *chuzazo:* golpe dado con el chuzo, el palo acabado en un pincho de hierro que llevaban los serenos

—¡Cómo galopaba el condenado!

Doña María bajó la persiana.

—¡Ay, qué tiempos! ¡Cómo está todo el mundo!

Después se calló unos instantes.

—¿Qué hora es ya?

—Son ya cerca de las doce. Anda, vámonos a dormir, será lo mejor.

—¿Nos vamos a acostar? [21]

—Sí, será lo mejor.

Filo recorre las camas de los hijos, dándoles la bendición. Es, ¿cómo diríamos?, es una precaución que no deja de tomarse todas las noches.

Don Roberto lava su dentadura postiza y la guarda en un vaso de agua que cubre con un papel de retrete, al que da unas vueltecitas rizadas por el borde, como las de los cartuchos de almendras. Después se fuma el último pitillo. A don Roberto le gusta fumarse todas las noches un pitillo, ya en la cama y sin los dientes puestos.

—No me quemes las sábanas.

—No, mujer.

El guardia se acerca a la chica y la coge de un brazo. [22]

—Pensé que no bajabas.

—¡Ya ves!

—¿Por qué has tardado tanto?

—¡Pues mira! Los niños que no se querían dormir. Y después el señorito: ¡Petrita, tráeme agua!, ¡Petrita, tráeme el tabaco del bolsillo de la chaqueta!, ¡Petrita, tráeme el periódico que está en el recibidor! ¡Creí que iba a estar toda la noche pidiéndome cosas!

Petrita y el guardia desaparecen por una bocacalle, camino de los solares de la plaza de toros.

Un vientecillo frío le sube a la muchacha por las piernas tibias.

[23]   Javier y Pirula fuman los dos un solo cigarrillo. Es ya el tercero de la noche.

Están en silencio y se besan, de cuando en cuando, con voluptuosidad, con parsimonia.

Echados sobre el diván, con las caras muy juntas, tienen los ojos entornados mientras se complacen en pensar, vagarosamente, en nada o en casi nada.

Llega el instante en que se dan un beso más largo, más profundo, más desbordado. La muchacha respira hondamente, como quejándose. Javier la coge en el brazo, como a una niña, y la lleva hasta la alcoba.

El lecho tiene la colcha de moaré [32], sobre la que se refleja la silueta de una araña de porcelana, de color violeta clarito, que cuelga del techo. Al lado de la cama arde una estufita eléctrica.

Un airecillo templado le sube a la muchacha por las piernas tibias.

—¿Está eso en la mesa de noche?

—Sí... No hables...

[24]   Desde los solares de la plaza de toros, incómodo refugio de las parejas pobres y llenas de conformidad, como los feroces, los honestísimos amantes del antiguo testamento, se oyen —viejos, renqueantes, desvencijados, con la carroce-

---

[32]   *moaré:* tela de seda.

ría destornillada y los frenos ásperos y violentos— los tranvías que pasan, no muy lejanos, camino de las cocheras.

El solar mañanero de los niños alborotadores, camorris-
tas que andan a pedrada limpia todo el santo día, es, desde
la hora de cerrar los portales, un edén algo sucio donde no
se puede bailar, con suavidad, a los acordes de algún re-
cóndito, casi ignorado aparatito de radio; donde no se
puede fumar el aromático, deleitoso cigarrillo del prelu-
dio; donde no se pueden decir, al oído, fáciles ingeniosida-
des seguras, absolutamente seguras. El solar de los viejos
y las viejas de después de comer, que vienen a alimentarse
de sol, como los lagartos, es, desde la hora en que los niños y los matrimonios cincuentones se acuestan y se ponen a soñar, un paraíso directo donde no caben evasiones
ni subterfugios, donde todo el mundo sabe a lo que va,
donde se ama noblemente, casi con dureza, sobre el suelo
tierno en el que quedan, ¡todavía!, las rayitas que dibujó la
niña que se pasó la mañana saltando a la pata coja, los re-
dondos, los perfectos agujeros que cavó el niño que gastó
avaramente sus horas muertas jugando a las bolas.

—¿Tienes frío, Petrita?

—No, Julio, ¡estoy tan bien a tu lado!

—¿Me quieres mucho?

—Mucho, no lo sabes tú bien.

Martín Marco vaga por la ciudad sin querer irse a la [25]
cama. No lleva encima ni una perra gorda[33] y prefiere esperar a que acabe el metro, a que se escondan los últimos

---

[33] Las *perras* podían ser gordas, o sea, de diez céntimos de peseta,
y chicas, de cinco. La denominación popular surgió porque el león acu-
ñado en una cara fue tomado por una perra.

amarillos y enfermos tranvías de la noche. La ciudad parece más suya, más de los hombres que, como él, marchan sin rumbo fijo con las manos en los vacíos bolsillos —en los bolsillos que, a veces, no están ni calientes—, con la cabeza vacía, con los ojos vacíos, y en el corazón, sin que nadie se lo explique, un vacío profundo e implacable.

Martín Marco sube por Torrijos hasta Diego de León, lentamente, casi olvidadamente, y baja por Príncipe de Vergara, por General Mola [34], hasta la plaza de Salamanca, con el marqués de Salamanca en medio, vestido de levita y rodeado de un jardincillo verde y cuidado con mimo. A Martín Marco le gustan los paseos solitarios, las largas, cansadas caminatas por las calles anchas de la ciudad, por las mismas calles que de día, como por un milagro, se llenan —rebosantes como las tazas de los desayunos honestos— con las voces de los vendedores, los ingenuos y descocados cuplés [35] de las criadas de servir, las bocinas de los automóviles, los llantos de los niños pequeños: tiernos, violentos, urbanos lobeznos amaestrados.

Martín Marco se sienta en un banco de madera y enciende una colilla que lleva envuelta, con otras varias, en un sobre que tiene un membrete que dice: Diputación provincial de Madrid. Negociado de cédulas personales [36].

Los bancos callejeros son como una antología de todos los sinsabores y de casi todas las dichas: el viejo que des-

---

[34]   Príncipe de Vergara era el nombre de la calle hasta que se cambió por General Mola, general que colaboró con Franco en el alzamiento militar de julio de 1936.

[35]   *cuplé:* cancioncilla ligera y pícara («descocada») que se cantaba en cabarés y salas de variedades en el primer tercio del siglo.

[36]   Era un documento de identidad, del tamaño de una cuartilla. Fue sustituido por la carné del DNI en 1944.

cansa su asma, el cura que lee su breviario, el mendigo que se despioja, el albañil que almuerza mano a mano con su mujer, el tísico que se fatiga, el loco de enormes ojos soñadores, el músico callejero que apoya su cornetín sobre las rodillas, cada uno con su pequeñito o grande afán, van dejando sobre las tablas del banco ese aroma cansado de las carnes que no llegan a entender del todo el misterio de la circulación de la sangre. Y la muchacha que reposa las consecuencias de aquel hondo quejido, y la señora que lee un largo novelón de amor, y la ciega que espera a que pasen las horas, y la pequeña mecanógrafa que devora su bocadillo de butifarra y pan de tercera, y la cancerosa que aguanta su dolor, y la tonta de boca entreabierta y dulce babita colgando, y la vendedora de baratijas que apoya la bandeja sobre el regazo, y la niña que lo que más le gusta es ver cómo mean los hombres...

El sobre de las colillas de Martín Marco salió de casa de su hermana. El sobre, bien mirado, es un sobre que ya no sirve para nada más que para llevar colillas, o clavos, o bicarbonato. Hace ya varios meses que quitaron las cédulas personales. Ahora hablan de dar unos carnets de identidad, con fotografía y hasta con las huellas dactilares, pero eso lo más probable es que todavía vaya para largo. Las cosas del Estado marchan con lentitud.

Entonces Celestino, volviéndose hacia la fuerza [37], les [26] dice:

—¡Ánimo, muchachos! ¡Adelante por la victoria! ¡El que tenga miedo que se quede! ¡Conmigo no quiero más

---

[37] *fuerza:* tropas. Recuérdese que este personaje fue comandante del ejército de C. Mera (ver cap. II, n. 34).

que hombres enteros, hombres capaces de dejarse matar por defender una idea!

La fuerza está en silencio, emocionada, pendiente de sus palabras. En los ojos de los soldados se ve el furioso brillo de las ganas de pelear.

—¡Luchamos por una humanidad mejor! ¿Qué importa nuestro sacrificio si sabemos que no ha de ser estéril, si sabemos que nuestros hijos recogerán la cosecha de lo que hoy sembramos?

Sobre las cabezas de la tropa vuela la aviación contraria. Ni uno solo se mueve.

—¡Y a los tanques de nuestros enemigos, opondremos el temple de nuestros corazones!

La fuerza rompe el silencio.

—¡Muy bien!

—¡Y los débiles, y los pusilánimes, y los enfermos, deberán desaparecer!

—¡Muy bien!

—¡Y los explotadores, y los especuladores, y los ricos!

—¡Muy bien!

—¡Y los que juegan con el hambre de la población trabajadora!

—¡Muy bien!

—¡Repartiremos el oro del banco de España!

—¡Muy bien!

—¡Pero para alcanzar la ansiada meta de la victoria final, es preciso nuestro sacrificio en aras de la libertad!

—¡Muy bien!

Celestino estaba más locuaz que nunca.

—¡Adelante, pues, sin desfallecimientos y sin una sola claudicación!

—¡Adelante!

—¡... Luchamos por el pan y por la libertad!

—¡Muy bien!

—¡Y nada más! ¡Que cada cual cumpla con su deber! ¡Adelante!

Celestino, de repente, sintió ganas de hacer una necesidad.

—¡Un momento!

La fuerza se quedó un poco extrañada. Celestino dio una vuelta, tenía la boca seca. La fuerza empezó a desdibujarse, a hacerse un poco confusa...

Celestino Ortiz se levantó de su jergón, encendió la luz del bar, tomó un traguito de sifón y se metió en el retrete.

Laurita ya se tomó su pippermint. Pablo ya se tomó un [27] whisky. El violinista melenudo, probablemente, aún sigue rascando, con un gesto dramático, su violín lleno de czardas sentimentales y de valses vieneses.

Pablo y Laurita están ya solos.

—¿No me dejarás nunca, Pablo?

—Nunca, Laurita.

La muchacha es feliz, incluso muy feliz. Allá en el fondo de su corazón, sin embargo, se levanta como una inconcreta, como una ligera sombra de duda.

La muchacha se desnuda, lentamente, mientras mira al hombre con los ojos tristes, como una colegiala interna.

—¿Nunca, de verdad?

—Nunca, ya lo verás.

La muchacha lleva una combinación blanca, bordada con florecitas de color de rosa.

—¿Me quieres mucho?

—Un horror.

La pareja se besa de pie, ante el espejo del armario. Los

pechos de Laurita se aplastan un poco contra la chaqueta del hombre.

—Me da vergüenza, Pablo.

Pablo se ríe.

—¡Pobrecita!

La muchacha lleva un sostén minúsculo.

—Suéltame aquí.

Pablo le besa la espalda, de arriba abajo.

—¡Ay!

—¿Qué te pasa?

Laurita sonríe, agachando un poco la cabeza.

—¡Qué malo eres!

El hombre la vuelve a besar en la boca.

—Pero, ¿no te gusta?

La muchacha siente hacia Pablo un agradecimiento profundo.

—Sí, Pablo, mucho. Me gusta mucho, muchísimo...

[28]   Martín siente frío y piensa ir a darse una vuelta por los hotelitos de la calle de Alcántara, de la calle de Montesa, de la calle de las Naciones, que es una callejuela corta, llena de misterio, con árboles en las rotas aceras y paseantes pobres y pensativos que se divierten viendo entrar y salir a la gente de las casas de citas, imaginándose lo que pasa dentro, detrás de los muros de sombrío ladrillo rojo.

El espectáculo, incluso para Martín, que lo ve desde dentro, no resulta demasiado divertido, pero se mata el tiempo. Además, de casa en casa, siempre se va cogiendo algo de calor.

Y algo de cariño también. Hay algunas chicas muy simpáticas, las de tres duros; no son muy guapas, ésa es la verdad, pero son muy buenas y muy amables, y tienen un hijo en los agustinos o en los jesuitas, un hijo por el que hacen unos esfuerzos sin límites para que no salga un hijo de puta, un hijo al que van a ver, de vez en cuando, algún domingo por la tarde, con un velito a la cabeza y sin pintar. Las otras, las de postín, son insoportables con sus pretensiones y con su empaque de duquesas; son guapas, bien es cierto, pero también son atravesadas y despóticas, y no tienen ningún hijo en ningún lado. Las putas de lujo abortan y, si no pueden, ahogan a la criatura en cuanto nace, tapándole la cabeza con una almohada y sentándose encima.

Martín va pensando, a veces habla en voz baja.

—No me explico —dice— cómo sigue habiendo criaditas de veinte años ganando doce duros.

Martín se acuerda de Petrita, con sus carnes prietas y su cara lavada, con sus piernas derechas y sus senos levantándole la blusilla o el jersey.

—Es un encanto de criatura, haría carrera y hasta podría ahorrar algunos duros. En fin, mientras siga decente, mejor hace. Lo malo será cuando la tumbe cualquier pescadero o cualquier guardia de seguridad. Entonces será cuando se dé cuenta de que ha estado perdiendo el tiempo. ¡Allá ella!

Martín sale por Lista y al llegar a la esquina de General Pardiñas le dan el alto, le cachean y le piden la documentación.

Martín iba arrastrando los pies, iba haciendo ¡clas! ¡clas! sobre las losas de la acera. Es una cosa que le entretiene mucho...

Don Mario de la Vega se fue pronto a la cama, el hom- [29] bre quería estar descansado al día siguiente, por si salía bien la maniobra que le llevaba doña Ramona.

El hombre que iba a entrar cobrando dieciséis pesetas, no era cuñado de una muchacha que trabajaba de empaquetadora en la tipografía El porvenir, de la calle de la Madera, porque a su hermano Paco le había agarrado la tisis con saña.

—Bueno, muchacho, hasta mañana, ¿eh?

—Adiós, siga usted bien. Hasta mañana y que Dios le dé mucha suerte, le estoy a usted muy agradecido.

—De nada, hombre, de nada. El caso es que sepas trabajar.

—Procuraré, sí, señor.

[30]   Al aire de la noche, Petrita se queja, gozosa, toda la sangre del cuerpo en la cara.

Petrita quiere mucho al guardia, es su primer novio, el hombre que se llevó las primicias [38] por delante. Allí en el pueblo, poco antes de venirse, la chica tuvo un pretendiente, pero la cosa no pasó a mayores.

—¡Ay Julio, ay, ay! ¡Ay, qué daño me haces! ¡Bestia! ¡Cachondo! ¡Ay, ay!

El hombre la muerde en la sonrosada garganta, donde se nota el tibio golpecito de la vida.

Los novios están unos momentos en silencio, sin moverse Petrita parece como pensativa.

—Julio.

—Qué.

—¿Me quieres?

---

[38]   *le llevó las primicias por delante:* la desvirgó.

El sereno de la calle Ibiza se guarece en un portal que [31]
deja entornado por si alguien llama.

El sereno de la calle de Ibiza enciende la luz de la escalera; después se da aliento en los dedos, que le dejan al aire
los mitones de lana, para desentumecerlos. La luz de la escalera se acaba pronto. El hombre se frota las manos y
vuelve a dar la luz. Después saca la petaca y lía un pitillo.

Martín habla suplicante, acobardado, con precipitación. [32]
Martín está tembloroso como una vara verde.

—No llevo documentos, me los he dejado en casa. Yo
soy escritor, yo me llamo Martín Marco.

A Martín le da la tos. Después se ríe.

—¡Je, je! Usted perdone, es que estoy algo acatarrado,
eso es, algo acatarrado, ¡je, je!

A Martín le extraña que el policía no lo reconozca.

—Colaboro en la prensa del Movimiento [39], pueden ustedes preguntar en la vicesecretaría, ahí en Génova. Mi último artículo salió hace unos días en varios periódicos de
provincias, en Odiel, de Huelva; en Proa, de León; en
Ofensiva, de Cuenca. Se llamaba Razones de la perma-
nencia espiritual de Isabel la Católica.

El policía chupa de su cigarrillo.

—Ande, siga. Váyase a dormir, que hace frío.

—Gracias, gracias.

—No hay de qué. Oiga.

Martín creyó morir.

—Qué.

---

[39]   El Movimiento Nacional fue la organización política del régimen
franquista. Controlaba una cadena de periódicos provinciales, entre
ellos los que se citan aquí.

—Y que no se le quite la inspiración.

—Gracias, gracias. Adiós.

Martín aprieta el paso y no vuelve la cabeza, no se atreve. Lleva dentro del cuerpo un miedo espantoso que no se explica.

[33]   Don Roberto, mientras acaba de leer el periódico, acaricia, un poco por cumplido a su mujer, que apoya la cabeza sobre su hombro. A los pies, en este tiempo, siempre se echan un abrigo viejo.

—Mañana qué es, Roberto, ¿un día muy triste o un día muy feliz?

—¡Un día muy feliz, mujer!

Filo sonríe. En uno de los dientes de delante tiene una caries honda, negruzca, redondita.

—Sí, ¡bien mirado!

La mujer, cuando sonríe honestamente, emocionadamente, se olvida de su caries y enseña la dentadura.

—Sí, Roberto, es verdad. ¡Qué día más feliz mañana!

—¡Pues claro, Filo! Y además, ya sabes lo que yo digo, ¡mientras todos tengamos salud!

—Y la tenemos, Roberto, gracias a Dios.

—Sí, lo cierto es que no podemos quejarnos. ¡Cuántos están peor! Nosotros, mal o bien, vamos saliendo. Yo no pido más.

—Ni yo, Roberto. Verdaderamente, muchas gracias tenemos que dar a Dios, ¿no te parece?

Filo está mimosa con su marido. La mujer es muy agradecida; el que le hagan un poco de caso la llena de alegría.

Filo cambia algo la voz.

—Oye, Roberto.

—Qué.

—Deja el periódico, hombre.

—Si tú quieres...

Filo coge a don Roberto de un brazo.

—Oye.

—Qué.

La mujer habla como una novia.

—¿Me quieres mucho?

—¡Pues claro, hijita, naturalmente que mucho! ¡A quién se le ocurre!

—¿Mucho, mucho?

Don Roberto deja caer las palabras como en un sermón; cuando ahueca la voz, para decir algo solemne, parece un orador sagrado.

—¡Mucho más de lo que te imaginas!

Martín va desbocado, el pecho jadeante, las sienes con [34] fuego, la lengua pegada al paladar, la garganta agarrotada, las piernas fláccidas, el vientre como una caja de música con la cuerda rota, los oídos zumbadores, los ojos más miopes que nunca.

Martín trata de pensar, mientras corre. Las ideas se empujan, se golpean, se atropellan, se caen y se levantan dentro de su cabeza, que ahora es grande como un tren, que no se explica por qué no tropieza en las dos filas de casas de la calle.

Martín, en medio del frío, siente en sus carnes un calor sofocante, un calor que casi no le deja respirar, un calor húmedo e incluso quizás amable, un calor unido por mil hilitos invisibles a otros calores llenos de ternura, rebosantes de dulces recuerdos.

—Mi madre, mi madre, son los vahos de eucaliptus, los

vahos de eucaliptus, haz más vahos de eucaliptus, no seas así...

A Martín le duele la frente, le da unos latidos rigurosamente acompasados, secos, fatales.

—¡Ay!

Dos pasos.

—¡Ay!

Dos pasos.

—¡Ay!

Dos pasos.

Martín se lleva la mano a la frente. Está sudando como un becerro, como un gladiador en el circo, como un cerdo en la matanza.

—¡Ay!

Dos pasos más.

Martín empieza a pensar muy de prisa.

—¿De qué tengo yo miedo? ¡Je, je! ¿De qué tengo yo miedo? ¿De qué, de qué? Tenía un diente de oro, ¡Je, je! ¿De qué puedo tener yo miedo? ¿De qué, de qué? A mí me haría bien un diente de oro. ¡Qué lucido! ¡Je, je! ¡Yo no me meto en nada! ¡En nada! ¿Qué me pueden hacer a mí si yo no me meto en nada? ¡Je, je! ¡Qué tío! ¡Vaya un diente de oro! ¿Por qué tengo yo miedo? ¡No gana uno para sustos! ¡Je, je! De repente, ¡zas!, ¡un diente de oro! ¡Alto! ¡Los papeles! Yo no tengo papeles. ¡Je, je! Tampoco tengo un diente de oro. Yo soy Martín Marco. Con diente de oro y sin diente de oro. ¡Je, je! En este país a los escritores no nos conoce ni Dios. Paco, ¡ay, si Paco tuviera un diente de oro! ¡Je, je! Sí, colabora, colabora, no seas bobo, ya darás cuenta, ya... ¡Qué risa! ¡Je, je! ¡Esto es para volverse uno loco! ¡Éste es un mundo de locos! ¡De locos de atar! ¡De locos peligrosos! ¡Je, je! A mi hermana le hacía falta un diente de oro. Si tuviera dinero,

mañana le regalaba un diente de oro a mi hermana. ¡Je, je!
Ni Isabel la Católica, ni la vicesecretaría, ni la permanen-
cia espiritual de nadie. ¿Está claro? ¡Lo que yo quiero es
comer! ¡Comer! ¿Es que hablo en latín? ¡Je, je! ¿O en
chino? Oiga, póngame aquí un diente de oro. Todo el
mundo lo entiende. ¡Je, je! Todo el mundo. ¡Comer! ¿Eh?
¡Y quiero comprarme una cajetilla entera y no fumarme
las colillas del bestia! ¿Eh? ¡Este mundo es una mierda!
¡Aquí todo Dios anda a lo suyo! ¿Eh? ¡Todos! ¡Los que
más gritan se callan en cuanto les dan mil pesetas al mes!
O un diente de oro. ¡Je, je! ¡Y los que andamos por ahí ti-
rados y malcomidos, a dar la cara y a pringar la marrana!
¡Muy bien! ¡Pero que muy bien! Lo que dan ganas es de
mandar todo al cuerno, ¡qué coño!

Martín escupe con fuerza y se para, el cuerpo apoyado
contra la gris pared de una casa. Nada ve claro y hay momentos en los que no sabe si está vivo o muerto.

Martín está rendido.

La alcoba del matrimonio González tiene los muebles de [35]
chapa, un día agresiva y brilladora, hoy ajada y deslucida:
la cama, las dos mesillas de noche, una consolita y el armario. Al armario nunca pudieron ponerle la luna y, en su sitio, la chapa se presenta cruda, desnuda, pálida y delatora.

La lámpara de globos verdes del techo aparece apagada.
La lámpara de globos verdes no tiene bombilla, está de
adorno. La habitación se alumbra con una lamparita sin tulipa [40] que descansa sobre la mesa de noche de don Roberto.

---

[40] *tulipa:* pantallita de vidrio parecida a un tulipán, de forma cerrada.

A la cabecera de la cama, en la pared, un cromo de la Virgen del Perpetuo Socorro, regalo de boda de los compañeros de don Roberto en la diputación, ha presidido ya cinco felices alumbramientos.

Don Roberto deja el periódico.

El matrimonio se besa con cierta pericia. Al cabo de los años, don Roberto y Filo han descubierto un mundo casi ilimitado.

—Oye, Filo, pero, ¿has mirado el calendario?

—¡Qué nos importa a nosotros el calendario, Roberto! ¡Si vieras cómo te quiero! ¡Cada día más!

—Bueno, pero, ¿vamos a hacerlo... así?[41]

—Sí, Roberto, así.

Filo tiene las mejillas sonrosadas, casi arrebatadas.

Don Roberto razona como un filósofo.

—Bueno, después de todo, donde comen cinco cachorros, bien pueden comer seis, ¿no te parece?

—Pues claro que sí, hijo, pues claro que sí. Que Dios nos dé salud y lo demás... pues mira. ¡Si no estamos un poco más anchos, estamos un poco más estrechos y en paz!

Don Roberto se quita las gafas, las mete en el estuche y las pone sobre la mesa de noche, al lado del vaso de agua que tiene dentro, como un misterioso pez, la dentadura postiza.

—No te quites el camisón, te puedes enfriar.

—No me importa, lo que quiero es gustarte.

Filo sonríe, casi con picardía.

—Lo que quiero es gustar mucho a mi maridito...

---

[41] Como estaban prohibidos los anticonceptivos, el método Ogino suponía tener en cuenta los días infértiles, «mirar al calendario» para evitar los embarazos.

Filo, en cueros, tiene todavía cierta hermosura.

—¿Te gusto aún?

—Mucho, cada día me gustas más.

....

—¿Qué te pasa? No pares.

—Me parecía que lloraba un niño.

—No, hija, están dormiditos. Sigue...

Martín saca el pañuelo y se lo pasa por los labios. En [36] una boca de riego, Martín se agacha y bebe. Creyó que iba a estar bebiendo una hora, pero la sed pronto se le acaba. El agua estaba fría, casi helada, con un poco de escarcha por los bordes.

Un sereno se le acerca, toda la cabeza envuelta en una bufanda.

—Conque bebiendo, ¿eh?

—¡Pues, sí! Eso es... Bebiendo un poco...

—¡Vaya nochecita! ¿Eh?

—¡Ya lo creo, una noche de perros!

El sereno se aleja y Martín, a la luz de un farol, busca en su sobre otra colilla en buen uso.

—El policía era un hombre bien amable. Ésa es la verdad. Me pidió la documentación debajo de un farol, se conoce que para que no me asustase. Además me dejó marchar en seguida. Seguramente habrá visto que yo no tengo aire de meterme en nada, que yo soy un hombre poco amigo de meterme en donde no me llaman; esta gente está muy acostumbrada a distinguir. Tenía un diente de oro y llevaba un abrigo magnífico. Sí, no hay duda que debía ser un gran muchacho, un hombre bien amable...

Martín siente como un temblor por todo el cuerpo y nota que el corazón le late, otra vez con más fuerza, dentro del pecho.

—Esto se me quitaba a mí con tres duros.

[37]   El panadero llama a su mujer.

—¡Paulina!

—¡Qué quieres!

—¡Trae la palangana!

—¿Ya estamos?

—Ya. Anda, estáte callada y vente.

—¡Voy, voy! Pues hijo, ¡ni que tuvieras veinte años!

La alcoba de los panaderos es de recia carpintería de saludable nogal macizo, vigoroso y honesto como los amos. En la pared lucen, en sus tres marcos dorados iguales, una reproducción en alpaca de la sagrada cena, una litografía representando una purísima de Murillo [42], y un retrato de boda con la Paulina de velo blanco, sonrisa y traje negro, y el señor Ramón de sombrero flexible, enhiesto mostacho y leontina [43] de oro.

[38]   Martín baja por Alcántara hasta los chalets, tuerce por Ayala y llama al sereno.

—Buenas noches, señorito.

—Hola. No, ésa no.

A la luz de una bombilla se lee Villa Filo. Martín tiene aún vagos, imprecisos, difuminados respetos familiares. Lo que pasó con su hermana... ¡Bien! A lo hecho, pecho, y

---

[42]   *una purísima de...:* una Virgen María de las que pintó Murillo.

[43]   *leontina:* cadena o cinta del reloj de bolsillo.

agua pasada no corre molino. Su hermana no es ningún pendón. El cariño es algo que no se sabe dónde termina. Ni dónde empieza, tampoco. A un perro se le puede querer más que a una madre. Lo de su hermana... ¡Bah! Después de todo, cuando un hombre se calienta no distingue. Ya decía el guardia gallego: carallo teso, non cree en Dios [44]. Los hombres en esto seguimos siendo como los animales.

Las letras donde se lee Villa Filo son negras, toscas, frías, demasiado derechas, sin gracia ninguna.

—Usted perdone, voy a dar la vuelta a Montesa.

—Como usted guste, señorito.

Martín piensa:

—Este sereno es un miserable, los serenos son todos muy miserables, ni sonríen ni se enfurecen jamás sin antes calcularlo. Si supiera que voy sin blanca me hubiera echado a patadas, me hubiera deslomado de un palo.

Ya en la cama, doña María, la señora del entresuelo, habla con su marido. Doña María es una mujer de cuarenta o cuarenta y dos años. Su marido representa tener unos seis años más. [39]

—Oye, Pepe.

—Qué.

—Pues que estás un poco despegado conmigo.

—¡No, mujer!

—Sí, a mí me parece que sí.

—¡Qué cosas tienes!

---

[44] Desde «Ya decía...» falta en las siete primeras ediciones. *Carallo teso...*: carajo —pene— tieso.

Don José Sierra no trata a su mujer ni bien ni mal, la trata como si fuera un mueble al que a veces, por esas manías que uno tiene, se le hablase como a una persona.

—Oye, Pepe.

—Qué.

—¿Quién ganará la guerra?

—¿A ti qué más te da? Anda, déjate ahora de esas cosas y duérmete.

Doña María se pone a mirar para el techo. Al cabo de un rato, vuelve a hablar con su marido.

—Oye, Pepe.

—Qué.

—¿Quieres que coja el pañito?

—Bueno, coge lo que quieras.

[40]   En la calle de Montesa no hay más que empujar la verja del jardín y tocar dentro, con los nudillos, sobre la puerta. Al timbre le falta el botón, y el hierrito que queda suelta, a veces, corriente. Martín ya lo sabía de otras ocasiones.

—¡Hola, doña Jesusa! ¿Cómo está usted?

—Bien, ¿y tú, hijo?

—¡Pues ya ve! Oiga, ¿está la Marujita?

—No, hijo. Esta noche no ha venido, ya me extraña. A lo mejor viene todavía. ¿Quieres esperarla?

—Bueno, la esperaré. ¡Para lo que tengo que hacer!

Doña Jesusa es una mujer gruesa, amable, obsequiosa, con aire de haber sido guapetona, teñida de rubio, muy dispuesta y emprendedora.

—Anda, pasa con nosotras a la cocina, tú eres como de la familia.

—Sí...

Alrededor del hogar donde cuecen varios pucheros de agua, cinco o seis chicas dormitan aburridas y con cara de no estar ni tristes ni contentas.

—¡Qué frío hace!

—Ya, ya. Aquí se está bien, ¿verdad?

—Sí, ¡ya lo creo!, aquí se está muy bien.

Doña Jesusa se acerca a Martín.

—Oye, arrímate al fogón, vienes helado. ¿No tienes abrigo?

—No.

—¡Vaya por Dios!

A Martín no le divierte la caridad. En el fondo, Martín es también un nietzscheano.

—Oiga, doña Jesusa, ¿y la Uruguaya, tampoco está?

—Sí, está ocupada; vino con un señor y con él se encerró, van de dormida.

—¡Vaya!

—Oye, si no es indiscreción, ¿para qué querías a la Marujita, para estar un rato con ella?

—No... Quería darle un recado.

—Anda, no seas bobo. ¿Es que... estás mal de fondos?

Martín Marco sonrió, ya estaba empezando a entrar en calor.

—Mal no, doña Jesusa, ¡peor!

—Tú eres tonto, hijo. ¡A estas alturas no vas a tener confianza conmigo, con lo que yo quería a tu pobre madre, que en gloria esté!

Doña Jesusa dio en el hombro a una de las chicas que se calentaban al fuego, a una muchachita flacucha que estaba leyendo una novela.

—Oye, Pura, vete con éste, ¿no andabas medio mala? Anda, acostaros y no bajes ya. No te preocupes de nada, mañana ya te sacaré yo las castañas del fuego.

Pura, la chica que está medio mala, mira para Martín y sonríe. Pura es una mujer joven, muy mona, delgadita, un poco pálida, ojerosa, con cierto porte de virgen viciosilla.

Martín coge una mano de doña Jesusa.

—Doña Jesusa, muchas gracias, usted siempre tan buena conmigo.

—Calla, mimoso, ya sabes que se te trata como a un hijo.

Tres pisos escaleras arriba y una habitación abuhardillada.

Una cama, un aguamanil[45], un espejito con marco blanco, un perchero y una silla.

Un hombre y una mujer.

Cuando falta el cariño hay que buscar el calor. Pura y Martín echaron sobre la cama toda la ropa, para estar más abrigados. Apagaron la luz y (—No, no. Estáte quieta, muy quieta...) se durmieron en un abrazo, como dos recién casados.

Fuera se oía, de vez en vez, el ¡Va! de los serenos.

A través del tabique de panderete se distinguía el crujir de un somier, disparatado y honesto como el canto de la cigarra.

[41]   La noche se cierra, al filo de la una y media o de las dos de la madrugada, sobre el extraño corazón de la ciudad.

Miles de hombres se duermen abrazados a sus mujeres sin pensar en el duro, en el cruel día que quizás les es-

---

45   *aguamanil:* palangana para lavarse las manos.

pere, agazapados como un gato montés, dentro de tan pocas horas.

Cientos y cientos de bachilleres caen en el íntimo, en el
sublime y delicadísimo vicio solitario.

Y algunas docenas de muchachas esperan —¿qué esperan, Dios mío?, ¿por qué las tienes tan engañadas?— con
la mente llena de dorados sueños...

CAPÍTULO QUINTO

[1]   Hacia las ocho y media de la tarde, o a veces antes, ya suele estar Julita en su casa.

—¡Hola, Julita, hija!

—¡Hola, mamá!

La madre la mira de arriba abajo, boba, orgullosa.

—¿Dónde has estado metida?

La niña deja el sombrero sobre el piano y se esponja la melena ante el espejo. Habla distraídamente, sin mirar a la madre.

—Ya ves, ¡por ahí!

La madre tiene la voz tierna, parece como si quisiese agradar.

—¡Por ahí! ¡Por ahí! Te pasas el día en la calle y después, cuando vienes, no me cuentas nada. A mí, ¡con lo que me gusta saber de tus cosas! A tu madre, que tanto te quiere...

La muchacha se arregla los labios mirándose en el revés de la polvera.

—¿Y papá?

—No sé. ¿Por qué? Se marchó hace ya rato y todavía es pronto para que vuelva. ¿Por qué me lo preguntas?

—No, por nada. Me acordé de él de repente porque lo vi en la calle.

—¡Con lo grande que es Madrid!

Julita sigue hablando.

—¡Ca, es un pañuelo! Lo vi en la calle de Santa Engracia. Yo bajaba de una casa, de hacerme una fotografía.

—No me habías dicho nada.

—Quería sorprenderte... Él iba a la misma casa; por lo visto, tiene un amigo enfermo en la vecindad.

La niña la mira por el espejito. A veces piensa que su madre tiene cara de tonta.

—¡Tampoco me dijo una palabra!

Doña Visi tenía el aire triste.

—A mí nunca me decís nada.

Julita sonríe y se acerca a besar a la madre.

—¡Qué bonita es mi vieja!

Doña Visi la besa, echa la cabeza atrás y enarca las cejas.

—¡Huy! ¡Hueles a tabaco!

Julita frunce la boca.

—Pues no he fumado, ya sabes de sobra que no fumo, que me parece poco femenino.

La madre ensaya un gesto severo.

—Entonces... ¿Te habrán besado?

—Por Dios, mamá, ¿por quién me tomas?

La mujer, la pobre mujer, coge a la hija de las dos manos.

—Perdóname, hijita, ¡es verdad! ¡Qué tonterías digo!

Se queda pensativa unos instantes y habla muy quedo, como consigo misma:

—Es que a una todo se le imagina peligro para su hijita mayor...

Julita deja escapar dos lágrimas.

—¡Es que dices unas cosas!

La madre sonríe, un poco a la fuerza, y acaricia el pelo de la muchacha.

—Anda, no seas chiquilla, no me hagas caso. Te lo decía de broma.

Julita está abstraída, parece que no oye.

—Mamá...

—¿Qué?

[2]   Don Pablo piensa que los sobrinos de su mujer le han venido a hacer la pascua, le han estropeado la tarde. A estas horas, estaba ya todos los días en el café de doña Rosa, tomándose su chocolate.

Los sobrinos de su mujer se llaman Anita y Fidel. Anita es hija de un hermano de doña Pura, empleado del ayuntamiento de Zaragoza, que tiene una cruz de beneficencia [1] porque una vez sacó del Ebro a una señora que resultó prima del presidente de la diputación. Fidel es su marido, un chico que tiene una confitería en Huesca. Están pasando unos días en Madrid, en viaje de novios.

Fidel es un muchacho joven que lleva bigotito y una corbata verde claro. De adolescente tuvo algún trastorno en su organismo, más bien unas purgaciones [2], por andarse de picos pardos sin ser ni listo ni limpio. La verdad es que tampoco tuvo demasiada suerte. Se lo guardó todo bien callado, para que no tomaran aprensión los clientes de la confitería, y se las fue curando poco a poco con sales de mercurio en el retrete del casino. Por aquellas fechas, al ver las tiernas cañas de hojaldre rellenas de untuosa, ama-

---

[1]   Una condecoración.

[2]   *purgaciones:* flujo por inflamación de la uretra.

rillita crema, sentía unas náuseas que casi no podía contener. En Zaragoza ganó, seis o siete meses atrás, un concurso de tangos, y aquella misma noche le presentaron a la chica que ahora es su mujer.

El padre de Fidel, pastelero también, había sido un tío muy bruto que se purgaba con arena y que no hablaba más que de las joticas y de la Virgen del Pilar. Presumía de culto y emprendedor y usaba dos clases de tarjetas, unas que decían Joaquín Bustamante —Del comercio, y otras, en letra gótica, donde se leía: Joaquín Bustamante Valls— Autor del proyecto Hay que doblar la producción agrícola en España. A su muerte dejó una cantidad tremenda de papeles de barba llenos de números y de planos; quería duplicar las cosechas con un sistema de su invención: unas tremendas pilas de terrazas rellenas de tierra fértil, que recibirían el agua por unos pozos artesianos y el sol por un juego de espejos.

El padre de Fidel cambió de nombre a la pastelería cuando la heredó de su hermano mayor, muerto en el 98 en Filipinas. Antes se llamaba La endulzadora, pero le pareció el nombre poco significativo y le puso Al solar de nuestros mayores. Estuvo más de medio año buscando título y al final tenía apuntados lo menos trescientos, casi todos por el estilo.

Durante la república y aprovechando que el padre se murió, Fidel volvió a cambiar el nombre de la pastelería y le puso El sorbete de oro.

—Las confiterías no tienen por qué tener nombres políticos —decía.

Fidel, con una rara intuición, asociaba la marca Al solar de nuestros mayores con determinadas tendencias del pensamiento.

—Lo que tenemos es que colocar a quien sea los bollos

suizos y los petisús [3]. Con las mismas pesetas nos pagan los republicanos que los carlistas.

Los chicos, ya sabéis, han venido a Madrid a pasar la luna de miel y se han creído en la obligación de hacer una larga visita a los tíos. Don Pablo no sabe cómo sacárselos de encima.

—De modo que os gusta Madrid, ¿eh?

—Pues sí...

Don Pablo deja pasar unos instantes para decir:

—¡Bueno!

Doña Pura está pasada. La pareja, sin embargo, no parece entender demasiado.

[3]   Victorita se fue a la calle Fuencarral, a la lechería de doña Ramona Bragado, la antigua querida de aquel señor que fue dos veces subsecretario de hacienda.

—¡Hola, Victorita! ¡Qué alegría más grande me das!

—Hola, doña Ramona.

Doña Ramona sonríe, meliflua, obsequiosa.

—¡Ya sabía yo que mi niña no había de faltar a la cita!

Victorita intentó sonreír también.

—Sí, se ve que está usted muy acostumbrada.

—¿Qué dices?

—Pues ya ve, ¡nada!

—¡Ay, hija, qué suspicaz!

Victorita se quitó el abrigo, llevaba el escote de la blusa desabrochado y tenía en los ojos una mirada extraña, no se sabría bien si suplicante, humillada o cruel.

—¿Estoy bien así?

---

[3]   *petisús:* pasteles

—Pero, hija, ¿qué te pasa?

—Nada, no me pasa nada.

Doña Ramona, mirando para otro lado, intentó sacar a flote sus viejas mañas de componedora.

—¡Anda, anda! No seas chiquilla. Anda, entra ahí a jugar a las cartas con mis sobrinas.

Victorita se plantó.

—No, doña Ramona. No tengo tiempo. Me espera mi novio. A mí, ¿sabe usted?, ya me revienta andar dándole vueltas al asunto, como un borrico de noria. Mire usted, a usted y a mí lo que nos interesa es ir al grano, ¿me entiende?

—No, hija, no te entiendo.

Victorita tenía el pelo algo revuelto.

—Pues se lo voy a decir más claro: ¿dónde está el cabrito?

Doña Ramona se espantó.

—¿Eh?

—¡Que dónde está el cabrito! ¿Me entiende? ¡Que dónde está el tío!

—¡Ay, hija, tú eres una golfa!

—Bueno, yo soy lo que usted quiera, a mí no me importa. Yo tengo que tirarme a un hombre para comprarle unas medicinas a otro. ¡Venga el tío!

—Pero, hija, ¿por qué hablas así?

Victorita levantó la voz.

—¡Pues porque no me da la gana de hablar de otra manera, tía alcahueta! ¿Se entera? ¡Porque no me da la gana!

Las sobrinas de doña Ramona se asomaron al oír las voces. Por detrás de ellas sacó la jeta don Mario.

—¿Qué pasa, tía?

—¡Ay! ¡Esta mala pécora, desagradecida, que quiso pegarme!

Victorita estaba completamente serena. Poco antes de hacer alguna barbaridad, todo el mundo está completamente sereno. O poco antes, también, de decidirse a no hacerla.

—Mire usted, señora, ya volveré otro día, cuando tenga menos clientas.

La muchacha abrió la puerta y salió. Antes de llegar a la esquina la alcanzó don Mario. El hombre se llevó la mano al sombrero.

—Señorita, usted perdone. Me parece, ¡para qué nos vamos a andar con rodeos!, que yo soy un poco el culpable de todo esto. Yo...

Victorita le interrumpió:

—¡Hombre, me alegro de conocerlo! ¡Aquí me tiene! ¿No me andaba buscando? Le juro a usted que jamás me he acostado con nadie más que con mi novio. Hace tres meses, cerca de cuatro, que no sé lo que es un hombre. Yo quiero mucho a mi novio. A usted nunca lo querré, pero en cuanto usted me pague me voy a la cama. Estoy muy harta. Mi novio se salva con unos duros. No me importa ponerle los cuernos. Lo que me importa es sacarlo adelante. Si usted me lo cura, yo me lío con usted hasta que usted se harte.

La voz de la muchacha ya venía temblando. Al final se echó a llorar.

—Usted dispense...

Don Mario, que era un atravesado con algunas venas de sentimental, tenía un nudo pequeñito en la garganta.

—¡Cálmese, señorita! Vamos a tomar un café, eso le sentará bien.

En el café, don Mario le dijo a Victorita:

—Yo te daría dinero para que se lo lleves a tu novio, pero, hagamos lo que hagamos, él se va a creer lo que le dé la gana, ¿no te parece?

—Sí, que se crea lo que quiera. Ande, lléveme usted a la cama.

Julita, abstraída, parece no oír, parece como si estuviera [4] en la luna.

—Mamá...

—Qué

—Tengo que hacerte una confesión.

—¿Tú? ¡Ay, hijita, no me hagas reír!

—No, mamá, te lo digo en serio, tengo que hacerte una confesión.

A la madre le tiemblan los labios un poquito, habría que fijarse mucho para verlo.

—Di, hija, di.

—Pues... No sé si me voy a atrever.

—Sí, hija, di, no seas cruel. Piensa en lo que se dice, que una madre es siempre una amiga, una confidente para su hija.

—Bueno, si es así...

—A ver, di.

—Mamá...

—Qué.

Julita tuvo un momento de arranque.

—¿Sabes por qué huelo a tabaco?

—¿Por qué?

La madre está anhelante, se la hubiera ahogado con un pelo.

—Pues porque he estado muy cerca de un hombre y ese hombre estaba fumando un puro.

Doña Visi respiró. Su conciencia, sin embargo, le seguía exigiendo seriedad.

—¿Tú?

—Sí, yo.

—Pero...

—No, mamá, no temas. Es muy bueno.

La muchacha toma una actitud soñadora, parece una poetisa.

—¡Muy bueno, muy bueno!

—¿Y decente, hija mía, que es lo principal?

—Sí, mamá, también decente.

Ese último gusanito adormecido del deseo que aun en los viejos existe, cambió de postura en el corazón de doña Visi.

—Bueno, hijita, yo no sé qué decirte. Que Dios te bendiga...

A Julita le temblaron un poco los párpados, tan poco que no hubiera habido reló capaz de medirlo.

—Gracias, mamá.

....

Al día siguiente, doña Visi estaba cosiendo cuando llamaron a la puerta, a eso de la una de la tarde.

—¡Tica, ve a abrir!

Escolástica, la vieja y sucia criada a quien todos llaman Tica, para acabar antes, fue a abrir la puerta de la calle.

—Señora, un certificado.

—¿Un certificado?

—Sí.

—¡Huy, qué raro!

Doña Visi firmó en el cuadernito del cartero.

—Toma, dale una perra.

El sobre del certificado dice: Señorita Julia Moisés, calle de Hartzenbusch, 57, Madrid.

—¿Qué será? Parece cartón.

Doña Visi mira al trasluz, no se ve nada.

—¡Qué curiosidad tengo! Un certificado para la niña, ¡qué cosa más rara!

Doña Visi piensa que Julita ya no puede tardar mucho, que pronto ha de salir de dudas. Doña Visi sigue cosiendo.

—¿Qué podrá ser?

Doña Visi vuelve a coger el sobre, color paja y algo más grande que los corrientes, vuelve a mirarlo por todas partes, vuelve a palparlo.

—¡Qué tonta soy! ¡Una foto! ¡La foto de la chica! ¡También es rapidez!

Doña Visi rasga el sobre y un señor de bigote cae sobre el costurero.

—¡Caray, qué tío!

Por más que lo mira y por más vueltas que le da...

El señor del bigote se llamó en vida don Obdulio. Doña Visi lo ignoraba, doña Visi ignora casi todo lo que pasa en el mundo.

—¿Quién será este tío?

Cuando Julita llega, la madre le sale al paso.

—Mira, Julita, hija, has tenido una carta. La he abierto porque vi que era una foto, pensé que sería la tuya. ¡Tengo tantas ganas de verla!

Julita torció el gesto. Julita era, a veces, un poco déspota con su madre.

—¿Dónde está?

—Tómala, yo creo que debe ser una broma.

Julita ve la foto y se queda blanca.

—Sí, una broma de muy mal gusto.

La madre, a cada instante que transcurre, entiende menos lo que pasa.

—¿Lo conoces?

—No, ¿de qué lo voy a conocer?

Julita guarda la foto de don Obdulio y un papel que la

acompañaba donde, con torpe letra de criada, se leía: ¿Conoces a éste, chata?

....

Cuando Julita ve a su novio, le dice:

—Mira lo que he recibido por correo.

—¡El muerto!

—Sí, el muerto.

Ventura está un momento callado, con cara de conspirador.

—Dámela, ya sé yo lo que hacer con ella.

—Tómala.

Ventura aprieta un poco el brazo de Julita.

—Oye, ¿sabes lo que te digo?

—Qué

—Pues que va a ser mejor cambiar de nido, buscar otra covacha, todo esto ya me está dando mala espina.

—Sí, a mí también. Ayer me encontré a mi padre en la escalera.

—¿Te vio?

—¡Pues claro!

—¿Y qué le dijiste?

—Nada, que venía de sacarme una foto.

Ventura está pensativo.

—¿Has notado algo en tu casa?

—No, nada, por ahora no he notado nada.

....

Poco antes de verse con Julita, Ventura se encontró a doña Celia en la calle de Luchana.

—¡Adiós, doña Celia!

—¡Adiós, señor Aguado! Hombre, a propósito, ni que me lo hubieran puesto a usted en el camino. Me alegro de haberlo encontrado, tenía algo bastante importante que decirle.

—¿A mí?

—Sí, algo que le interesa. Yo pierdo un buen cliente, pero, ya sabe usted, a la fuerza ahorcan, no hay más remedio. Tengo que decírselo a usted, yo no quiero líos: ándense con ojo usted y su novia, por casa va el padre de la chica.

—¿Sí?

—Como lo oye.

—Pero...

—Nada, se lo digo yo, ¡como lo oye!

—Sí, sí, bueno... ¡Muchas gracias!

....

La gente ya ha cenado.

Ventura acaba de redactar su breve carta, ahora está poniendo el sobre: Sr. D. Roque Moisés, calle de Hartzenbusch, 57, Interior.

La carta, escrita a máquina, dice así:

Muy señor mío: Ahí le mando la foto que en el valle de Josafat [4] podrá hablar contra usted. Ándese con tiento y no juegue, pudiera ser peligroso. Cien ojos le espían y más de una mano no titubearía en apretarle el pescuezo. Guárdese, ya sabemos por quiénes votó usted en el 36 [5].

---

[4] En ese valle se celebrará el Juicio Final.

[5] Se entiende: votó a las izquierdas, que, unidas en el Frente Popular, ganaron las elecciones. El anónimo es una amenaza y da idea del clima de represión en la posguerra.

La carta iba sin firma.

Cuando don Roque la reciba, se quedará sin aliento. A don Obdulio no lo podrá recordar, pero la carta, a no dudarlo, le encogerá el ánimo.

—Esto debe ser obra de los masones —pensará—; tiene todas las características, la foto no es más que para despistar. ¿Quién será este desgraciado con cara de muerto de hace treinta años?

[5]   Doña Asunción, la mamá de la Paquita, contaba lo de la suerte que había tenido su niña, a doña Juana Entrena, viuda de Sisemón, la pensionista vecina de don Ibrahím y de la pobre doña Margot.

Doña Juana Entrena, para compensar, daba a doña Asunción toda clase de detalles sobre la trágica muerte de la mamá del señor Suárez, por mal nombre la Fotógrafa.

Doña Asunción y doña Juana eran ya casi viejas amigas, se habían conocido cuando las evacuaron a Valencia, durante la guerra civil, a las dos en la misma camioneta[6].

—¡Ay, hija, sí! ¡Estoy encantada! Cuando recibí la noticia de que la señora del novio de mi Paquita la había pringado, creí enloquecer. Que Dios me perdone, yo no he deseado nunca mal a nadie, pero esa mujer era la sombra que oscurecía la felicidad de mi hija.

Doña Juana, con la vista clavada en el suelo, reanudó su tema: el asesinato de doña Margot.

—¡Con una toalla! ¿Usted cree que hay derecho? ¡Con una toalla! ¡Qué falta de consideración para una ancia-

---

[6]   Sitiada Madrid por las tropas de Franco, el gobierno de la República se trasladó a Valencia en noviembre del 1936. Niños y ancianos fueron también evacuados.

nita! El criminal la ahorcó con una toalla como si fuera un pollo. En la mano le puso una flor. La pobre se quedó con los ojos abiertos, según dicen parecía una lechuza, yo no tuve valor para verla; a mí estas cosas me impresionan mucho. Yo no quisiera equivocarme, pero a mí me da al olfato que su niño debe andar mezclado en todo esto. El hijo de doña Margot, que en paz descanse, era mariquita, ¿sabe usted?, andaba en muy malas compañías. Mi pobre marido siempre lo decía: quien mal anda, mal acaba.

El difunto marido de doña Juana, don Gonzalo Sisemón, había acabado sus días en un prostíbulo de tercera clase, una tarde que le falló el corazón. Sus amigos lo tuvieron que traer en un taxi, por la noche, para evitar complicaciones. A doña Juana le dijeron que se había muerto en la cola de Jesús de Medinaceli [7], y doña Juana se lo creyó. El cadáver de don Gonzalo venía sin tirantes, pero doña Juana no cayó en el detalle.

—¡Pobre Gonzalo! —decía—, ¡pobre Gonzalo! ¡Lo único que me reconforta es pensar que se ha ido derechito al cielo, que a estas horas estará mucho mejor que nosotros! ¡Pobre Gonzalo!

Doña Asunción, como quien oye llover, sigue con lo de la Paquita.

—¡Ahora, si Dios quisiera que se quedase embarazada! ¡Eso sí que sería suerte! Su novio es un señor muy considerado por todo el mundo, no es ningún pelagatos, que es todo un catedrático. Yo he ofrecido ir a pie al cerro de los ángeles [8] si la niña se queda en estado. ¿No cree usted que

---

[7] Los primeros viernes de cada mes se forman colas para venerar el Cristo de la iglesia de Medinaceli.

[8] En el cerro de los Ángeles, cerca de Getafe, centro geográfico de la península, hay un monumento al Sagrado Corazón de Jesús.

hago bien? Yo pienso que, por la felicidad de una hija, todo sacrificio es poco, ¿no le parece? ¡Qué alegría se habrá llevado la Paquita al ver que su novio está libre!

[6]   A las cinco y cuarto o cinco y media, don Francisco llega a su casa, a pasar la consulta. En la sala de espera hay ya siempre algunos enfermos aguardando con cara de circunstancias y en silencio. A don Francisco le acompaña su yerno, con quien reparte el trabajo.

Don Francisco tiene abierto un consultorio popular, que le deja sus buenas pesetas todos los meses. Ocupando los cuatro balcones de la calle, el consultorio de don Francisco exhibe un rótulo llamativo que dice: Instituto Pasteur-Koch. Director-propietario, Dr. Francisco Robles. Tuberculosis, pulmón y corazón. Rayos X. Piel, venéreas, sífilis. Tratamientos de hemorroides por electrocoagulación. Consulta, 5 ptas. Los enfermos pobres de la glorieta de Quevedo, de Bravo Murillo, de San Bernardo, de Fuencarral, tienen una gran fe en don Francisco.

—Es un sabio —dicen—, un verdadero sabio, un médico con mucho ojo y mucha práctica.

Don Francisco les suele atajar.

—No sólo con fe se curará, amigo mío —les dice cariñosamente, poniendo la voz un poco confidencial—, la fe sin obras es fe muerta, una fe que no sirve para nada. Hace falta también que pongan ustedes algo de su parte, hace falta obediencia y asiduidad, ¡mucha asiduidad!, no abandonarse y no dejar de venir por aquí en cuanto se nota una ligera mejoría... ¡Encontrarse bien no es estar curado, ni mucho menos! ¡Desgraciadamente, los virus que producen las enfermedades son tan taimados como traidores y alevosos!

Don Francisco es un poco tramposillo, el hombre tiene a sus espaldas un familión tremendo.

A los enfermos que, llenos de timidez y de distingos, le preguntan por las sulfamidas[9], don Francisco los disuade casi displicente. Don Francisco asiste, con el corazón encogido, al progreso de la farmacopea[10].

—Día llegará —piensa— en que los médicos estaremos de más, en que en las boticas habrá unas listas de píldoras y los enfermos se recetarán solos.

Cuando le hablan, decimos, de las sulfamidas, don Francisco suele responder:

—Haga usted lo que quiera, pero no vuelva por aquí. Yo no me encargo de vigilar la salud de un hombre que voluntariamente se debilita la sangre.

Las palabras de don Francisco suelen hacer un gran efecto.

—No, no, lo que usted mande, yo sólo haré lo que usted mande.

En la casa, en una habitación interior, doña Soledad, su señora, repasa calcetines mientras deja vagar la imaginación, una imaginación torpe, corta y maternal como el vuelo de una gallina. Doña Soledad no es feliz, puso toda su vida en los hijos, pero los hijos no han sabido, o no han querido, hacerla feliz. Once le nacieron y once le viven, casi todos lejos, alguno perdido. Las dos mayores, Soledad y Piedad, se fueron monjas hace ya mucho tiempo, cuando cayó Primo de Rivera[11]; aún hace unos meses, desde el convento, tiraron también de María Auxiliadora, una de las

---

[9] Las sulfamidas, cuyo empleo se generalizó durante la segunda guerra mundial, fueron un medicamento muy eficaz.

[10] *farmacopea:* tratado de las sustancias medicinales.

[11] Dimitió el 30 de enero de 1930.

pequeñas. El mayor de los dos únicos varones, Francisco, el tercero de los hijos, fue siempre el ojito derecho de la señora, ahora está de médico militar en Carabanchel [12], algunas noches viene a dormir a casa. Amparo y Asunción son las dos únicas casadas. Amparo con el ayudante del padre, don Emilio Rodríguez Ronda; Asunción con don Fadrique Méndez, que es practicante en Guadalajara, hombre trabajador y mañoso que lo mismo sirve para un roto que para un descosido, que lo mismo pone unas inyecciones a un niño o unas lavativas a una vieja de buena posición, que arregla una radio o pone un parche a una bolsa de goma. La pobre Amparo ni tiene hijos ni podrá ya tenerlos, anda siempre mal de salud, siempre a vueltas con sus arrechuchos y sus goteras; tuvo primero un aborto, después una larga serie de trastornos, y hubo que acabar al final por extirparle los ovarios y sacarle fuera todo lo que le estorbaba, que debía ser bastante. Asunción, en cambio, es más fuerte y tiene tres hijos que son tres soles: Pilarín, Fadrique y Saturnino; la mayorcita ya va al colegio, ya ha cumplido los cinco años.

Después, en la familia de don Francisco y doña Soledad, viene Trini, soltera, feúcha, que buscó unos cuartos y puso una mercería en la calle de Apodaca.

El local es pequeñito, pero limpio y atendido con esmero. Tiene un escaparate minúsculo, en el que se muestran madejas de lana, confecciones para niños y medias de seda, y un letrero pintado de azul claro, donde con letra picuda se lee Trini, y debajo y más pequeño, Mercería. Un chico de la vecindad que es poeta y que mira a la mucha-

---

[12]   En el barrio de Carabanchel hay un hospital militar.

cha con una ternura profunda, trata en vano de explicar a
su familia, a la hora de la comida:

—Vosotros no os dais cuenta, pero a mí estas tiendas
pequeñitas o recoletas que se llaman Trini, ¡me producen
una nostalgia!

—Este chico es tonto —asegura el padre—, el día que
yo desaparezca no sé lo que va a ser de él.

El poeta de la vecindad es un jovencito melenudo, pálido, que está siempre evadido, sin darse cuenta de nada,
para que no se le escape la inspiración, que es algo así
como una mariposita ciega y sorda pero llena de luz, una
mariposita que vuela al buen tuntún, a veces dándose
contra las paredes, a veces más alta que las estrellas. El
poeta de la vecindad tiene dos rosetones en las mejillas.
El poeta de la vecindad, en algunas ocasiones, cuando
está en vena, se desmaya en los cafés y tienen que llevarlo al retrete, a que se despeje un poco con el olor del desinfectante, que duerme en su jaulita de alambre, como un
grillo.

Detrás de Trini viene Nati, la compañera de facultad de
Martín, una chica que anda muy bien vestida, quizás demasiado bien vestida, y después María Auxiliadora, la que
se fue monja con las dos mayores hace poco. Cierran la
serie de los hijos tres calamidades: los tres pequeños. Socorrito se escapó con un amigo de su hermano Paco,
Bartolomé Anguera, que es pintor; llevan una vida de bohemios en un estudio de la calle de los Caños, donde se
tienen que helar de frío, donde el día menos pensado van
a amanecer tiesos como sorbetes [13]. La chica asegura a
sus amigas que es feliz, que todo lo da por bien empleado

---

[13]   *quedarse como un sorbete:* quedarse aterido, pasar mucho frío.

con tal de estar al lado de Bartolo, de ayudarle a hacer su
Obra. Lo de Obra lo dice con un énfasis tremendo de letra mayúscula, con un énfasis de jurado de las exposicio-
nes nacionales.

—En las Nacionales no hay criterio —dice Socorrito—, no saben por dónde se andan. Pero es igual, tarde o
temprano no tendrán más remedio que medallar a mi
Bartolo.

En la casa hubo un disgusto muy serio con la marcha
de Socorrito.

—¡Si por lo menos se hubiera ido de Madrid! —decía
su hermano Paco, que tenía un concepto geográfico del
honor.

La otra, María Angustias, al poco tiempo empezó con
que quería dedicarse al cante y se puso de nombre Carmen del Oro. Pensó también en llamarse Rosario Giralda
y Esperanza de Granada, pero un amigo suyo, periodista,
le dijo que no, que el nombre más a propósito era Carmen
del Oro. En ésas andábamos cuando, sin dar tiempo a la
madre a reponerse de lo de Socorrito, María Angustias se
lió la manta a la cabeza y se largó con un banquero de
Murcia que se llamaba don Estanislao Ramírez. La pobre
madre se quedó tan seca que ya ni lloraba.

El pequeño, Juan Ramón, salió de la serie B y se pasaba
el día mirándose al espejo y dándose cremas en la cara.

A eso de las siete, entre dos enfermos, don Francisco
sale al teléfono. Casi no se oye lo que habla.

—¿Va a estar usted en su casa?

—...

—Bien, yo iré por allí a eso de las nueve.

—...

—No, no llame a nadie.

La muchacha parece estar en trance, el ademán soña- [7]
dor, la mirada perdida, en los labios la sonrisa de la felicidad.

—Es muy bueno, mamá, muy bueno, muy bueno. Me
cogió una mano, me miró fijo a los ojos...

—¿Nada más?

—Sí. Se me acercó mucho y dijo: Julita, mi corazón
arde de pasión, yo ya no puedo vivir sin ti, si me despre-
cias mi vida ya no tendrá objeto, será como un cuerpo que
flota, sin rumbo a merced del destino.

Doña Visi sonríe emocionada.

—Igual que tu padre, hija mía, igual que tu padre.

Doña Visi entorna la mirada y se queda beatíficamente
pensativa, dulce y quizás algo tristemente descansada.

—Claro... El tiempo pasa... ¡Me estás haciendo vieja,
Julita!

Doña Visi está unos segundos en silencio. Después se
lleva el pañuelo a los ojos y se seca dos lágrimas que asomaban tímidas.

—¡Pero, mamá!

—No es nada, hijita; la emoción. ¡Pensar que algún día
llegarás a ser de algún hombre! Pidamos a Dios, hijita
mía, para que te depare un buen marido, para que haga
que llegues a ser la esposa del hombre que te mereces.

—Sí, mamá.

—Y cuídate mucho, Julita, ¡por el amor de Dios! No le
des confianza ninguna, te lo suplico. Los hombres son
taimados y van a lo suyo, no te fíes jamás de buenas
palabras. No olvides que los hombres se divierten con las
frescas, pero al final se casan con las decentes.

—Sí, mamá.

—Claro que sí, hijita. Y conserva lo que conservé yo
durante veintitrés años para que se lo llevase tu padre. ¡Es

lo único que las mujeres honestas y sin fortuna podemos ofrecerle a nuestros maridos!

Doña Visi está hecha un mar de lágrimas. Julita trata de consolarla.

—Descuida, mamá.

[8]   En el café, doña Rosa sigue explicándole a la señorita Elvira que tiene el vientre suelto, que se pasó la noche yendo y viniendo del water a la alcoba y de la alcoba al water.

—Yo creo que algo me habrá sentado mal; los alimentos, a veces, están en malas condiciones; si no, no me lo explico.

—Claro, eso debió ser seguramente.

La señorita Elvira, que es ya como un mueble en el café de doña Rosa, suele decir a todo amén. El tener amiga a doña Rosa es algo que la señorita Elvira considera muy importante.

—¿Y tenía usted retortijones?

—¡Huy, hija! ¡Y qué retortijones! ¡Tenía el vientre como la caja de los truenos! Para mí que cené demasiado. Ya dice la gente, de grandes cenas están las sepulturas llenas.

La señorita Elvira seguía asintiendo.

—Sí, eso dicen, que cenar mucho es malo, que no se hace bien la digestión.

—¿Qué se va a hacer bien? ¡Se hace muy mal!

Doña Rosa bajó un poco la voz.

—¿Usted duerme bien?

Doña Rosa trata a la señorita Elvira unas veces de tú y otras de usted, según le da.

—Pues, sí, suelo dormir bien.

Doña Rosa pronto sacó su conclusión.

—¡Será que cena usted poco!

La señorita Elvira se quedó algo perpleja.

—Pues, sí, la verdad es que mucho no ceno. Yo ceno más bien poco.

Doña Rosa se apoya en el respaldo de una silla.

—Anoche, por ejemplo, ¿qué cenó usted?

—¿Anoche? Pues ya ve usted, poca cosa, unas espinacas y dos rajitas de pescadilla.

La señorita Elvira había cenado una peseta de castañas asadas, veinte castañas asadas, y una naranja de postre.

—Claro, ése es el secreto. A mí me parece que esto de hincharse no debe ser saludable.

La señorita Elvira piensa exactamente lo contrario, pero se lo calla.

Don Pedro Pablo Tauste, el vecino de don Ibrahím de [9] Ostolaza y dueño del taller de reparación de calzado La clínica del chapín, vio entrar en su tenducho a don Ricardo Sorbedo, que el pobre venía hecho una calamidad.

—Buenas tardes, don Pedro, ¿da usted su permiso?

—Adelante, don Ricardo, ¿qué de bueno le trae por aquí?

Don Ricardo Sorbedo, con su larga melena enmarañada; su bufandilla descolorida y puesta un tanto al desgaire [14]; su traje roto, deformado y lleno de lámparas; su trasnochada chalina [15] de lunares y su seboso sombrero verde de ala ancha, es un extraño tipo, medio mendigo y medio artista, que malvive del sable, y del candor y de la caridad de los demás. Don Pedro Pablo siente por él cierta

---

[14]   *al desgaire:* con descuido.

[15]   *chalina:* corbata ancha con lazo caído que solían llevar artistas y bohemios. Según Max Estrella, el poeta ciego de *Luces de bohemia*, la chalina era «el dogal de la más negra servidumbre». Se usó a principios de siglo.

admiración y le da una peseta de vez en cuando. Don Ricardo Sorbedo es un hombre pequeñito, de andares casi pizpiretos, de ademanes grandilocuentes y respetuosos, de hablar preciso y ponderado, que construye muy bien sus frases, con mucho esmero.

—Poco de bueno, amigo don Pedro, que la bondad escasea en este bajo mundo, y sí bastante de malo es lo que me trae a su presencia.

Don Pedro Pablo ya conocía la manera de empezar, era siempre la misma. Don Ricardo disparaba, como los artilleros, por elevación.

—¿Quiere usted una peseta?

—Aunque no la necesitase, mi noble amigo, siempre la aceptaría por corresponder a su gesto de prócer.

—¡Vaya!

Don Pedro Pablo Tauste sacó una peseta del cajón y se la dio a don Ricardo Sorbedo.

—Poco es...

—Sí, don Pedro, poco es, realmente, pero su desprendimiento al ofrecérmela es como una gema de muchos quilates.

—Bueno, ¡si es así!

Don Ricardo Sorbedo era algo amigo de Martín Marco y, a veces, cuando se encontraban, se sentaban en el banco de un paseo y se ponían a hablar de arte y literatura.

Don Ricardo Sorbedo había tenido una novia, hasta hace poco tiempo, a la que dejó por cansancio y por aburrimiento. La novia de don Ricardo Sorbedo era una golfita hambrienta, sentimental y un poco repipia [16], que se

---

[16]   *repipia:* redicha, cursi. En el *DRAE* se recoge «repipi» para masculino y femenino.

llamaba Maribel Pérez. Cuando don Ricardo Soberdo se quejaba de lo mal que se estaba poniendo todo, la Maribel procuraba consolarlo con filosofías.

—No te apures —le decía la novia—, el alcalde de Cork [17] tardó más de un mes en palmarla.

A la Maribel le gustaban las flores, los niños y los animales; era una chica bastante educada y de modales finos.

—¡Ay, ese niño rubio! ¡Qué monada! —le dijo un día, paseando por la plaza del Progreso, a su novio.

—Como todos —le contestó don Ricardo Sorbedo—. Ése es un niño como todos. Cuando crezca, si no se muere antes, será comerciante, o empleado del ministerio de agricultura, o quién sabe si dentista incluso. A lo mejor le da por el arte y sale pintor o torero, y tiene hasta sus complejos sexuales y todo.

La Maribel no entendía demasiado de lo que le contaba su novio.

—Es un tío muy culto mi Ricardo —le decía a sus amigas—, ¡ya lo creo! ¡Sabe de todo!

—¿Y os vais a casar?

—Sí, cuando podamos. Primero dice que quiere retirarme porque esto del matrimonio debe ser a cala y a prueba, como los melones. Yo creo que tiene razón.

—Puede. Oye, ¿y qué hace tu novio?

—Pues, mujer, como hacer, lo que se dice hacer, no hace nada, pero ya encontrará algo, ¿verdad?

—Sí, algo siempre aparece.

El padre de la Maribel había tenido una corsetería modesta en la calle de la Colegiata, hacía ya bastantes años,

---

[17] Terence Mac Swiney (1879-1920), alcalde de Cork, murió en la prisión tras 75 días de huelga de hambre. Lo habían encarcelado por reclamar la independencia de Irlanda.

corsetería que traspasó porque a su mujer, la Eulogia, se le metió entre ceja y ceja que lo mejor era poner un bar de camareras en la calle de la Aduana. El bar de la Eulogia, se llamó El paraíso terrenal y marchó bastante bien hasta que el ama perdió el seso y se escapó con un tocaor [18] que andaba siempre bebido.

—¡Qué vergüenza! —decía don Braulio, el papá de la Maribel—. ¡Mi señora liada con ese desgraciado que la va a matar de hambre!

El pobre don Braulio se murió poco después, de una pulmonía, y a su entierro fue, de luto riguroso y muy compungido, Paco el Sardina, que vivía con la Eulogia en Carabanchel Bajo.

—¡Es que no somos nadie! ¿Eh? —le decía en el entierro el Sardina a un hermano de don Braulio que había venido de Astorga para asistir al sepelio.

—¡Ya, ya!

—La vida es lo que tiene, ¿verdad, usted?

—Sí, sí, ya lo creo, eso es lo que tiene —le contestaba don Bruno, el hermano de don Braulio, en el autobús camino del Este [19].

—Era bueno este hermano de usted, que en paz descanse.

—Hombre, sí. Si fuera malo lo hubiera deslomado a usted.

—¡Pues también es verdad!

—¡Claro que también! Pero lo que yo digo: en esta vida hay que ser tolerantes.

---

[18] *tocaor:* guitarrista de flamenco.
[19] *el Este:* el cementerio de Madrid.

El Sardina no contestó. Por dentro iba pensando que el don Bruno era un tío muy moderno.

—¿Ya lo creo! ¡Éste es un tío la mar de moderno! ¡Queramos o no queramos, esto es lo moderno, qué contra!

A don Ricardo Sorbedo, los argumentos de la novia no le convencían mucho.

—Sí, chica, pero a mí las hambres del alcalde de Cork no me alimentan, te lo juro.

—Pero no te apures, hombre, no eches los pies por alto [20], no merece la pena. Además, ya sabes que no hay mal que cien años dure.

Cuando tuvieron esta conversación, don Ricardo Sorbedo y la Maribel estaban sentados ante dos blancos, en una tasca que hay en la calle Mayor, cerca del gobierno civil, en la otra acera. La Maribel tenía una peseta y le había dicho a don Ricardo:

—Vamos a tomarnos un blanco en cualquier lado. Ya está una harta de callejear y de coger frío.

—Bueno, vamos a donde tú quieras.

La pareja estaba esperando a un amigo de don Ricardo, que era poeta y que algunas veces los invitaba a un café con leche e incluso a un bollo suizo. El amigo de don Ricardo era un joven que se llamaba Ramón Maello y que no es que nadase en la abundancia, pero tampoco pasaba lo que se dice hambre. El hombre, que era hijo de familia [21], siempre se las arreglaba para andar con unas pesetas en el bolsillo. El chico vivía en la calle de Apodaca, encima de la mercería de Trini y, aunque no se llevaba muy bien con su padre, tampoco se había tenido que marchar

---

[20]   *echar los pies* (o las patas) *por alto:* enfadarse.
[21]   Quiere decir: «hijo de familia rica».

de casa. Ramón Maello andaba algo delicado de salud y el haberse marchado de su casa le hubiera costado la vida.

—Oye, ¿tú crees que vendrá?

—Sí, mujer, el Ramón es un chico serio. Está un poco en la luna, pero también es serio y servicial, ya verás como viene.

Don Ricardo Sorbedo bebió un traguito y se quedó pensativo.

—Oye, Maribel, ¿a qué sabe esto?

La Maribel bebió también.

—Chico, no sé. A mí me parece que a vino.

Don Ricardo sintió, durante unos segundos, un asco tremendo por su novia.

—¡Esta tía es como una calandria! —pensó.

La Maribel ni se dio cuenta. La pobre casi nunca se daba cuenta de nada.

—Mira qué gato más hermoso. Ése sí que es un gato feliz, ¿verdad?

El gato —un gato negro, lustroso, bien comido y bien dormido— se paseaba, paciente y sabio como un abad, por el reborde del zócalo, un reborde noble y antiguo que tenía lo menos cuatro dedos de ancho.

—A mí me parece que este vino sabe a té, tiene el mismo sabor que el té.

En el mostrador, unos chóferes de taxi se bebían sus vasos.

—¡Mira, mira! Es pasmoso que no se caiga.

En un rincón otra pareja se adoraba en silencio, mano sobre mano, un mirar fijo en el otro mirar.

—Yo creo que cuando se tiene la barriga vacía todo sabe a té.

Un ciego se paseó por entre las mesas cantando los cuarenta iguales.

—¡Qué pelo negro más bonito! ¡Casi parece azul! ¡Vaya gato!

De la calle se colaba, al abrir la puerta, un vientecillo frío mezclado con el ruido de los tranvías, aún más frío todavía.

—A té sin azúcar, al té que toman los que padecen del estómago.

El teléfono comenzó a sonar estrepitosamente.

—Es un gato equilibrista, un gato que podría trabajar en el circo.

El chico del mostrador se secó las manos con su mandil de rayas verdes y negras y descolgó el teléfono.

—El té sin azúcar, más propio parece para tomar baños de asiento que para ser ingerido.

El chico del mostrador colgó el teléfono y gritó:

—¡Don Ricardo Sorbedo!

Don Ricardo le hizo una seña con la mano.

—¿Eh?

—¿Es usted don Ricardo Sorbedo?

—Sí, ¿tengo algún recado?

—Sí, de parte de Ramón, que no puede venir, que se le ha puesto la mamá mala.

En la tahona de la calle de San Bernardo, en la dimi- [10] nuta oficina donde se llevan las cuentas, el señor Ramón habla con su mujer, la Paulina, y con don Roberto González, que ha vuelto al día siguiente, agradecido a los cinco duros del patrón, a ultimar algunas cosas y dejar en orden unos asientos [22].

---

[22] *asientos* contables, es decir, el registro de ingresos y gastos.

El matrimonio y don Roberto charlan alrededor de una estufa de serrín, que da bastante calor. Encima de la estufa hierven, en una lata vacía de atún, unas hojas de laurel.

Don Roberto tiene un día alegre, cuenta chistes a los panaderos.

—Y entonces el delgado va y le dice al gordo: ¡Usted es un cochino!, y el gordo se vuelve y le contesta: Oiga, oiga, ¡a ver si se cree usted que huelo siempre así!

La mujer del señor Ramón está muerta de risa, le ha entrado el hipo y grita, mientras se tapa los ojos con las dos manos:

—¡Calle, calle, por amor de Dios!

Don Roberto quiere remachar su éxito.

—¡Y todo eso, dentro de un ascensor!

La mujer llora, entre grandes carcajadas, y se echa atrás en la silla.

—¡Calle, calle!

Don Roberto también se ríe.

—¡El delgado tenía cara de pocos amigos!

El señor Ramón, con las manos cruzadas sobre el vientre y la colilla en los labios, mira para don Roberto y para la Paulina.

—¡Este don Roberto, tiene unas cosas cuando está de buenas!

Don Roberto está infatigable.

—¡Y aún tengo otro preparado, señora Paulina!

—¡Calle, calle, por amor de Dios!

—Bueno, esperaré a que se reponga un poco, no tengo prisa.

La señora Paulina, golpeándose los recios muslos con las palmas de las manos, aún se acuerda de lo mal que olía el señor gordo.

Estaba enfermo y sin un real, pero se suicidó porque [11] olía a cebolla.

—Huele a cebolla que apesta, huele un horror a cebolla.

—Cállate, hombre, yo no huelo nada, ¿quieres que abra la ventana?

—No, me es igual. El olor no se iría, son las paredes las que huelen a cebolla, las manos me huelen a cebolla.

La mujer era la imagen de la paciencia.

—¿Quieres lavarte las manos?

—No, no quiero, el corazón también me huele a cebolla.

—Tranquilízate.

—No puedo, huele a cebolla.

—Anda, procura dormir un poco.

—No podría, todo me huele a cebolla.

—¿Quieres un vaso de leche?

—No quiero un vaso de leche. Quisiera morirme, nada más que morirme, morirme muy de prisa, cada vez huele más a cebolla.

—No digas tonterías.

—¡Digo lo que me da la gana! ¡Huele a cebolla!

El hombre se echó a llorar.

—¡Huele a cebolla!

—Bueno, hombre, bueno, huele a cebolla.

—¡Claro que huele a cebolla! ¡Una peste!

La mujer abrió la ventana. El hombre, con los ojos llenos de lágrimas, empezó a gritar.

—¡Cierra la ventana! ¡No quiero que se vaya el olor a cebolla!

—Como quieras.

La mujer cerró la ventana.

—Quiero agua en una taza; en un vaso, no.

La mujer fue a la cocina, a prepararle una taza de agua a su marido.

La mujer estaba lavando la taza cuando se oyó un berrido infernal, como si a un hombre se le hubieran roto los dos pulmones de repente.

El golpe del cuerpo contra las losetas del patio, la mujer no lo oyó. En vez sintió un dolor en las sienes, un dolor frío y agudo como el de un pinchazo con una aguja muy larga.

—¡Ay!

El grito de la mujer salió por la ventana abierta; nadie le contestó, la cama estaba vacía.

Algunos vecinos se asomaron a las ventanas del patio.

—¿Qué pasa?

La mujer no podía hablar. De haber podido hacerlo, hubiera dicho:

—Nada, que olía un poco a cebolla.

[12]   Seoane, antes de ir a tocar el violín al café de doña Rosa, se pasa por una óptica. El hombre quiere enterarse del precio de las gafas ahumadas, su mujer tiene los ojos cada vez peor.

—Vea usted, fantasía con cristales zeiss [23], doscientas cincuenta pesetas.

Seoane sonríe con amabilidad.

—No, no, yo las quiero más económicas.

—Muy bien, señor. Este modelo quizá le agrade, ciento setenta y cinco pesetas.

Seoane no había dejado de sonreír.

—No, no me explico bien, yo quisiera ver unas de tres o cuatro duros.

---

[23]   *zeiss:* marca de objetos de óptica.

El dependiente lo mira con un profundo desprecio. Lleva bata blanca y unos ridículos lentes de pinzas, se peina con raya al medio y mueve el culito al andar.

—Eso lo encontrará usted en una droguería. Siento no poder servir al señor.

—Bueno, adiós, usted perdone.

Seoane se va parando en los escaparates de las droguerías.

Algunas un poco más ilustradas, que se dedican también a revelar carretes de fotos, tienen, efectivamente, gafas de color en las vitrinas.

—¿Tienen gafas de tres duros?

La empleada es una chica mona, complaciente.

—Sí, señor, pero no se las recomiendo, son muy frágiles. Por poco más, podemos ofrecerle a usted un modelo que está bastante bien.

La muchacha rebusca en los cajones del mostrador y saca unas bandejas.

—Vea, veinticinco pesetas, veintidós, treinta, cincuenta, dieciocho (éstas son un poco peores), veintisiete...

Seoane sabe que en el bolsillo no lleva más que tres duros.

—Éstas de dieciocho, ¿dice usted que son malas?

—Sí, no compensa lo que se ahorra. Las de veintidós ya son otra cosa.

Seoane sonríe a la muchacha.

—Bien, señorita, muchas gracias, lo pensaré y volveré por aquí. Siento haberla molestado.

—Por Dios, caballero, para eso estamos.

A Julita, allá en el fondo de su corazón, le remuerde un [13] poco la conciencia. Las tardes en casa de doña Celia se le presentan, de pronto, orladas de todas las maldiciones eternas.

Es sólo un momento, un mal momento; pronto vuelve a su ser. La lagrimita que, por poco, se le cae mejilla abajo, puede ser contenida.

La muchacha se mete en su cuarto y saca del cajón de la cómoda un cuaderno forrado de hule negro donde lleva unas extrañas cuentas. Busca un lápiz, anota unos números y sonríe ante el espejo: la boca fruncida, los ojos entornados, las manos en la nuca, sueltos los botones de la blusa.

Está guapa Julita, muy guapa, mientras guiña un ojo al espejo...

—Hoy llegó Ventura al empate.

Julia sonríe, mientras el labio de abajo se le estremece, hasta la barbilla le tiembla un poquito.

Guarda su cuadernito, y sopla un poco las tapas para quitarles el polvo.

—La verdad es que voy a una marcha que ya, ya...

Al tiempo de echar la llave, que lleva adornada con un lacito rosa, piensa casi compungida:

—¡Este Ventura es insaciable!

Sin embargo —¡lo que son las cosas!— cuando va a salir de la alcoba, un chorro de optimismo le riega el alma.

—¡Es tan cachondo este repajolero [24] catalán!

[14]   Martín se despide de Nati Robles y va hacia el café de donde lo echaron el día anterior por no pagar.

—Me quedan ocho duros y pico —piensa—, yo no creo

---

[24]   *repajolero:* maldito; se dice afectuosamente o con ligero enfado.

que sea robar comprarme unos pitillos y darle una lección a esa tía asquerosa del café. A Nati le puedo regalar un par de grabaditos que me cuesten cinco o seis duros.

Toma un 17 y se acerca hasta la glorieta de Bilbao [25]. En el espejo de una peluquería, se atusa un poco el pelo y se pone derecho el nudo de la corbata.

—Yo creo que voy bastante bien...

Martín entra en el café por la misma puerta por donde ayer salió, quiere que le toque el mismo camarero, hasta la misma mesa si fuera posible.

En el café hace un calor denso, pegajoso. Los músicos tocan La cumparsita [26], tango que para Martín tiene ciertos vagos, remotos, dulces recuerdos. La dueña, por no perder la costumbre, grita entre la indiferencia de los demás, levantando los brazos al cielo, dejándolos caer pesadamente, estudiadamente, sobre el vientre. Martín se sienta a una mesa contigua a la de la escena. El camarero se le acerca.

—Hoy está rabiosa, si lo ve va a empezar a tirar coces.

—Allá ella. Tome usted un duro y tráigame café. Una veinte de ayer y una veinte de hoy, dos cuarenta, quédese con la vuelta, yo no soy ningún muerto de hambre.

El camarero se quedó cortado, tenía más cara de bobo que de costumbre. Antes de que se aleje demasiado, Martín lo vuelve a llamar.

—Que venga el limpia.

—Bien.

Martín insiste.

—Y el cerillero.

---

[25] *un 17:* el tranvía 17.
[26] *La cumparsita* es uno de los tangos más famosos. Lo popularizó Carlos Gardel en los años veinte.

—Bien.

Martín ha tenido que hacer un esfuerzo tremendo, le duele un poco la cabeza, pero no se atreve a pedir una aspirina.

Doña Rosa habla con Pepe, el camarero, y mira, estupefacta, para Martín. Martín hace como que no ve.

Le sirven, bebe un par de sorbos y se levanta, camino del retrete. Después no supo si fue allí donde sacó el pañuelo que llevaba en el mismo bolsillo que el dinero.

De vuelta a su mesa se limpió los zapatos y se gastó un duro en una cajetilla de noventa.

—Esta bazofia, que se la beba la dueña, ¿se entera?, esto es una malta[27] repugnante.

Se levantó airoso, casi solemne, y cogió la puerta con un gesto lleno de parsimonia.

Ya en la calle, Martín nota que todo el cuerpo le tiembla. Todo lo da por bien empleado, verdaderamente se acaba de portar como un hombre.

[15]   Ventura Aguado Sans dice a su compañero de pensión don Tesifonte Ovejero, capitán de Veterinaria:

—Desengáñese usted, mi capitán, en Madrid lo que sobran son asuntos. Y ahora, después de la guerra, más que nunca. Hoy día, la que más y la que menos hace lo que puede. Lo que hay es que dedicarles algún ratillo al día, ¡qué caramba! ¡No se pueden pescar truchas a bragas enjutas[28]!

---

[27]   La *malta* es cebada tostada. Se utilizaba como sucedáneo del café, que era escaso y caro.
[28]   *enjuto:* seco. Este refrán se emplea para advertir que ciertas cosas se consiguen con esfuerzo.

—Ya, ya; ya me hago cargo.

—Naturalmente, hombre, naturalmente. ¿Cómo quiere usted divertirse si no pone nada de su parte? Las mujeres, descuide, no van a venir a buscarle a usted. Aquí todavía no es como en otros lados.

—Sí, eso sí.

—¿Entonces? Hay que espabilarse, mi capitán, hay que tener arrestos y cara, mucha cara. Y sobre todo, no decepcionarse con los fracasos. ¿Que una falla? Bueno, ¿y qué? Ya vendrá otra detrás.

Don Roque manda un aviso a Lola, la criada de la pen- [16] sionista doña Matilde: Pásate por Santa Engracia a las ocho. Tuyo, R.

La hermana de Lola, Josefa López, había sido criada durante bastantes años en casa de doña Soledad Castro de Robles. De vez en cuando decía que se iba al pueblo y se metía en la Maternidad a pasar unos días. Llegó a tener cinco hijos que le criaban de caridad unas monjas de Chamartín de la Rosa: tres de don Roque, los tres mayores; uno del hijo mayor de don Francisco, el cuarto, y el último de don Francisco, que fue el que tardó más en descubrir el filón. La paternidad de cada uno no ofrecía dudas.

—Yo seré lo que sea —solía decir la Josefa—, pero a quien me da gusto no le pongo cuernos. Cuando una se harta, su tarifa [29] y en paz; pero mientras tanto, como las palomas, uno con una.

La Josefa fue una mujer hermosa, un poco grande.

---

[29]   *tarifar:* coloquialmente, 'romper una amistad, reñir'.

Ahora tiene una pensión de estudiantes en la calle de Atocha y vive con los cinco hijos. Malas lenguas de la vecindad dicen que se entiende con el cobrador del gas y que un día puso muy colorado al chico del tendero, que tiene catorce años. Lo que haya de cierto en todo eso es muy difícil de averiguar.

Su hermana Lola es más joven, pero también es grande y pechugona. Don Roque le compra pulseras de bisutería y la convida a pasteles, y ella está encantada. Es menos honesta que la Josefa y parece ser que se entiende con algún pollo que otro. Un día doña Matilde la cogió acostada con Ventura, pero prefirió no decir nada.

La chica recibió el papelito de don Roque, se arregló y se fue para casa de doña Celia.

—¿No ha venido?

—No, todavía no; pasa aquí.

Lola entra en la alcoba, se desnuda y se sienta en la cama. Quiere darle una sorpresa a don Roque, la sorpresa de abrirle la puerta en cueros vivos.

Doña Celia mira por el ojo de la cerradura, le gusta ver cómo se desnudan las chicas. A veces, cuando nota mucho calor en la cara, llama a un lulú [30] que tiene.

—¡Pierrot! ¡Pierrot! ¡Ven a ver a tu amita!

Ventura abre un poco la puerta del cuarto que ocupa.

—Señora.

—Va.

Ventura mete a doña Celia tres duros en la mano.

—Que salga antes la señorita.

Doña Celia dice a todo amén.

—Usted manda.

---

[30]   *lulú:* perrito.

Ventura pasa a un cuarto ropero, a hacer tiempo encendiendo un cigarrillo mientras la muchacha se aleja, y la novia sale, mirando para el suelo, escaleras abajo.

—Adiós, hija.

—Adiós.

Doña Celia llama con los nudillos en la habitación donde aguarda Lola.

—¿Quieres pasar a la alcoba grande? Se ha desocupado.

—Bueno.

Julita, al llegar a la altura del entresuelo, se encuentra con don Roque.

—¡Hola, hija! ¿De dónde vienes?

Julita está pasada[31].

—De... la fotografía. Y tú, ¿adónde vas?

—Pues... a ver a un amigo enfermo, el pobre está muy malo.

A la hija le cuesta trabajo pensar que el padre vaya a casa de doña Celia; al padre le pasa lo mismo.

—No, ¡qué tonto soy! ¡A quién se le ocurre! —piensa don Roque.

—Será cierto lo del amigo —piensa la niña—, papá tendrá sus planes, pero ¡también sería mala uva que se viniera a meter aquí!

Cuando Ventura va a salir, doña Celia lo detiene.

—Espere un momento, han llamado.

Don Roque llega, viene algo pálido.

—¡Hola! ¿Ha venido la Lola?

—Sí, está en la alcoba de delante.

Don Roque da dos ligeros golpes sobre la puerta.

----

[31]   *estar pasada:* estar apurada, aturdida.

—¿Quién?
—Yo.
—Pasa.

[17]   Ventura Aguado sigue hablando, casi elocuentemente, con el capitán.

—Mire usted, yo tengo ahora un asuntillo bastante arregladito con una chica, cuyo nombre no hace al caso, que cuando la vi por primera vez pensé: Aquí no hay nada que hacer. Fui hasta ella, por eso de que no me quedase la pena de verla pasar sin trastearla [32], le dije tres cosas y le pagué dos vermús con gambas, y ya ve usted, ahora la tengo como una corderita. Hace lo que yo quiero y no se atreve ni a levantar la voz. La conocí en el Barceló [33] el veintitantos de agosto pasado y, a la semana escasa, el día de mi cumpleaños, ¡zas, al catre! Si me hubiera estado como un gilí [34] viendo cómo la camelaban y cómo le metían mano los demás, a estas horas estaba como usted.

—Sí, eso está muy bien, pero a mí me da por pensar que eso no es más que cuestión de suerte.

Ventura saltó en el asiento.

—¿Suerte? ¡Ahí está el error! La suerte no existe, amigo mío, la suerte es como las mujeres, que se entrega a quienes la persiguen y no a quien las ve pasar por la calle sin decirles ni una palabra. Desde luego lo que no se puede es estar aquí metido todo el santo día como está us-

---

[32]   *trastear:* manejar a una persona con habilidad.
[33]   El Barceló era un cine; en el sótano había un salón de baile.
[34]   *gilí:* tonto; es un gitanismo.

ted, mirando para esa usurera del niño lila y estudiando las enfermedades de las vacas. Lo que yo digo es que así no se va a ninguna parte.

Seoane coloca su violín sobre el piano, acaba de tocar [18] La cumparsita. Habla con Macario.

—Voy un momento al water.

Seoane marcha por entre las mesas. En su cabeza siguen dando vueltas los precios de las gafas.

—Verdaderamente, vale la pena esperar un poco. Las de veintidós son bastante buenas, a mí me parece.

Empuja con el pie la puerta donde se lee Caballeros: dos tazas adosadas a la pared y una débil bombilla de quince bujías defendida con unos alambres. En su jaula, como un grillo, una tableta de desinfectante preside la escena.

Seoane está solo, se acerca a la pared, mira para el suelo.

—¿Eh?

La saliva se le para en la garganta, el corazón le salta, un zumbido larguísimo se le posa en los oídos. Seoane mira para el suelo con mayor fijeza, la puerta está cerrada. Seoane se agacha precipitadamente. Sí, son cinco duros. Están un poco mojados, pero no importa. Seoane seca el billete con un pañuelo.

Al día siguiente volvió a la droguería.

—Las de treinta, señorita, déme las de treinta.

Sentados en el sofá, Lola y don Roque hablan. Don Ro- [19] que está con el abrigo puesto y el sombrero encima de las rodillas. Lola, desnuda, y con las piernas cruzadas. En la habitación arde un chubesqui [35], se está bastante caliente. Sobre la luna del armario se reflejan las figuras, hacen realmente una pareja extraña: don Roque de bufanda y con el gesto preocupado, Lola en cueros y de mal humor.

Don Roque está callado.

—Eso es todo.

Lola se rasca el ombligo y después se huele el dedo.

—¿Sabes lo que te digo?

—Qué.

—Pues que tu chica y yo no tenemos nada que echarnos en cara, las dos podemos tratarnos de tú a tú.

Don Roque grita:

—¡Calla, te digo! ¡Que te calles!

—Pues me callo.

Los dos fuman. La Lola, gorda, desnuda y echando humo, parece una foca del circo.

—Eso de la foto de la niña es como lo de tu amigo enfermo, ten cuidado no tengan que revelar la foto de la Julita con permanganato [36].

—¿Te quieres callar?

—¡Venga ya, hombre, venga ya, con tanto callar y tanta monserga! ¡Si parece que no tenéis ojos en la cara!

Ya dijimos en otro lado lo siguiente:

«Desde su marco dorado con purpurina, don Obdulio, enhiesto el bigote, dulce la mirada, protege, como un ma-

---

[35] *chubesqui:* estufa. Esta palabra viene de la marca comercial Chouberstky.

[36] Al encontrar a su padre en la escalera de la casa de citas, Julita dijo que venía de hacerse una foto. La Lola usa la expresión «revelar la foto» con doble sentido, uno de ellos con referencia genital. El *permanganato* es una solución de manganeso usada para curar enfermedades venéreas. La frase fue añadida a la octava edición.

lévolo, picardeado diosecillo del amor, la clandestinidad que permite comer a su viuda.»

Don Obdulio está a la derecha del armario, detrás de un macetero. A la izquierda, cuelga un retrato de la dueña, de joven, rodeada de perros lulús.

—Anda, vístete, no estoy para nada.

—Bueno.

Lola piensa:

—La niña me la paga, ¡como hay Dios! ¡Vaya si me la paga!

Don Roque le pregunta:

—¿Sales tú antes?

—No, sal tú, yo mientras me iré vistiendo.

Don Roque se va y Lola echa el pestillo a la puerta.

—Ahí donde está, nadie lo va a notar —piensa.

Descuelga a don Obdulio y lo guarda en el bolso. Se arregla el pelo un poco en el lavabo y enciende un tritón. Después llama al timbre.

El capitán Tesifonte parece reaccionar.   [20]

—Bueno... Probaremos fortuna...

—No va a ser verdad.

—Sí, hombre, ya lo verá usted. Un día que vaya usted de bureo, me llama y nos vamos juntos. ¿Hace?

—Hace, sí, señor. El primer día que me vaya por ahí, lo aviso.

El chamarilero se llama José Sanz Madrid. Tiene dos [21] prenderías [37] donde compra y vende ropas usadas y «obje-

---

[37]   *prendería:* tienda de ropa, joyas o muebles usados.

tos de arte», donde alquila smokings a los estudiantes y chaqués a los novios pobres.

—Métase ahí y pruébese, tiene donde elegir.

Efectivamente, hay donde elegir: colgados de cientos de perchas, cientos de trajes esperan al cliente que los saque a tomar el aire.

Las prenderías están, una en la calle de los Estudios y otra, la más importante, en la calle de la Magdalena, hacia la mitad.

El señor José, después de merendar, lleva a Purita al cine, le gusta darse el lote [38] antes de irse a la cama. Van al cine Ideal, enfrente del Calderón, donde ponen Su hermano y él, de Antonio Vico, y Un enredo de familia, de Mercedes Vecino [39], toleradas las dos. El cine Ideal tiene la ventaja de que es de sesión continua y muy grande, siempre hay sitio.

El acomodador los alumbra con la linterna.

—¿Dónde?

—Pues por aquí. Aquí estamos bien.

Purita y el señor José se sientan en la última fila. El señor José pasa una mano por el cuello a la muchacha.

—¿Qué me cuentas?

—Nada, ¡ya ves!

Purita mira para la pantalla. El señor José le coge las manos.

—Estás fría.

—Sí, hace mucho frío.

Están algunos instantes en silencio. El señor José no

---

[38]   *darse el lote:* abrazar y acariciar; es expresión malsonante.
[39]   Antonio Vico (1903-1972) interpretó muchas películas en los años cuarenta. Mercedes Vecino, actriz de teatro, tuvo también mucho éxito en el cine de posguerra.

acaba de sentarse a gusto, se mueve constantemente en la butaca.

—Oye.

—Qué.

—¿En qué piensas?

—Psché...

—No le des más vueltas a eso, lo del Paquito yo te lo arreglo, yo tengo un amigo que manda mucho en auxilio social, es primo del gobernador civil de no sé dónde.

El señor José baja la mano hasta el escote de la chica.

—¡Ay, qué fría!

—No te apures, ya la calentaré.

El hombre pone la mano en la axila de Purita, por encima de la blusa.

—¡Qué caliente tienes el sobaco!

—Sí.

Purita tiene mucho calor debajo del brazo, parece como si estuviera mala.

—¿Y tú crees que el Paquito podrá entrar?

—Mujer, yo creo que sí, que a poco que pueda mi amigo, ya entrará.

—¿Y tu amigo querrá hacerlo?

El señor José tiene la otra mano en una liga de Purita. Purita, en el invierno, lleva liguero, las ligas redondas no se le sujetan bien porque está algo delgada. En el verano va sin medias; parece que no, pero supone un ahorro, ¡ya lo creo!

—Mi amigo hace lo que yo le mando, me debe muchos favores.

—¡Ojalá! ¡Dios te oiga!

—Ya lo verás como sí.

La chica está pensando, tiene la mirada triste, perdida.

El señor José le separa un poco los muslos, se los pellizca.

—¡Con el Paquito en la guardería, ya es otra cosa!

El Paquito es el hermano pequeño de la chica. Son
cinco hermanos y ella, seis: Ramón, el mayor, tiene veintidós años y está haciendo el servicio en África; Mariana,
que la pobre está enferma y no puede moverse de la cama,
tiene dieciocho; Julio, que trabaja de aprendiz en una imprenta, anda por los catorce; Rosita tiene once, y Paquito,
el más chico, nueve. Purita es la segunda, tiene veinte
años, aunque quizás represente alguno más.

Los hermanos viven solos. Al padre lo fusilaron, por
esas cosas que pasan, y la madre murió, tísica y desnu-
trida, el año 41.

A Julio le dan cuatro pesetas en la imprenta. El resto se
lo tiene que ganar Purita a pulso, callejeando todo el día,
recalando después de la cena por casa de doña Jesusa.

Los chicos viven en un sotabanco [40] de la calle de la
Ternera. Purita para en una pensión, así está más libre y
puede recibir recados por teléfono. Purita va a verlos todas las mañanas, a eso de las doce o la una. A veces,
cuando no tiene compromiso, también almuerza con
ellos; en la pensión le guardan la comida para que se la
tome a la cena, si quiere.

El señor José tiene ya la mano, desde hace rato, dentro
del escote de la muchacha.

—¿Quieres que nos vayamos?

—¡Si tú quieres!

El señor José ayuda a Purita a ponerse el abriguillo de
algodón.

---

[40]   *sotabanco:* ático, piso encima la cornisa de un edificio.

—Sólo un ratito, ¿eh?, la parienta está ya con la mosca en la oreja.

—Lo que tú quieras.

....

—Toma, para ti.

El señor José mete cinco duros en el bolso de Purita, un bolso teñido de azul que mancha un poco las manos.

—Que Dios te lo pague.

A la puerta de la habitación, la pareja se despide.

—Oye, ¿cómo te llamas?

—Yo me llamo José Sanz Madrid, ¿y tú?, ¿es verdad que te llamas Purita?

—Sí, ¿por qué te iba a mentir? Yo me llamo Pura Bartolomé Alonso.

Los dos se quedan un rato mirando para el paragüero.

—Bueno, ¡me voy!

—Adiós, Pepe, ¿no me das un beso?

—Sí, mujer.

—Oye, ¿cuando sepas algo de lo del Paquito, me llamarás?

—Sí, descuida, yo te llamaré a ese teléfono.

Doña Matilde llama a voces a sus huéspedes: [22]

—¡Don Tesi! ¡Don Ventura! ¡La cena!

Cuando se encuentra con don Tesifonte, le dice:

—Para mañana he encargado hígado, ya veremos qué cara le pone.

El capitán ni la mira, va pensando en otras cosas.

—Sí, puede que tenga razón ese chico. Estándose aquí como un bobalicón, pocas conquistas se pueden hacer, ésa es la verdad.

[23]   A doña Montserrat le han robado el bolso en la reserva,
¡qué barbaridad!, ¡ahora hay ladrones hasta en las iglesias! No llevaba más que tres pesetas y unas perras, pero
el bolso estaba aún bastante bien, en bastante buen uso.

Se había entonado ya el Tantum ergo [41] —que el irreve-
rente de José María, el sobrino de doña Montserrat, cantaba con la música del himno alemán— y en los bancos
no quedaban ya sino algunas señoras rezagadas, dedica-
das a sus particulares devociones.

Doña Montserrat medita sobre lo que acaba de leer, una
hojita suelta que guarda entre las páginas de las visitas al
Santísimo [42], del P. Manjón: Este jueves, consagrado a San
Luis Gonzaga, trae al alma fragancia de azucenas y también dulce sabor de lágrimas de contrición perfecta. En la
inocencia fue Luis un ángel, en la penitencia emuló las
austeridades de la Tebaida. Santa María Magdalena de
Pazzis, durante el éxtasis en que Dios le mostró la gloria
de Gonzaga en el paraíso, exclamó...

Doña Montserrat vuelve un poco la cabeza, y el bolso
ya no está.

Al principio no se dio mucha cuenta, todo en su imaginación eran mutaciones, apariciones y desapariciones.

[24]   En su casa, Julita guarda otra vez el cuaderno y, como
los huéspedes de doña Matilde, va también a cenar.

La madre le da un cariñoso pellizco en la cara.

---

[41]   *tantum ergo:* son palabras del himno *Pange lingua gloriosi*, que
se canta en la Eucaristía.
[42]   *visitas al Santísimo:* un libro piadoso del P. Manjón (1846-1923),
catedrático en Santiago y Granada, y fundador de escuelas para niños
pobres. En este párrafo se citan frases extractadas del libro.

—¿Has estado llorando? Parece que tienes los ojos encarnados.

Julita contesta con un mohín.

—No, mamá, he estado pensando.

Doña Visi sonríe con cierto aire pícaro.

—¿En él?

—Sí.

Las dos mujeres se cogen del brazo.

—Oye, ¿cómo se llama?

—Ventura.

—¡Ah, lagartona! ¡Por eso pusiste Ventura al chinito!

La muchacha entorna los ojos.

—Sí.

—¿Entonces lo conoces ya desde hace algún tiempo?

—Sí, hace ya mes y medio o dos meses que nos vemos de vez en cuando.

La madre se pone casi seria.

—¿Y cómo no me habías dicho nada?

—¿Para qué iba a decirte nada antes de que se me declarase?

—También es verdad. ¡Parezco tonta! Has hecho muy bien, hija, las cosas no deben decirse nunca hasta que suceden ya de una manera segura. Hay que ser siempre discretas.

A Julita le corre un calambre por las piernas, nota un poco de calor por el pecho.

—Sí, mamá, ¡muy discretas!

Doña Visi vuelve a sonreír y a preguntar.

—Oye, ¿y qué hace?

—Estudia notarías.

—¡Si sacase una plaza!

—Ya veremos si tiene suerte, mamá. Yo he ofrecido

dos velas si saca una Notaría de primera, y una si no saca más que una de segunda.

—Muy bien hecho, hija mía, a Dios rogando y con el mazo dando, yo ofrezco también lo mismo. Oye... ¿Y cómo se llama de apellido?

—Aguado.

—No está mal, Ventura Aguado.

Doña Visi ríe alborozada.

—¡Ay, hija, qué ilusión! Julita Moisés de Aguado, ¿tú te das cuenta?

La muchacha tiene el mirar perdido.

—Ya, ya.

La madre, velozmente, temerosa de que todo sea un sueño que se vaya de pronto a romper en mil pedazos como una bombilla, se apresura a echar las falsas cuentas de la lechera.

—Y tu primer hijo, Julita, si es niño, se llamará Roque, como el abuelo, Roque Aguado Moisés. ¡Qué felicidad! ¡Ay, cuando lo sepa tu padre! ¡Qué alegría!

Julita ya está del otro lado, ya cruzó la corriente, ya habla de sí misma como de otra persona, ya nada le importa fuera del candor de la madre.

—Si es niña le pondré tu nombre, mamá. También hace muy bien Visitación Aguado Moisés.

—Gracias, hija, muchas gracias, me tienes emocionada. Pero pidamos que sea varón; un hombre hace siempre mucha falta.

A la chica le vuelven a temblar las piernas.

—Sí, mamá, mucha.

La madre habla con las manos enlazadas sobre el vientre.

—¡Mira tú que si Dios hiciera que tuviese vocación!

—¡Quién sabe!

Doña Visi eleva su mirada a las alturas. El cielo raso de la habitación tiene algunas manchas de humedad.

—La ilusión de toda mi vida, ¡un hijo sacerdote!

Doña Visi es en aquellos momentos la mujer más feliz de Madrid. Coge a la hija de la cintura —de una manera muy semejante a como la coge Ventura en casa de doña Celia— y la balancea como a un niño pequeño.

—A lo mejor lo es el nietecito, chatita, ¡a lo mejor!

Las dos mujeres ríen, abrazadas, mimosas.

—¡Ay, ahora cómo deseo vivir!

Julita quiere adornar su obra.

—Sí, mamá, la vida tiene muchos encantos.

Julita baja la voz, que suena velada, cadenciosa.

—Yo creo que conocer a Ventura —los oídos de la muchacha zumban ligeramente— ha sido una gran suerte para mí.

La madre prefiere dar una muestra de sensatez.

—Ya veremos, hija, ya veremos. ¡Dios lo haga! ¡Tengamos fe! Sí, ¿por qué no? Un nietecito sacerdote que nos edifique a todos con su virtud. ¡Un gran orador sagrado! ¡Mira tú que, si ahora que estamos de broma, después resulta que salen anuncios de los ejercicios espirituales dirigidos por el reverendo padre Roque Aguado Moisés! Yo sería ya una viejecita, hija mía, pero no me cabría el corazón en el pecho, de orgullo.

—A mí tampoco, mamá.

Martín se repone pronto, va orgulloso de sí mismo.   [25]

—¡Vaya lección! ¡Ja, ja!

Martín acelera el paso, va casi corriendo, a veces da un saltito.

—¡A ver qué se le ocurre decir ahora a ese jabalí!

El jabalí es doña Rosa.

Al llegar a la glorieta de San Bernardo, Martín piensa en el regalo de Nati.

—A lo mejor está todavía Rómulo en la tienda.

Rómulo es un librero de viejo que tiene a veces, en su cuchitril, algún grabado interesante.

Martín se acerca hasta el cubil de Rómulo, bajando, a la derecha, después de la universidad.

En la puerta cuelga un cartelito que dice: Cerrado. Los recados por el portal. Dentro se ve luz, se conoce que Rómulo está ordenando las fichas o apartando algún encargo.

Martín llama con los nudillos sobre la puertecita que da al patio.

—¡Hola, Rómulo!

—Hola, Martín, ¡dichosos los ojos!

Martín saca tabaco, los dos hombres fuman sentados en torno al brasero que Rómulo sacó de debajo de la mesa.

—Estaba escribiendo a mi hermana, la de Jaén. Yo ahora vivo aquí, no salgo más que para comer; hay veces que no tengo gana y no me muevo de aquí en todo el día; me traen un café de ahí enfrente y en paz.

Martín mira unos libros que hay sobre una silla de enea, con el respaldo en pedazos, que ya no sirve más que de estante.

—Poca cosa.

—Sí, no es mucho. Eso es Romanones, Notas de una vida [43], sí tiene interés, está muy agotado.

—Sí.

---

[43] *Notas de una vida* del conde Romanones (ver cap. I, n. 32), se editó en 1929.

Martín deja los libros en el suelo.

—Oye, quería un grabado que estuviera bien.

—¿Cuánto te quieres gastar?

—Cuatro o cinco duros.

—Por cinco duros te puedo dar uno que tiene gracia; no es muy grande, ésa es la verdad, pero es auténtico. Además lo tengo con marquito y todo, así lo compré. Si es para un regalo, te viene que ni pintiparado.

—Sí, es para dárselo a una chica.

—¿A una chica? Pues como no sea una ursulina [44], ni hecho a medida, ahora lo verás. Vamos a fumarnos el pitillo con calma, nadie nos apura.

—¿Cómo es?

—Ahora lo vas a ver, es una Venus que debajo lleva unas figuritas. Tiene unos versos en toscano o en provenzal, yo no sé.

Rómulo deja el cigarro sobre la mesa y enciende la luz del pasillo. Vuelve al instante con un marco que limpia con la manga del guardapolvo.

—Mira.

El grabado es bonito, está iluminado.

—Los colores son de la época.

—Eso parece.

—Sí, sí, de eso puedes estar seguro.

El grabado representa una Venus rubia, desnuda completamente, coronada de flores. Está de pie, dentro de una orla dorada. La melena le llega, por detrás, hasta las rodillas. Encima del vientre tiene la rosa de los vientos, es todo muy simbólico. En la mano derecha tiene una flor y en la iz-

---

[44] *ursulina:* monja de esa congregación religiosa. Figuradamente, persona escrupulosa o gazmoña.

quierda, un libro. El cuerpo de la Venus se destaca sobre un cielo azul, todo lleno de estrellas. Dentro de la misma orla, hacia abajo, hay dos círculos pequeños, el de debajo del libro con un Tauro y el de debajo de la flor con una Libra. El pie del grabado representa una pradera rodeada de árboles. Dos músicos tocan, uno un laúd y otro un arpa, mientras tres parejas, dos sentadas y una paseando, conversan. En los ángulos de arriba, dos ángeles soplan con los carrillos hinchados. Debajo hay cuatro versos que no se entienden.

—¿Qué dice aquí?

—Por detrás está, me lo tradujo Rodríguez Entrena, el catedrático de Cardenal Cisneros [45].

Por detrás, escrito a lápiz, se lee:

Venus, granada en su ardor,
enciende los corazones gentiles donde hay un cantar.
Y con danzas y vagas fiestas por amor,
induce con un suave divagar.

—¿Te gusta?

—Sí, a mí todas estas cosas me gustan mucho. El mayor encanto de todos estos versos es su imprecisión, ¿no crees?

—Sí, eso me parece a mí.

Martín saca otra vez la cajetilla.

—¡Bien andas de tabaco!

—Hoy. Hay días que no tengo ni gota, que ando guardando las colillas de mi cuñado, eso lo sabes tú.

Rómulo no contesta, le parece más prudente, sabe que el tema del cuñado saca de quicio a Martín.

—¿En cuánto me lo dejas?

---

[45] El Cardenal Cisneros era uno de los dos institutos que había en Madrid en el año 1943. En él estudió Cela algún curso de bachillerato.

—Pues mira, en veinte; te había dicho veinticinco, pero si me das veinte te lo llevas. A mí me costó quince y lleva ya en el estante cerca de un año. ¿Te hace en veinte?

—Venga, dame un duro de vuelta.

Martín se lleva la mano al bolsillo. Se queda un instante parado, con las cejas fruncidas, como pensando. Saca el pañuelo que pone sobre las rodillas.

—Juraría que estaba aquí.

Martín se pone de pie.

—No me explico...

Busca en los bolsillos del pantalón, saca los forros fuera.

—¡Pues la he hecho buena! ¡Lo único que me faltaba!

—¿Qué te pasa?

—Nada, prefiero no pensarlo.

Martín mira en los bolsillos de la americana, saca la vieja, deshilachada cartera, llena de tarjetas de amigos, de recortes de periódico.

—¡La he pringado!

—¿Has perdido algo?

—Los cinco duros...

Julita siente una sensación rara. A veces nota como un [26] pesar, mientras que otras veces tiene que hacer esfuerzos para no sonreír.

—La cabeza humana —piensa— es un aparato poco perfecto. ¡Si se pudiera leer como en un libro lo que pasa por dentro de las cabezas! No, no; es mejor que siga todo así, que no podamos leer nada, que nos entendamos los unos con los otros sólo con lo que queramos decir, ¡qué carajo!, ¡aunque sea mentira!

A Julita, de cuando en cuando, le gusta decir a solas algún taco.

[27]   Por la calle van cogidos de la mano, parecen un tío con
una sobrina que saca de paseo.

La niña, al pasar por la portería, vuelve la cabeza para
el otro lado. Va pensando y no ve el primer escalón.

—¡A ver si te desgracias!

—No.

Doña Celia les sale a abrir.

—¡Hola, don Francisco!

—¡Hola, amiga mía! Que pase la chica por ahí, quería
hablar con usted.

—¡Muy bien! Pasa por aquí, hija, siéntate donde quieras.

La niña se sienta en el borde de una butaca forrada de
verde. Tiene trece años y el pecho le apunta un poco,
como una rosa pequeñita que vaya a abrir. Se llama Merceditas Olivar Vallejo, sus amigas le llaman Merche. La
familia le desapareció con la guerra, unos muertos, otros
emigrados. Merche vive con una cuñada de la abuela,
una señora vieja llena de puntillas y pintada como una
mona, que lleva peluquín y que se llama doña Carmen.
En el barrio a doña Carmen la llaman, por mal nombre,
Pelo de muerta. Los chicos de la calle prefieren llamarle
Saltaprados.

Doña Carmen vendió a Merceditas por cien duros, se la
compró don Francisco, el del consultorio.

Al hombre le dijo:

—¡Las primicias, don Francisco, las primicias! ¡Un
clavelito!

Y a la niña:

—Mira, hija, don Francisco lo único que quiere es
jugar, y además, ¡algún día tenía que ser! ¿No compren-
des?

La cena de la familia Moisés fue alegre aquella noche. [28] Doña Visi está radiante y Julita sonríe, casi ruborosa. La procesión va por dentro.

Don Roque y las otras dos hijas están también contagiados, todavía sin saber por qué, de la alegría. Don Roque, en algunos momentos, piensa en aquello que le dijo Julita en las escaleras: Pues... de la fotografía..., y el tenedor le tiembla un poco en la mano; hasta que se le pasa, no se atreve a mirar a la hija.

....

Ya en la cama, doña Visi tarda en dormirse, su cabeza no hace más que dar vueltas alrededor de lo mismo.

—¿Sabes que a la niña le ha salido novio?

—¿A Julita?

—Sí, un estudiante de notarías.

Don Roque da una vuelta entre las sábanas.

—Bueno, no eches las campanas a vuelo, tú eres muy aficionada a dar en seguida tres cuartos al pregonero. Ya veremos en qué queda todo.

—¡Ay, hijo, tú siempre echándome jarros de agua fría!

Doña Visi se duerme llena de sueños felices. La vino a despertar, al cabo de las horas, la esquila de un convento de monjas pobres, tocando el alba.

Doña Visi tenía el ánimo dispuesto para ver en todo felices presagios, dichosos augurios, seguros signos de bienaventuranza y de felicidad.

CAPÍTULO SEXTO

[1]   La mañana.

Entre sueños, Martín oye la vida de la ciudad despierta.
Se está a gusto escuchando, desde debajo de las sábanas,
con una mujer viva al lado, viva y desnuda, los ruidos de la
ciudad, su alborotador latido: los carros de los traperos [1]
que bajan de Fuencarral y de Chamartín, que suben de las
Ventas y de las Injurias, que vienen desde el triste, deso-
lado paisaje del cementerio y que pasaron —caminando
desde hace ya varias horas bajo el frío— al lento, entriste-
cido remolque de un flaco caballo, de un burro gris y como
preocupado. Y las voces de las vendedoras que madrugan,
que van a levantar sus puestecillos de frutas en la calle del
general Porlier. Y las lejanas, inciertas primeras bocinas. Y
los gritos de los niños que van al colegio, con la cartera al
hombro y la tierna, olorosa merienda en el bolsillo...

En la casa, el trajín más próximo suena, amorosamente,
dentro de la cabeza de Martín. Doña Jesusa, la madruga-

---

[1]   Los traperos recogían las basuras y buscaban en ellas ropas y objetos. El trabajo de los traperos no había cambiado mucho a como lo
describe Baroja en *La busca* (1902).

dora doña Jesusa, que después de comer duerme la siesta, para compensar, dispone la labor de las asistentas, viejas golfas en declive, las unas; amorosas, dulcísimas, domésticas madres de familia, las más. Doña Jesusa tiene por las mañanas siete asistentas. Sus dos criadas duermen hasta la hora del almuerzo, hasta las dos de la tarde, en la cama que pueden, en el lecho misterioso que más temprano se vació, quién sabe si como una tumba, dejando prisionero entre los hierros de la cabecera todo un hondo mar de desdicha, guardando entre la crin de su colchón el aullido del joven esposo que por primera vez, sin darse cuenta, engañó a su mujer, que era una muchacha encantadora, con cualquier furcia llena de granos y de mataduras[2] como una mula: a su mujer que le esperaba levantada, igual que todas las noches, haciendo calceta al casi muerto fuego del brasero, acunando al niño con el pie, leyendo una larga, interminable novela de amor, pensando difíciles, complejas estrategias económicas que le llevarían con un poco de suerte, a poder comprarse un par de medias.

Doña Jesusa, que es el orden en persona, reparte el trabajo entre sus asistentas. En casa de doña Jesusa se lava la ropa de cama todos los días; cada cama tiene dos juegos completos que, a veces, cuando algún cliente les hace, incluso a propósito, que de todo hay, algún jirón, se repasan con todo cuidado. Ahora no hay ropa de cama; se encuentran sábanas y tela para almohadas en el Rastro, pero a unos precios imposibles.

Doña Jesusa tiene cinco lavanderas y dos planchadoras desde las ocho de la mañana hasta la una de la tarde. Ga-

---

[2] *matadura:* herida que tiene un animal por roce de los aparejos. Aquí, es una fuerte metáfora para referirse a tumores ocasionados por ejercer la prostitución.

nan tres pesetas cada una, pero el trabajo no mata. Las planchadoras tienen las manos más finas y se dan brillantina en el pelo, no se resignan a pasar. Están delicadas de salud y tempranamente envejecidas. Las dos se echaron, casi niñas, a la vida, y ninguna de las dos supo ahorrar. Ahora les toca pagar las consecuencias. Cantan, como la cigarra, mientras trabajan, y beben sin tino, como sargentos de caballería.

Una se llama Margarita. Es hija de un hombre que en vida fue baulero [3] en la estación de las delicias. A los quince años tuvo un novio que se llamaba José, ella no sabe más. Era un bailón de los merenderos de la Bombilla [4]; la llevó un domingo al monte del Pardo y después la dejó. Margarita empezó a golfear y acabó con un bolso por los bares de Antón Martín. Lo que vino después es ya muy vulgar, aún más vulgar todavía.

La otra se llama Dorita. La perdió un seminarista de su pueblo, en unas vacaciones. El seminarista, que ya murió, se llamaba Cojoncio Alba. El nombre había sido una broma pesada de su padre, que era muy bruto. Se apostó una cena con los amigos a que llamaba Cojoncio al hijo, y ganó la apuesta. El día del bautizo del niño su padre, don Estanislao Alba, y sus amigos engancharon una borrachera tremenda. Daban mueras al rey y vivas a la repú-

---

[3]   *baulero:* maletero, mozo que en las estaciones transportaba el equipaje de los viajeros. Las Delicias fue una estación de ferrocarril.

[4]   Estos merenderos, a orillas del Manzanares, fueron muy concurridos durante décadas. Había en ellos bailes y verbenas. «Madrid vuelca sobre los suburbios multitud de parejas que buscan en los merenderos, en las piscinas, en los ríos, en las afueras y en el cobijo de las innumerables ruinas producidas por la guerra, lugares adecuados para toda clase de actos inmorales y escandalosos» *(La moralidad pública,* 1944, obra citada por C. Martín Gaite, pág.66).

blica federal. La pobre madre, doña Conchita Ibáñez, que era una santa, lloraba y no hacía más que decir:

—¡Ay, qué desgracia, qué desgracia! ¡Mi marido embriagado en un día tan feliz!

Al cabo de los años, en los aniversarios del bautizo, todavía se lamentaba:

—¡Ay, qué desgracia, qué desgracia! ¡Mi marido embriagado en tal día como hoy!

El seminarista, que llegó a canónigo de la catedral de León, la llevó, enseñándole unas estampitas, de colores chillones, que representaban milagros de San José de Calasanz, hasta las orillas del Curueño y allí, en un prado, pasó todo lo que tenía que pasar. Dorita y el seminarista eran los dos de Valdeteja, por la provincia de León. La chica, cuando lo acompañaba, tenía el presentimiento de que no iba camino de nada bueno, pero se dejaba llevar, iba como medio boba.

Dorita tuvo un hijo, y el seminarista, en otro permiso en que volvió por el pueblo, no quiso ni verla.

—Es una mala mujer —decía—, un engendro del Enemigo [5], capaz de perder con sus arteras mañas al hombre más templado. ¡Apartemos la vista de ella!

A Dorita la echaron de su casa y anduvo una temporada vagando por los pueblos, con el niño colgado de los pechos. La criatura fue a morir, una noche, en unas cuevas que hay sobre el río Burejo, en la provincia de Palencia. La madre no dijo nada a nadie; le colgó unas piedras al cuello y lo tiró al río, a que se lo comieran las truchas. Después, cuando ya no había remedio, se echó a llorar y estuvo cinco días metida en la cueva, sin ver a nadie y sin comer.

---

[5]   El demonio.

Dorita tenía dieciséis años y un aire triste y soñador de perro sin dueño, de bestia errabunda.

Anduvo algún tiempo tirada —como un mueble desportillado— por los burdeles de Valladolid y de Salamanca, hasta que ahorró para el viaje y se vino a la capital. Aquí estuvo en una casa de la calle de la Madera, bajando, a la izquierda, que le llamaban la sociedad de las naciones[6] porque había muchas extranjeras: francesas, polacas, italianas, una rusa, alguna portuguesa morena y bigotuda, pero sobre todo francesas, muchas francesas; fuertes alsacianas con aire de vaqueras, honestas normandas que se echaron a la vida para ahorrar para el traje de novia, enfermizas parisinas —algunas con un pasado esplendoroso— que despreciaban profundamente al chófer, al comerciante que sacaba sus buenas siete pesetas del bolsillo. De la casa la sacó don Nicolás de Pablos, un ricachón de Valdepeñas que se casó con ella por lo civil.

—Lo que yo quiero —decía don Nicolás a su sobrino Pedrito, que hacía unos versos muy finos y estudiaba filosofía y letras— es una cachonda con arrobas que me haga gozar, ¿me entiendes?, una tía apretada que tenga a donde agarrarse. Todo lo demás son monsergas y juegos florales.

Dorita dio tres hijos a su marido, pero los tres nacieron muertos. La pobre paría al revés: echaba los hijos de pie y, claro, se le ahogaban al salir.

Don Nicolás se marchó de España el año 39, porque decían si era masón, y no se volvió a saber nada más de él. Dorita, que no se atrevía a ir al lado de la familia del ma-

---

[6]   La Sociedad de las Naciones fue un organismo internacional creado tras la primera guerra mundial por el tratado de Versalles de 1919. Antecedente de la ONU.

rido, en cuanto se le acabaron unos cuartos que había en la casa, se echó otra vez a la busca[7], pero tuvo poco éxito. Por más que ponía buena voluntad y procuraba ser simpática, no conseguía una clientela fija. Esto era a principios del 40. Ya no era ninguna niña y había, además, mucha competencia, muchas chicas jóvenes que estaban muy bien. Y muchas señoritas que lo hacían de balde, por divertirse, quitándoles a otras el pan.

Dorita anduvo dando tumbos por Madrid hasta que conoció a doña Jesusa.

—Busco otra planchadora de confianza, vente conmigo. No hay más que secar las sábanas y alisarlas un poco. Te doy tres pesetas, pero eso es todos los días. Además tienes las tardes libres. Y las noches también.

Dorita, por las tardes, acompañaba a una señora impedida a dar una vuelta por Recoletos o a oír un poco de música en el María Cristina. La señora le daba dos pesetas y un corriente[8] con leche; ella tomaba chocolate. La señora se llamaba doña Salvadora y había sido partera. Tenía malas pulgas[9] y estaba siempre quejándose y gruñendo. Soltaba tacos constantemente y decía que al mundo había que quemarlo, que no servía para nada bueno. Dorita la aguantaba y le decía a todo amén, tenía que defender sus dos pesetas y su cafetito de las tardes.

Por las noches, a veces, la pobre mujer —con los dedos ateridos, la mente alejada y una ternura infinita en el corazón— prestaba algún servicio, detrás de las tapias del Retiro, a los soldados y a los estudiantes de bachillerato, y reunía hasta tres o cuatro pesetas. Después se iba a dor-

---

[7] *echarse a la busca:* prostituirse.
[8] *un* [café] *corriente*, o sea, de puchero, no de máquina.
[9] *tener malas pulgas:* tener mal genio, ser violento.

mir, dando una vuelta hasta la calle de Marqués de Zafra, al otro lado del paseo de Ronda, o tomando el metro hasta Manuel Becerra, si hacía mucho frío.

Las dos planchadoras, cada una en una mesa, cantan, mientras trabajan y dan golpes con la plancha, sobre las recosidas sábanas. Algunas veces hablan.

—Ayer he vendido el suministro. Yo no lo quiero. El cuarto de azúcar lo di por cuatro cincuenta. El cuarto de aceite, por tres. Los doscientos gramos de judías, por dos; estaban llenas de gusanos. El café me lo quedo.

—Yo se lo di a mi hija, yo le doy todo a mi hija. Me lleva a comer todas las semanas algún día.

Martín, desde su buhardilla, las oye hacer. No distingue lo que hablan. Oye sus desentonados cuplés, sus golpes sobre la tabla. Lleva ya despierto mucho rato, pero no abre los ojos. Prefiere sentir a Pura, que le besa con cuidado de vez en cuando, fingiendo dormir, para no tener que moverse. Nota el pelo de la muchacha sobre su cara, nota su cuerpo desnudo bajo las sábanas, nota el aliento que, a veces, ronca un poquito, de una manera que casi no se siente.

Así pasa un largo rato más: aquélla es su única noche feliz desde hace ya muchos meses. Ahora se encuentra, como nuevo, como si tuviera diez años menos, igual que si fuera un muchacho. Sonríe y abre un ojo, poquito a poco.

Pura, de codos sobre la almohada, le mira fijamente. Sonríe también, cuando lo ve despertar.

—¿Qué tal has dormido?

—Muy bien, Purita, ¿y tú?

—Yo también. Con hombres como tú, da gusto. No molestáis nada.

—Calla. Habla de otra cosa.

—Como quieras.

Se quedaron unos instantes en silencio. Pura le besó de nuevo.

—Eres un romántico.

Martín sonríe, casi con tristeza.

—No. Simplemente un sentimental.

Martín le acaricia la cara.

—Estás pálida, pareces una novia.

—No seas bobo.

—Sí, una recién casada...

Pura se puso seria.

—¡Pues no lo soy!

Martín le besa los ojos delicadamente, igual que un poeta de dieciséis años.

—¡Para mí, sí, Pura! ¡Ya lo creo que sí!

La muchacha, llena de agradecimiento, sonríe con una resignada melancolía.

—¡Si tú lo dices! ¡No sería malo!

Martín se sentó en la cama.

—¿Conoces un soneto de Juan Ramón que empieza Imagen alta y tierna del consuelo?

—No. ¿Quién es Juan Ramón?

—Un poeta.

—¿Hacía versos?

—Claro.

Martín mira a Pura, casi con rabia, un instante tan sólo.

—Verás.

> *Imagen alta y tierna del consuelo,*
> *aurora de mis mares de tristeza,*
> *lis de paz con olores de pureza,*
> *¡precio divino de mi largo duelo!* [10]

_____

[10]   Los *Sonetos espirituales* de Juan Ramón Jiménez se publicaron en 1917, inspirados por la que fue su esposa, Zenobia Camprubí.

—¡Qué triste es, qué bonito!
—¿Te gusta?
—¡Ya lo creo que me gusta!
—Otro día te diré el resto.

[2]   El señor Ramón, con el torso desnudo, se chapuza en un hondo caldero de agua fría.

El señor Ramón es hombre fuerte y duro, hombre que come de recio, que no coge catarros, que bebe sus copas, que juega al dominó, que pellizca en las nalgas a las criadas de servir, que madruga al alba, que trabajó toda su vida.

El señor Ramón ya no es ningún niño. Ahora, como es rico, ya no se asoma al horno aromático y malsano donde se cuece el pan; desde la guerra no sale del despacho, que atiende esmeradamente, procurando complacer a todas las compradoras, estableciendo un turno pintoresco y exacto por edades, por estados, por condiciones, hasta por pareceres.

El señor Ramón tiene nevada la pelambrera del pecho.

[3]   —¡Arriba, niña! ¡Qué es eso de estarse metida en la cama a estas horas, como una señorita!

La muchacha se levanta, sin decir ni palabra, y se lava un poco en la cocina.

La muchacha, por las mañanas tiene una tosecilla ligera, casi imperceptible. A veces coge algo de frío y entonces la tos se le hace un poco más ronca, como más seca.

—¿Cuándo dejas a ese tísico desgraciado? —le dice, algunas mañanas, la madre.

A la muchacha, que es dulce como una flor y también

capaz de dejarse abrir sin dar ni un solo grito, le entran entonces ganas de matar a la madre.

—¡Así reventases, mala víbora! —dice por lo bajo.

Victorita con su abriguillo de algodón, va dando una carrera hasta la tipografía El Porvenir, en la calle de la Madera, donde trabaja de empaquetadora, todo el santo día de pie.

Hay veces en que Victorita tiene más frío que de costumbre y ganas de llorar, unas ganas inmensas de llorar.

Doña Rosa madruga bastante, va todos los días a misa [4] de siete.

Doña Rosa duerme, en este tiempo, con camisón de abrigo, un camisón de franela inventado por ella.

Doña Rosa, de vuelta de la iglesia, se compra unos churros, se mete en su café por la puerta del portal —en su café que semeja un desierto cementerio, con las sillas patas arriba, encima de las mesas, y la cafetera y el piano enfundados—, se sirve una copeja de ojén, y desayuna.

Doña Rosa, mientras desayuna, piensa en lo inseguro de los tiempos; en la guerra que, ¡Dios no lo haga!, van perdiendo los alemanes; en que los camareros, el encargado, el echador, los músicos, hasta el botones, tienen cada día más exigencias, más pretensiones, más humos.

Doña Rosa, entre sorbo y sorbo de ojén, habla sola, en voz baja, un poco sin sentido, sin ton ni son y a la buena de Dios.

—Pero quien manda aquí soy yo, ¡mal que os pese! Si quiero me echo otra copa y no tengo que dar cuenta a nadie. Y si me da la gana, tiro la botella contra un espejo. No lo hago porque no quiero. Y si quiero, echo el cierre para siempre y aquí no se despacha un café ni a Dios. Todo esto es mío, mi trabajo me costó levantarlo.

Doña Rosa, por la mañana temprano, siente que el café es más suyo que nunca.

—El café es como el gato, sólo que más grande. Como el gato es mío, si me da la gana le doy morcilla o lo mato a palos.

[5]   Don Roberto González ha de calcular que, desde su casa a la diputación, hay más de media hora andando. Don Roberto González, salvo que esté muy cansado, va siempre a pie a todas partes. Dando un paseíto se estiran las piernas y se ahorra, por lo menos, una veinte a diario, treinta y seis pesetas al mes, casi noventa duros al cabo del año.

Don Roberto González desayuna una taza de malta con leche bien caliente y media barra de pan. La otra media la lleva, con un poco de queso manchego, para tomársela a media mañana.

Don Roberto González no se queja, los hay que están peor. Después de todo, tiene salud, que es lo principal.

[6]   El niño que canta flamenco duerme debajo de un puente, en el camino del cementerio. El niño que canta flamenco vive con algo parecido a una familia gitana, con algo en lo que, cada uno de los miembros que la forman, se las agencia como mejor puede, con una libertad y una autonomía absolutas.

El niño que canta flamenco se moja cuando llueve, se hiela si hace frío, se achicharra en el mes de agosto, mal guarecido a la escasa sombra del puente: es la vieja ley del Dios del Sinaí.

El niño que canta flamenco tiene un pie algo torcido; rodó por un desmonte, le dolió mucho, anduvo cojeando algún tiempo...

Purita acarició la frente de Martín. [7]

—Tengo un duro y pico en el bolso, ¿quieres que mande por algo para desayunar?

Martín, con la felicidad, había perdido la vergüenza. A todo el mundo le suele pasar lo mismo.

—Bueno.

—¿Qué quieres, café y unos churros?

Martín se rió un poquito, estaba muy nervioso.

—No, café y dos bollos suizos, ¿te parece?

—A mí me parece lo que tú quieras.

Purita besó a Martín. Martín saltó de la cama, dio dos vueltas por la habitación y se volvió a acostar.

—Dame otro beso.

—Todos los que tú quieras.

Martín, con un descaro absoluto, sacó el sobre de las colillas y lió un cigarrillo. Purita no se atrevió a decirle ni palabra. Martín tenía en la mirada casi el brillo del triunfador.

—Anda, pide el desayuno.

Purita se puso el vestido sobre la piel y salió al pasillo. Martín, al quedarse solo, se levantó y se miró al espejo.

Doña Margot, con los ojos abiertos, dormía el sueño de [8] los justos en el depósito, sobre el frío mármol de una de las mesas. Los muertos del depósito no parecen personas muertas, parecen peleles asesinados, máscaras a las que se les acabó la cuerda.

Es más triste un títere degollado que un hombre muerto.

[9]   La señorita Elvira se despierta pronto, pero no madruga. A la señorita Elvira le gusta estarse en la cama, muy tapada, pensando en sus cosas, o leyendo Los misterios de París, sacando sólo un poco la mano para sujetar el grueso, el mugriento, el desportillado volumen.

La mañana sube, poco a poco, trepando como un gusano por los corazones de los hombres y de las mujeres de la ciudad; golpeando, casi con mimo, sobre los mirares recién despiertos, esos mirares que jamás descubren horizontes nuevos, paisajes nuevos, nuevas decoraciones.

La mañana, esa mañana eternamente repetida, juega un poco, sin embargo, a cambiar la faz de la ciudad, ese sepulcro, esa cucaña [11], esa colmena...

¡Que Dios nos coja confesados!

---

[11]   *cucaña:* palo largo untado de jabón o grasa por el que hay que trepar para coger un premio colocado en lo alto. *Madrid es una cucaña...:* la metáfora realza las dificultades para sobrevivir.

FINAL

Han pasado tres o cuatro días. El aire va tomando cierto [1]
color de Navidad. Sobre Madrid, que es como una vieja
planta con tiernos tallitos verdes, se oye, a veces, entre el
hervir de la calle, el dulce voltear, el cariñoso voltear de
las campanas de alguna capilla. Las gentes se cruzan, presurosas. Nadie piensa en el de al lado, en ese hombre que
a lo mejor va mirando para el suelo; con el estómago deshecho o un quiste en un pulmón o la cabeza destornillada...

Don Roberto lee el periódico mientras desayuna. [2]
Luego se va a despedir de su mujer, de la Filo, que se
quedó en la cama medio mala.

—Ya lo he visto, está bien claro. Hay que hacer algo
por ese chico, piensa tú. Merecer no se lo merece, pero,
¡después de todo!

La Filo llora mientras dos de los hijos, al lado de la
cama, miran sin comprender: los ojos llenos de lágrimas,
la expresión vagamente triste, casi perdida, como la de
esas terneras que aún alientan —la humeante sangre sobre

las losas del suelo— mientras lamen, con la torpe lengua de los últimos instantes, la roña de la blusa del matarife que las hiere, indiferente como un juez: la colilla en los labios, el pensamiento en cualquier criada y una romanza [1] de zarzuela en la turbia voz.

[3]   Nadie se acuerda de los muertos que llevan ya un año bajo tierra.

En las familias se oye decir:

—No olvidaros, mañana es el aniversario de la pobre mamá.

Es siempre una hermana, la más triste, que lleva la cuenta...

[4]   Doña Rosa va todos los días a la Corredera, a hacer la compra, con la criada detrás. Doña Rosa va a la plaza después de haber trajinado lo suyo en el café; doña Rosa prefiere caer sobre los puestos cuando ya la gente remite, vencida la mañana.

En la plaza se encuentra, a veces, con su hermana. Doña Rosa pregunta siempre por sus sobrinas. Un día le dijo a doña Visi:

—¿Y Julita?

—Ya ves.

—¡A esa chica le hace falta un novio!

Otro día —hace un par de días— doña Visi al ver a doña Rosa, se le acercó radiante de alegría.

—¿Sabes que a la niña le ha salido novio?

---

[1]   *romanza:* aria, composición musical y en verso para ser cantada por una sola voz.

—¿Sí?

—Sí.

—¿Y qué tal?

—La mar de bien, hija, estoy encantada.

—Bueno, bueno, que así sea, que no se tuerzan las cosas...

—¿Y por qué se van a torcer, mujer?

—¡Qué se yo! ¡Con el género que hay ahora!

—¡Ay, Rosa, tú siempre viéndolo todo negro!

—No, mujer, lo que pasa es que a mí me gusta ver venir las cosas. Si salen bien, pues mira, ¡tanto mejor!

—Sí.

—Y si no...

—Si no, otro será, digo yo.

—Sí, si éste no te la desgracia.

Aún quedan tranvías en los que la gente se sienta cara a cara, en dos largas filas que se contemplan con detenimiento, hasta con curiosidad incluso. [5]

—Ése tiene cara de pobre cornudo, seguramente su señora se le escapó con alguien, a lo mejor con un corredor de bicicleta, quién sabe si con uno de abastos [2].

Si el trayecto es largo, la gente se llega a encariñar. Parece que no, pero siempre se siente un poco que aquella mujer, que parecía tan desgraciada, se quede en cualquier calle y no la volvamos a ver jamás, ¡cualquiera sabe si en toda la vida!

—Debe arreglarse mal, quizá su marido esté sin trabajo, a lo mejor están llenos de hijos.

---

[2]   *abastos:* comisaría que en la posguerra vigilaba los productos de primera necesidad.

Siempre hay una señora joven, gruesa, pintada, vestida con cierta ostentación. Lleva un gran bolso de piel verde, unos zapatos de culebra, un lunar pintado en la mejilla.

—Tiene aire de ser la mujer de un prendero rico. También tiene aire de ser la querida de un médico; los médicos eligen siempre queridas muy llamativas, parece como si quisieran decir a todo el mundo: ¡Hay que ver! ¿Eh? ¿Ustedes se han fijado bien? ¡Ganado del mejor!

Martín viene de Atocha. Al llegar a Ventas se apea y tira a pie por la carretera del Este. Va al cementerio a ver a su madre, doña Filomena López de Marco, que murió hace algún tiempo, un día de poco antes de nochebuena.

[6]   Pablo Alonso dobla el periódico y llama al timbre. Laurita se tapa, le da todavía algo de vergüenza que la doncella la vea en la cama. Después de todo, hay que pensar que no lleva viviendo en la casa más que dos días; en la pensión de la calle de Preciados donde se metió al salir de su portería de Lagasca, ¡se estaba tan mal!

—¿Se puede?

—Pase. ¿Está el señor Marco?

—No, señor, se marchó hace ya rato. Me pidió una corbata vieja del señor, que fuese de luto.

—¿Se la dio?

—Sí, señor.

—Bien. Prepáreme el baño.

La criada se va de la habitación.

—Tengo que salir, Laurita. ¡Pobre desgraciado! ¡Lo único que le faltaba!

—¡Pobre chico! ¿Crees que lo encontrarás?

—No sé, miraré en comunicaciones o en el banco de España, suele caer por allí a pasar la mañana.

Desde el camino del Este se ven unas casuchas misera- [7] bles, hechas de latas viejas y de pedazos de tablas. Unos niños juegan tirando piedras contra los charcos que la lluvia dejó. Por el verano, cuando todavía no se secó del todo el Abroñigal, pescan ranas a palos y se mojan los pies en las aguas sucias y malolientes del regato. Unas mujeres buscan en los montones de basura. Algún hombre ya viejo, quizás impedido, se sienta a la puerta de una choza, sobre un cubo boca abajo y extiende al tibio sol de la mañana un periódico lleno de colillas.

—No se dan cuenta, no se dan cuenta...

Martín, que iba buscando una rima de «laurel», para un soneto a su madre que ya tenía empezado, piensa en eso ya tan dicho de que el problema no es de producción, sino de distribución.

—Verdaderamente, ésos están peor que yo. ¡Qué barbaridad! ¡Las cosas que pasan!

Paco llega, sofocado, con la lengua fuera, al bar de la [8] calle de Narváez. El dueño, Celestino Ortiz, sirve una copita de cazalla³ al guardia García.

—El abuso del alcohol es malo para las moléculas del cuerpo humano, que son, como ya le dije alguna vez, de

---

³ *cazalla:* aguardiente. Se fabricaba en el pueblo sevillano de Cazalla.

tres clases: moléculas sanguíneas, moléculas musculares y moléculas nerviosas, porque las quema y las echa a perder, pero una copita de cuando en cuando sirve para calentar el estómago.

—Lo mismo digo.

—... y para alumbrar las misteriosas zonas del cerebro humano.

El guardia Julio García está embobado.

—Cuentan que los filósofos antiguos, los de Grecia y los de Roma y los de Cartago, cuando querían tener algún poder sobrenatural...

La puerta se abrió violentamente y un ramalazo de aire helado corrió sobre el mostrador.

—¡Esa puerta!

—¡Hola, señor Celestino!

El dueño le interrumpió. Ortiz cuidaba mucho los tratamientos, era algo así como un jefe de protocolo en potencia.

—Amigo Celestino [4].

—Bueno, déjese ahora. ¿Ha venido Martín por aquí?

—No, no ha vuelto desde el otro día, se conoce que se enfadó; a mí esto me tiene algo disgustado, puede creerme.

Paco se volvió de espaldas al guardia.

—Mire. Lea aquí.

Paco le dio un periódico doblado.

—Ahí abajo.

Celestino lee despacio, con el entrecejo fruncido.

—Mal asunto.

—Eso creo.

—¿Qué piensa usted hacer?

---

[4]   Celestino, que es fiel a su pasado anarquista, rechaza el tratamiento respetuoso de «señor», que para él tiene resonancias de clase.

—No sé. ¿A usted qué se le ocurre? Yo creo que será mejor hablar con la hermana, ¿no le parece? ¡Si pudiéramos mandarlo a Barcelona, mañana mismo!

En la calle de Torrijos, un perro agoniza en el alcorque[5] [9] de un árbol. Lo atropelló un taxi por mitad de la barriga. Tiene los ojos suplicantes y la lengua fuera. Unos niños le hostigan con el pie. Asisten al espectáculo dos o tres docenas de personas.

Doña Jesusa se encuentra con Purita Bartolomé.

—¿Qué pasa ahí?

—Nada, un chucho deslomado.

—¡Pobre!

Doña Jesusa coge de un brazo a Purita.

—¿Sabes lo de Martín?

—No, ¿qué le pasa?

—Escucha.

—Doña Jesusa lee a Purita unas líneas del periódico.

—¿Y ahora?

—Pues no sé, hija, me temo que nada bueno. ¿Lo has visto?

—No, no lo he vuelto a ver.

Unos basureros se acercan al grupo del can moribundo, cogen al perro de las patas de atrás y lo tiran dentro del carrito. El animal da un profundo, un desalentado aullido de dolor, cuando va por el aire. El grupo mira un momento para los basureros y se disuelve después. Cada uno tira para un lado. Entre las gentes hay, quizás, algún niño

---

[5] *alcorque:* hoyo alrededor de un árbol para retener el agua de lluvia o de riego.

pálido que goza —mientras sonríe siniestramente, casi imperceptiblemente— en ver cómo el perro no acaba de morir...

[10]   Ventura Aguado habla con la novia, con Julita, por teléfono.

—Pero, ¿ahora mismo?

—Sí, hija, ahora mismo. Dentro de media hora estoy en el metro de Bilbao, no faltes.

—No, no, pierde cuidado. Adiós.

—Adiós, échame un beso.

—Tómalo, mimoso.

A la media hora, al llegar a la boca del metro de Bilbao, Ventura se encuentra con Julita, que ya espera. La muchacha tenía una curiosidad enorme, incluso hasta un poco de preocupación. ¿Qué pasaría?

—¿Hace mucho tiempo que has llegado?

—No, no llega a cinco minutos. ¿Qué ha pasado?

—Ahora te diré, vamos a meternos aquí.

Los novios entran en una cervecería y se sientan al fondo, ante una mesa casi a oscuras.

—Lee.

Ventura enciende una cerilla para que la chica pueda leer.

—¡Pues sí, en buena se ha metido tu amigo!

—Eso es todo lo que hay, por eso te llamaba.

Julita está pensativa.

—¿Y qué va a hacer?

—No sé, no lo he visto.

La muchacha coge la mano del novio y da una chupada de su cigarro.

—¡Vaya por Dios!

—Sí, en perro flaco todas son pulgas... He pensado que vayas a ver a la hermana, vive en la calle de Ibiza.

—¡Pero si no la conozco!

—No importa, le dices que vas de parte mía. Lo mejor era que fueses ahora mismo. ¿Tienes dinero?

—No.

—Toma dos duros. Vete y vuelve en taxi, cuanta más prisa nos demos es mejor. Hay que esconderlo, no hay más remedio.

—Sí, pero... ¿No nos iremos a meter en un lío?

—No sé, pero no hay más remedio. Si Martín se ve solo es capaz de hacer cualquier estupidez.

—Bueno, bueno, ¡tú mandas!

—Anda, vete ya.

—¿Qué número es?

—No sé, es esquina a la segunda bocacalle, a la izquierda, subiendo por Narváez, no sé cómo se llama. Es en la acera de allá, en la de los pares, después de cruzar. Su marido se llama González, Roberto González.

—¿Tú me esperas aquí?

—Sí, yo me voy a ver a un amigo que es hombre de mucha mano, y dentro de media hora estoy aquí otra vez.

El señor Ramón habla con don Roberto, que no ha ido a [11] la oficina, que pidió permiso al jefe por teléfono.

—Es algo muy urgente, don José, se lo aseguro; muy urgente y muy desagradable. Ya sabe usted que a mí no me gusta abandonar el trabajo sin más ni más. Es un asunto de familia.

—Bueno, hombre, bueno, no venga usted, ya le diré a Díaz que eche una ojeada por su negociado.

—Muchas gracias, don José, que Dios se lo pague. Yo sabré corresponder a su benevolencia.

—Nada, hombre, nada, aquí estamos todos para ayudarnos como buenos amigos, el caso es que arregle usted su problema.

—Muchas gracias, don José, a ver si puede ser...

El señor Ramón tiene el aire preocupado.

—Mire usted, González, si usted me lo pide yo lo escondo aquí unos días; pero después que busque otro sitio. No es por nada, porque aquí mando yo, pero la Paulina se va a poner hecha un basilisco[6] en cuanto se entere.

[12]   Martín tira por los largos caminos del cementerio. Sentado a la puerta de la capilla, el cura lee una novela de vaqueros del Oeste. Bajo el tibio sol de diciembre los gorriones pían, saltando de cruz a cruz, meciéndose en las ramas desnudas de los árboles. Una niña pasa en bicicleta por el sendero; va cantando, con su tierna voz, una ligera canción de moda. Todo lo demás es suave silencio, grato silencio. Martín siente un bienestar inefable.

[13]   Petrita habla con su señorita, con la Filo.

—¿Qué le pasa a usted, señorita?

—Nada, el niño que está malito, ya sabes tú.

Petrita sonríe con cariño.

—No, el niño no tiene nada. A la señorita le pasa algo peor.

─────────

6   *basilisco:* animal fabuloso que mataba con la mirada. *Hecho un basilisco:* lleno de cólera.

Filo se lleva el pañuelo a los ojos.

—Esta vida no trae más que disgustos, hija, ¡tú eres aún muy chiquilla para comprender!

Rómulo, en su librería de lance, lee el periódico.   [14]

Londres. Radio Moscú anuncia que la conferencia entre Churchill, Roosevelt y Stalin se ha celebrado en Teherán hace unos días[7].

—¡Este Churchill es el mismo diablo! ¡Con la mano de años que tiene y largándose de un lado para otro como si fuese un pollo!

Cuartel general del Führer. En la región de Gomel, del sector central del frente del este, nuestras fuerzas han evacuado los puntos de...

—¡Huy, huy! ¡A mí esto me da muy mala espina!

Londres. El presidente Roosevelt llegó a la isla de Malta a bordo de su avión gigante Douglas.

—¡Qué tío! ¡Pondría una mano en el fuego porque ese aeroplanito tiene hasta retrete!

Rómulo pasa la hoja y recorre las columnas, casi cansadamente, con la mirada.

Se detiene ante unas breves, apretadas líneas. La garganta se le queda seca y los oídos le empiezan a zumbar.

—¡Lo que faltaba para el duro! ¡Los hay gafes!

---

[7] Las tres noticias, fechadas en Londres, que Rómulo lee en el periódico ocurrieron a finales de noviembre y primeros de diciembre de 1943. El día dos terminó en Teherán la conferencia entre Roosevelt, presidente de EE. UU., Churchill y Stalin, jefes de gobierno del Reino Unido y de la URSS. Las tropas soviéticas recuperaron la ciudad rusa de Gomel a los alemanes.

[15]   Martín llega hasta el nicho de la madre. Las letras se conservan bastante bien: R.I.P. Doña Filomena López Moreno, viuda de D. Sebastián Marco Fernández. Falleció en Madrid el 20 de diciembre de 1934.

Martín no va todos los años a visitar los restos de la madre, en el aniversario. Va cuando se acuerda.

Martín se descubre. Una leve sensación de sosiego, siente que le da placidez al cuerpo. Por encima de las tapias del cementerio, allá a lo lejos, se ve la llanura color pardo en la que el sol se para, como acostado. El aire es frío, pero no helador. Martín, con el sombrero en la mano, nota en la frente una ligera caricia ya casi olvidada, una vieja caricia del tiempo de la niñez...

—Se está muy bien aquí —piensa—, voy a venir con más frecuencia.

No faltó nada para que se pusiera a silbar, se dio cuenta a tiempo.

Martín mira para los lados.

La niña Josefina de la Peña Ruiz subió al cielo el día 3 de mayo de 1941, a los once años de edad.

—Como la niña de la bicicleta. A lo mejor eran amigas; a lo mejor, pocos días antes de morir, le decía, como dicen, a veces, las niñas de once años: Cuando sea mayor y me case...

El Ilmo. Señor Don Raúl Soria Bueno. Falleció en Madrid...

—¿Un hombre ilustre pudriéndose metido en un cajón!

Martín se da cuenta de que no hace fundamento.

—No, no. Martín, estáte quieto.

Levanta de nuevo la mirada y se le ocupa la memoria con el recuerdo de la madre. No piensa en sus últimos tiempos, la ve con treinta y cinco años...

—Padre nuestro que estás en los cielos, santificado sea

el tu nombre, venga a nos el tu reino, así como nosotros perdonamos a nuestros deudores... No, esto me parece que no es así.

Martín empieza otra vez y vuelve a equivocarse; en aquel momento hubiera dado diez años de vida por acordarse del padrenuestro.

Cierra los ojos y los aprieta con fuerza. De repente, rompe a hablar a media voz.

—Madre mía que estás en la tumba, yo te llevo dentro de mi corazón y pido a Dios que te tenga en la gloria eterna como te mereces. Amén.

Martín sonríe. Está encantado con la oración que acaba de inventar.

—Madre mía que estás en la tumba, pido a Dios... No, no era así.

Martín frunce el entrecejo.

—¿Cómo era?

Filo sigue llorando.   [16]

—Yo no sé lo que hacer, mi marido ha salido a ver a un amigo. Mi hermano no hizo nada, yo se lo aseguro a usted; eso debe ser una equivocación, nadie es infalible, él tiene sus cosas en orden...

Julita no sabe lo que decir.

—Eso creo yo, seguramente es que se han equivocado. De todas maneras, yo creo que convendría hacer algo, ver a alguien... ¡Vamos, digo yo!

—Sí, a ver qué dice Roberto cuando venga.

Filo llora más fuerte, de repente. El niño pequeño que tiene en el brazo, llora también.

—A mí lo único que se me ocurre es rezar a la virgencita del Perpetuo Socorro, que siempre me sacó de apuros.

[17]   Roberto y el señor Ramón llegaron a un acuerdo. Como lo de Martín, en todo caso, no debía ser nada grave, lo mejor sería que se presentase sin más ni más. ¿Para qué andar escapando cuando no hay nada importante que ocultar? Esperarían un par de días —que Martín podía pasar muy bien en casa del señor Ramón— y después, ¿por qué no?, se presentaría acompañado del capitán Ovejero, de don Tesifonte, que no es capaz de negarse y que siempre es una garantía.

—Me parece muy bien, señor Ramón, muchas gracias. Usted es hombre muy cabal.

—No, hombre, no, es que a mí me parece que sería lo mejor.

—Sí, eso creo yo. Créame si le aseguro que me ha quitado usted un peso de encima...

[18]   Celestino lleva escritas tres cartas, piensa escribir aún otras tres. El caso de Martín le preocupa.

—Si no me paga, que no me pague, pero yo no lo puedo dejar así.

[19]   Martín baja las laderitas del cementerio con las manos en los bolsillos.

—Sí, me voy a organizar. Trabajar todos los días un poco es la mejor manera. Si me cogieran en cualquier oficina, aceptaba. Al principio, no, pero después se puede hasta escribir, a ratos perdidos, sobre todo si tiene buena calefacción. Le voy a hablar a Pablo, él seguramente sabrá de algo. En sindicatos se debe estar bastante bien, dan pagas extraordinarias.

A Martín se le borró la madre, como con una goma de borrar, de la cabeza.

—También se debe estar muy bien en el instituto nacional de previsión; ahí debe ser más difícil entrar. En esos sitios se está mejor que en un banco. En los bancos explotan a la gente, al que llega tarde un día le quitan dinero al darle la paga. En las oficinas particulares hay algunas en las que no debe ser difícil prosperar; a mí lo que me venía bien era que me nombrasen para hacer una campaña en la prensa. ¿Padece usted de insomnio? ¡Allá usted! ¡Usted es un desgraciado porque quiere! ¡Las tabletas equis (Marco, por ejemplo) le harían a usted feliz sin que le atacasen lo más mínimo al corazón!

Martín va entusiasmado con la idea. Al pasar por la puerta se dirige a un empleado.

—¿Tiene usted un periódico? Si ya lo ha leído, yo se lo pago, es para ver una cosa que me interesa...

—Sí, ya lo hc visto, lléveselo usted.

—Muchas gracias.

Martín salió disparado. Se sentó en un banco del jardincillo que hay en la puerta del cementerio y desdobló su periódico.

—A veces, en la prensa, vienen indicaciones muy buenas para los que buscamos empleo.

Martín se dio cuenta de que iba demasiado de prisa y se quiso frenar un poco.

—Voy a leerme las noticias; lo que sea, será; pero ya se sabe, no por mucho madrugar se amanece más temprano.

Martín está encantado consigo mismo.

—¡Hoy sí que estoy fresco y discurro bien! Debe ser el aire del campo.

Martín lía un pitillo y empieza a leer el periódico.

—Esto de la guerra es la gran barbaridad. Todos pierden y ninguno hace avanzar ni un paso a la cultura.

Por dentro sonríe, va de éxito en éxito.

De vez en cuando, piensa sobre lo que lee, mirando para el horizonte.

—En fin, ¡sigamos!

Martín lee todo, todo le interesa, las crónicas internacionales, el artículo de fondo, el extracto de unos discursos, la información teatral, los estrenos de los cines, la liga...

Martín nota que la vida, saliendo a las afueras a respirar el aire puro, tiene unos matices más tiernos, más delicados que viviendo constantemente hundido en la ciudad.

Martín dobla el diario, lo guarda en el bolsillo de la americana, y rompe a andar. Hoy sabe más cosas que nunca, hoy podría seguir cualquier conversación sobre la actualidad. El periódico se lo ha leído de arriba abajo, la sección de anuncios la deja para verla con calma, en algún café, por si hay que apuntar alguna dirección o llamar a cualquier teléfono. La sección de anuncios, los edictos [8] y el racionamiento de los pueblos del cinturón, es lo único que Martín no leyó.

Al llegar a la plaza de toros ve un grupo de chicas que le miran.

—Adiós, preciosas.

—Adiós, turista.

A Martín le salta el corazón en el pecho. Es feliz. Sube por Alcalá a paso picado, silbando la Madelón [9].

---

[8]   El *edicto* es un escrito del juzgado que se publica para localizar a una persona que tiene algún proceso pendiente. La novela no informa del motivo por el que se pudiera buscar a Martín Marco, excepto, quizá, el haber pertenecido a la FUE (ver cap. III, n. 40).

[9]   La *Madelón* fue un popular himno de la primera guerra mundial.

—Hoy verán los míos que soy otro hombre.

Los suyos pensaban algo por el estilo.

Martín, que lleva ya largo rato andando, se para ante los escaparates de una bisutería.

—Cuando esté trabajando y gane dinero, le compraré unos pendientes a la Filo. Y otros a Purita.

Se palpa el periódico y sonríe.

—¡Aquí puede haber una pista!

Martín, por un vago presentimiento, no quiere precipitarse... En el bolsillo lleva el periódico, del que no ha leído todavía la sección de anuncios ni los edictos. Ni el racionamiento de los pueblos del cinturón.

—¡Ja, ja! ¡Los pueblos del cinturón! ¡Qué chistoso! ¡Los pueblos del cinturón!

Madrid, 1945-Cebreros, 1950.

APÉNDICE

por Eduardo Alonso

TALLER DE LECTURA

I. ANÁLISIS TEMÁTICO

1. «LA COLMENA», NOVELA DE LA POSGUERRA

Toda esta gente vive bajo una gran sombra, una amenaza: el espectro de la guerra civil, con su cambiante cara. Unas veces es el pasado horror, las privaciones; otras las consecuencias, la represión, el terror de igual cariz y distinto signo. Lo de menos es esa necesidad de andar comerciando con las ruines raciones del suministro. El Madrid hambriento y enfermizo de la posguerra..., sale a cada paso. Pero no es eso lo más importante. Lo que grita es la secuela de la tragedia, dejando su huella sangrienta y sin rumbo, acobardando a las gentes, creándoles su aire de inútiles muñecos sin gloria, sin dignidad, sin derecho siquiera al sosiego.

Es el Madrid de los primeros años de la posguerra, muy asustado de la paz que encontraba después de tres largos años de sobresalto en vilo.

(A. Zamora Vicente, *C. J. C. Acercamiento a un escritor*, Madrid, Gredos, 1962, págs. 61-62.)

2. NOVELA EXISTENCIAL

2.1. *La novela existencial de los años cuarenta*

Los representantes de la *novela existencial* vivieron la guerra como adultos y, en su actitud, no se han distinguido por su solidaridad generacional o ideológica, sino por una errante independencia. Autores principales: dentro de España, Camilo José Cela, Carmen Laforet y Miguel Delibes [...] Fuera de España: Ramón Sender, Max Aub, Francisco Ayala.

Sus temas pueden reducirse a dos: la incertidumbre de los destinos humanos y la ausencia o dificultad de comunicación personal.

Los personajes [están] apresados en su laberinto, encerrados en las celdillas de la estéril colmena, atados a la noria [...], lanzados a la deriva, puestos sobre la pendiente, desarraigados. Agrupables en: los violentos, los oprimidos y los indecisos.

(G. Sobejano, «Direcciones de la novela de posguerra», en *Novelistas españoles de posguerra*, 1, Madrid, Taurus, 1976, págs. 49-50.)

2.2. *Existencialismo en «La colmena»*

El tema central de *La colmena* es la incertidumbre de los destinos humanos: las gentes no saben adónde van, cuál podría ser su finalidad. El más importante subtema es la incomunicación: todos viven como separados, en celdillas clausuradas, solos.

*

El resultado... es la alienación, es decir, el extrañamiento del individuo respecto de los otros y respecto de sí mismo. La alienación depende del sistema económico, pero se produce igualmente, a expensas de la libertad, bajo cualquier forma de opresión. Esta alienación de raíz opresiva es la que capta Cela en su papel de revelador del Madrid de 1943.

*

Los destinos son inciertos porque, en último término, no está en la mano de la persona forjarse su destino [...] Quien no conoce su destino probable ni puede intervenir en él con sensación de libertad, vive ante el vacío y se agota en la repetición [...] De las prisiones de la rutina escapan algunos mediante el soliloquio y el sueño, dos formas de ensimismamiento. Pero la vía relativamente más fácil de evasión es el sexo. El dinero, máximo instrumento enajenador, todo lo puede, y dinero es lo que se busca obsesivamente. Al fondo gravita el próximo recuerdo de la guerra.

(G. Sobejano, *Novela española de nuestro tiempo*, Madrid, Prensa Española, 1970, págs, 102-104.)

LA COLMENA es una novela existencial porque muestra la conciencia que los personajes tienen de su destino. Este aspecto se podría esquematizar con las siguientes *palabras temáticas*:

TESTIMONIO EXISTENCIAL

enajenación   falsedad
fatalismo   pasividad
humillación   resignación
monotonía   solidaridad
tedio   vacío
incertidumbre

La secuencia 3 del cap. I, que se comenta al final de estos ejercicios, es quizá la que mejor expresa el latido existencial de los personajes. Los clientes del café son todos convalecientes de un pasado terrible, están amargados, el ambiente es «enfermizo» y el tiempo pasa monótono. Las cosas pasan porque sí, sin explicación, un tanto absurdamente.

 — Aplica una palabra temática del cuadro anterior a cada una de las siguientes expresiones:

1. En este mundo todo ha ido fallando sin que nadie se lo explicase.
2. Este mundo, ¡ay!, no es lo que pudo haber sido.
3. Los clientes... creen que las cosas pasan porque sí.
4. El mirar lleno de amargura como un mar encalmado.
5. No merece la pena poner remedio a nada.
6. Piensan vagamente..., los más meditan a solas.
7. La conversación muere de mesa en mesa.
8. Hay quien pone al silencio un ademán soñador, de imprecisa recordación.

— Otras frases resumen el sentido de la secuencia subrayando un motivo existencial. Indica cuál se da, de acuerdo con el esquema anterior, en estas frases:

1. Aquí estamos para ayudarnos unos a otros: lo que pasa es que no se puede porque no queremos. Ésa es la vida —resume doña Rosa.
2. Cruza, como un relámpago, un aliento lleno de esperanza.
3. La ciudad parece suya, más de los hombres que como él marchan sin rumbo fijo con las manos en los vacíos bolsillos..., con la cabeza vacía, con los ojos vacíos, y en el corazón, sin que nadie se lo explique, un vacío profundo e implacable.

4. Tas, tas; tas, tas; y así toda la vida, día y noche, invierno y verano: el corazón.
5. El café, antes de media hora, quedará vacío, igual que un hombre al que se le hubiera borrado la memoria.
6. La mañana, esa mañana eternamente repetida...
7. Las cosas pasan porque sí, sin que nadie las pueda explicar a ciencia cierta.

— Justifica la *solidaridad* y el clima de *amenaza* del capítulo «Final». Comprueba el tema de la humillación en estas dos secuencias: 1) cap. I. 13: «Un impresor enriquecido...» y 2) cap. V. 8: «En el café, doña Rosa...».

— Sobre la incertidumbre de los destinos humanos, comenta estos textos:

Ahora anda buscando un destino, pero no lo encuentra... Se pasaba el día en el café, mirando para los dorados del techo... No solía pensar en su desdicha; en realidad no solía pensar nunca en nada... ¡Qué misterioso es esto (I. 4).

Flota en el aire como un pesar que se va clavando en los corazones. Los corazones no duelen y pueden sufrir, hora tras hora, hasta toda una vida, sin que nadie sepamos nunca, demasiado a ciencia cierta, qué es lo que pasa (I. 11).

El joven poeta está componiendo un poema largo, que se llama Destino. Tuvo sus dudas sobre si debía poner El destino, pero al final pensó que sería mejor titularlo Destino... Así no se sabía si se quería aludir al destino, o a un destino, a destino incierto, a destino fatal o destino feliz o destino azul o destino violado (I. 9).

Nadie piensa en el de al lado, en ese hombre que a lo mejor va mirando para el suelo; con el estómago deshecho o un quiste en un pulmón o la cabeza destornillada... (Final. 1).

3. «LA COLMENA», NOVELA TESTIMONIAL

Pero LA COLMENA es también una novela *social* porque trata de la sociedad española en una situación histórica concreta, el Madrid de 1943. Es novela testimonial, espejo de la vida cotidiana, con protagonismo colectivo. Los motivos o temas de este testimonio son la escasez de alimentos y el hambre, el frío que se padece en las casas, las penurias de todo tipo (falta de combustible, luz que se va, escasez de jabón), las enfermedades, las relaciones amorosas y sexuales (noviazgo, matrimonios, prostitución), las diversiones (tertulias de café, juegos de dominó, el cine...), la vida religiosa, la represión política, etc. Un esquema con las *palabras temáticas* podría ser este:

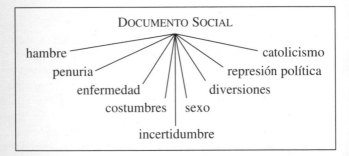

DOCUMENTO SOCIAL

hambre — catolicismo
penuria — represión política
enfermedad — diversiones
costumbres — sexo
incertidumbre

Los textos siguientes pueden servir para enmarcar los temas anteriores de la novela en un contexto social e histórico.

3.1. *La miseria*

Hambre, frío, escasez de combustible, enfermedades. Excepto algunos personajes, la mayoría padece penurias, no pocos viven en la miseria. Aún es peor en el extrarradio, en los barrios que fueron frente de guerra y quedaron destruidos.

 — Comenta este pasaje de la secuencia 7 del capítulo «Final»:

> Desde el camino del Este se ven las casuchas miserables, hechas de latas viejas y de pedazos de tablas. Unos niños juegan tirando piedras contra los charcos,... y se mojan los pies en las aguas sucias y malolientes del regato. Unas mujeres buscan en los montones de basura. Algún hombre, ya viejo, quizá impedido, se sienta a la puerta de una choza [...]
> Verdaderamente, ésos están peor que yo. ¡Qué barbaridad! ¡Las cosas que pasan!

— Compara el texto anterior con este informe de 1944 para conocimiento exclusivo de las autoridades:

> Entre las ruinas las gentes se amontonan aprovechando ansiosamente una sola habitación para albergarse cuatro o cinco familias, buscando refugio en sótanos o cuevas de tierra y durmiendo en repugnante mezcolanza de sexos y edades. La miseria es tan enorme que difícilmente se puede explicar. Sin muebles, sin vestidos, sin casi comida: así viven muchos miles de almas en las afueras de Madrid, dedicados a la busca, la ratería y a la mendicidad, depauperados y recelosos. Masa en la que

se ceba la tuberculosis... *(La moralidad pública*..., cit. en n. 69, cap. I).

— Cita datos concretos de la novela que reflejen el hambre, el frío, la escasez de suministros y otras penurias materiales de la España de posguerra. Consulta las páginas 44-46 del prólogo.

3.2. *La tuberculosis*

¿Cuántos tuberculosos habrá en este café?, se pregunta don Jaime (I. 4). La tuberculosis era una enfermedad muy extendida y afectaba especialmente a los niños.

— Comenta esta canción infantil de la época, cuyo siniestro humor pretendía conjurar el mal:

> Somos los tuberculosos
> los que más
> los que más nos divertimos
> y en todas nuestras reuniones
> arrojamos, arrojamos y escupimos.
> Es el bacilo de Koch
> el que más
> el que más nos interesa,
> y estamos llenos de taras,
> de la cabeza a los...

— El novio de Victorita está tuberculoso. Eso «se podría arreglar con unos duros. Ya es sabido: los tísicos pobres pringan; los tísicos ricos, si no se curan del todo, por lo menos se van bandeando, se van defendiendo. El dinero no es fácil de encontrar. Victorita lo sabe muy bien» (IV. 19).

3.3. *El racionamiento de alimentos*

Los alimentos básicos estaban racionados debido «a la crisis de alimentación que la realidad impone», decía la Ley de 24-6-1941. La Delegación de Abastecimientos señalaba los días y las horas en que se realizaban los suministros, por lo que «quedaba terminantemente prohibido la formación de colas con tal objeto, ya que serán absolutamente innecesarias». Para cada familia había dos cartillas de racionamiento: una para carnes y otra para los demás comestibles. Pero en 1943 se sustituyó la cartilla familiar por la individual, que constaba de una «tarjeta de abastecimiento» con los datos personales y los cupones que se cortaban. Se habla mucho en la novela de suministro, estraperlo, alimentos y comida. Matar el hambre es la gran (pre)ocupación de muchos personajes.

— La señorita Elvira es uno de los personajes más patéticos. Cena una peseta de castañas y se acuesta «desazonada, cualquiera diría que se había echado al papo una cena tremenda». En las secuencias II. 29 y la V. 8 el hambre es signo de pobreza y motivo de humillación. Relaciona el texto siguiente con la novela:

Aún había historias de guerras no liquidadas que se convertían en heroicos paquetes de comida y ropa limpia. Pero se estaba vivo. Y no todos podían decir lo mismo. Se pasaba hambre. En las esquinas urbanas los estraperlistas daban la cara, más o menos limpia, por otros que la escondían en la nocturnidad de las lanchas y de los pasos fronterizos organizados. Cuando los trenes llegaban a las ciudades, en las cercanías, los traficantes del hambre lanzaban la mercancía por la ventana para eludir el control aduanero de cada estación.

(M. Vázquez Montalbán, *Crónica sentimental de España*, 1971).

— ¿Para quiénes serían esos paquetes de comida? ¿Para los presos de las cárceles?; ¿cómo se llama a los que participaban en el mercado negro?; justifica la ironía de: «el patrón es un hombre de buena sangre, un hombre honrado que hace sus estraperlos, como cada hijo de vecino».

En los dos recortes de periódico de la página siguiente puede comprobarse la propaganda oficial que elogia «la obra realista» —y casi milagrosa— del Caudillo, consistente en subir el precio del trigo a los labriegos y 48 horas después bajar el precio de la harina.

3.4. *El tabaco*

El tabaco estaba racionado. Martín Marco fuma las colillas que deja su cuñado (IV. 25). En el café de doña Rosa «todos fuman». El tabaco es signo de riqueza y poder; unos fuman colillas, otros cuarterón, otros rubio americano, y el impresor don Mario «un puro descomunal», con el que humilla al vecino de mesa (I. 13). La señorita Elvira, una prostituta, fuma algún que otro «tritón» (I. 6). Nati Robles fuma «con aire europeo». En la posguerra estaba mal visto que la mujer fumase. Se tomaba como un signo frívolo y provocador, una imitación de las perversas *vamp* del cine. He aquí un testimonio de la época.

Los días 4 y 5 de AGOSTO

SUMINISTRO

de azúcar, aceite, café y lentejas a toda la población

Según nota facilitada por la Comisaría General de Abastecimientos y Transportes, durante los días 4 y 5 del próximo mes de agosto se efectuará a toda la población un suministro de aceite, azúcar, café y lentejas.

Asimismo, y durante los indicados días, se realizará un reparto de bacalao a las cartillas afectas al distrito de Buenavista.

El racionamiento será el siguiente: aceite, un decilitro por persona; azúcar, 100 gramos por persona, lentejas, 50 gramos por persona, café 30 gramos por persona, y bacalao 70 gramos por persona.

Informaciones, 31-7-39

La obra realista del CAUDILLO

Hace 48 horas dimos cuenta de que había

SUBIDO EL PRECIO DEL TRIGO

Hoy damos cuenta (pág. 5) de que ha

BAJADO EL PRECIO DEL PAN

500 gramos COSTABAN EN MADRID 0,40 Pts. 1.600 gramos COSTARÁN ahora 1,20 PESETAS.

El bienestar de los labriegos favorece la economía de todos los

TRABAJADORES ¡ESTA ES LA POLÍTICA DE FRANCO!

Informaciones, 7-7-39

A los hombres les desagrada enormemente que la mujer fume. En cambio insisten con aquellas que les parecen propicias a la tentación, a la vez que no consienten a su hermana o a su novia que lo hagan. En lugares públicos la mujer que fuma se hace acreedora a las impertinentes galanterías de los hombres indiscretos. Parece ser que el cigarrillo es el distintivo utilizado por las mujeres a quienes gusta llamar la atención. Todos los hombres, sin excepción, dejan traslucir en sus miradas una curiosidad maliciosa cuando han tropezado con una mujer fumadora. E inevitablemente la juzgan mal.

(Mª Pilar Morales, *Mujeres*, Madrid, 1944, pág. 83.)

 — De acuerdo con lo anterior, comenta las secuencias I, 27 y 41.

— Comprueba en las secuencias 2 y 21 del cap. I cómo don Leonardo sablea tabaco.

3.5. *La prostitución*

La prostitución es una consecuencia de la pobreza y de la miseria. En la primera secuencia del cap. IV se describe el ambiente del burdel de doña Jesusa y se relata la historia de las empleadas. En la secuencia 28 del cap. IV, se habla de las casas de citas en las calles de Alcántara, Montesa y las Naciones, donde «se mata el tiempo y se coge algo de calor y algo de cariño también». En cabarés y cafés de la Gran Vía hay una prostitución de lujo (IV. 5).

 — El tema de la prostitución sale en 21 secuencias. Comprueba la hambrienta, desamparada y mísera realidad de la señorita Elvira en el cap. I (6,

12, 22, 24) y IV (17); analiza el caso de Dorita en el prostíbulo de doña Jesusa (Final y VI. 1); comenta el terrible retrato de *la Uruguaya* (IV. 10).

En las relaciones amorosas, las mujeres son víctimas. El sexo es humillación. Aunque hay alguna entrega gozosa (IV. 30: Petrita a Julio), muchachas y criadas se venden por necesidad, para salir de la miseria.

 — Laurita deja a su novio cartero, «con el que no iba a ninguna parte», y se convierte en la querida de don Pablo Alonso. Se puede leer esta línea argumental en las siguientes secuencias: en la cafetería (II. 9, 12, 21); cuando van en taxi al cine (II. 27); en un bar de lujo (III. 3 y IV. 12, 27) y en casa de él (Final. 6).

3.6. *El engaño de amor*

Las relaciones amorosas entre marido y mujer suelen ser insinceras y rutinarias. Roberto y la mimosa Filo viven un triste amor conyugal (IV. 33, 35). Ramón se aparea instintivamente con Paulina (IV. 37). Pepe trata a su mujer como a un mueble (V. 39). Roque Moisés es infiel a su esposa. Hasta la pareja formada por Javier y Pirula, su querida, están instalados en la rutina: «el rito es el mismo todas las noches, las palabras que se dicen, poco más o menos, también» (IV. 14).

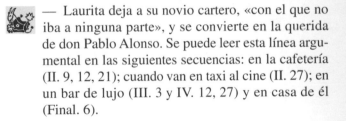 — Comenta alguna de las secuencias citadas.
— Las declaraciones de amor son formularias. Revelan la falsedad de los sentimientos amorosos. Compruébalo en este diálogo:

La mujer habla como una novia.

—¿Me quieres mucho?

—¡Pues, claro, hijita, naturalmente que mucho! ¡A quién se le ocurre!

—¿Mucho, mucho?

Don Roberto deja caer las palabras como un sermón [...]

—¡Mucho más de lo que imaginas! (IV. 33).

El código social era en los años cuarenta muy riguroso.

La declaración de amor, que en ningún caso hacía la mujer, marcaba la hora de la verdad. Se hiciera por escrito o cara a cara, empleando fórmulas habituales y manidas o dando rienda a una expresión poética personal que garantizara mejor la originalidad y autenticidad de los sentimientos, lo cierto es que ningún hombre que deseara tener novia podía evitar semejante expediente.

(C. Martín Gaite, *Usos amorosos de la posguerra española,* Barcelona, Anagrama, 1987, pág. 194.)

3.7. *Noviazgos*

Julita se reúne clandestinamente con su novio en la casa de citas de doña Celia Vecino. Son encuentros rutinarios. Petrita es novia del policía Julio García, pero está enamorada de Martín Marco, al que paga una deuda de bar entregándose sexualmente a Celestino Ortiz. Victorita está dispuesta a prostituirse para pagar la curación de su novio: «una mujer joven, por fea que sea, siempre vale dinero», dice; su madre le recrimina un noviazgo tan poco conveniente: «¡Anda, que lo que vas a sacar tú!» Relee la nota 36 del cap. III.

— ¿Recuerdas el noviazgo y los encuentros amorosos de Ventura Aguado y Julita? (III. 14, 19; V. 4,
13, 24) Su historia se puede completar con esta cita:

> Los noviazgos de posguerra se habían convertido en
> un negocio doméstico en el que había que contar con el
> visto bueno de las respectivas familias. Las dignas y
> suspicaces madres exigían garantías de porvenir a los
> futuros yernos y soñaban para sus hijas un ascenso en la
> escala social. Para sus hijos varones, a los que nunca te-
> nían tanta prisa por ver casados, deseaban simplemente
> una mujer que no los echara a perder y que se pareciera
> lo más posible a ellas mismas. El ideal de muchas era el
> de mantenerlos el mayor tiempo posible bajo su ala pro-
> tectora, sumidos en el ámbito reconfortante de las bue-
> nas costumbres.

> (C. Martín Gaite, *op. cit.,* pág. 113.)

3.8. *La represión política*

Hay algunas esporádicas alusiones al clima social y
político de posguerra. Doña Rosa amenaza a los camareros con la cárcel, los insulta llamándolos «rojos» (ver I,
n. 20). Celestino Ortiz mantiene clandestinamente su
ideología anarquista. Martín Marco, que perteneció a la
FUE (ver cap. III. n. 45), tiembla de miedo cuando la policía le para en la calle.

 — Relee las secuencias 32 y 34 del cap. IV y advierte el malestar y el miedo de Martín Marco tras
la detención y el cacheo.
— En el último capítulo hay indicios del miedo y
de la prevención que se vivían en la posguerra.
Compruébalo.

La censura no permitiría muchas más insinuaciones, pero la represión fue muy dura en los primeros años del franquismo:

> Hacia 1946 había unas 150 cárceles grandes. Alguna idea sobre el número de ciudadanos apartados de la sociedad puede advertirse en estos ejemplos: en las cárceles de Barcelona y de Valencia, 10.000 presos en cada una; en Cote (Asturias) 8.000; en Carabanchel 7.000; en Yeserías 5.000. Las cárceles de mujeres en 1946 en Ventas, Quiñones y Claudio Coello, en Madrid, contenían un total de 6.000 personas. 10.000 hombres más comprendían siete batallones de trabajos forzados.
>
> 300.000 vivían en casa en «libertad vigilada», restringidos en sus movimientos y obligados a presentarse semanalmente a las autoridades policiales. En este caso el confinamiento, sobre todo sicológico, fomentó una mentalidad de sospecha y reserva que se infiltraba imperceptiblemente en sectores más amplios de la población.

> *(Tiempo de historia,* cit. pág. 79.)

3.9. *La censura de prensa*

Debe tenerse en cuenta que la censura era muy rigurosa y sectaria. El testimonio de primera mano que aporta Delibes es muy aclarador:

> Lo más grave de una dictadura son las pequeñas dictaduras que genera, y ante las cuales toda persona, física o moral, queda inerme. La intromisión de la Vicesecretaría en la vida de los diarios españoles alcanza a veces límites increíbles, como ésta, verdaderamente bochornosa, mediante un comunicado que se distribuyó años más tarde entre todos los periódicos nacionales con oca-

sión del fallecimiento de don José Ortega y Gasset, y que literalmente dice así: «Ante la posible contingencia del fallecimiento de don José Ortega y Gasset, y en el supuesto de que así ocurra, ese diario dará la noticia con una titulación máxima de dos columnas y la inclusión, si se quiere, de un sólo artículo encomiástico, sin olvidar en él errores religiosos y políticos del mismo, y, en todo caso, eliminando siempre la denominación de *maestro*.

(M. Delibes, «La prensa española en los años 40», *Tiempo de historia,* cit., pág. 100.)

4. «LA COLMENA» Y EL CINE

En LA COLMENA hay referencias al mundo del cine: películas, actores, espectadores...

— Consulta las notas 70 del cap. I; 13 y 35 del cap. III; 10 y 11 del cap. IV.
— Relee la clasificación de la clientela de los cines en la secuencia 5 del cap. IV: «Los portales llevan ya...». Relaciona esa secuencia con el texto siguiente:

Con el frío en las casas, se notaba más el hambre. El cine fue la gran solución de los acongojados españoles de posguerra. Barato, caliente y a oscuras; nadie daba tanto por tan poco. Era costumbre verse las películas varias veces. La mujer, con los niños, esperaba la llegada del marido. Un bocadillo de mortadela durante la proyección constituía la cena; así se pasaba la tarde.

El cine español estaba empeñado en que no se olvidara quién había ganado la guerra. Se podía ver también alguna película italiana, alemana o yanqui, pero venían cortadas. El cine americano, como todos, se entretenía

en contar historias de amor, de gente rica que resolvía
sus enredos en los campos de golf. El cine español era,
naturalmente, peor, pero venía a decir lo mismo. Había
películas de cruceros y herencias..., dramas que hacían
llorar lo necesario... agustinas e isabeles, reinas santas y
leonas entretejieron su rimbombancia con películas de
guerra, uniformes y gritos...; para entretener, las películas se disfrazaron con folclóricas y monjas.

(Diego Galán, «Los cines eran calentitos», en *Tiempo de ...*,
cit., págs. 145-146.)

4.1. *«La colmena», una película*

LA COLMENA fue llevada al cine en 1982 por el director Mario Camus. Cela actúa en una breve secuencia
como escritor inventor de palabras. Es una magnífica
película, muy bien ambientada, con amplio reparto de
famosos actores. A nuestro juicio es recomendable conocer antes la novela que la película, para que la conocida
personalidad de algunos autores no se imponga a la figu-
ración lectora, por ejemplo, el sablista Leonardo Meléndez cobra mayor relieve y recibe la comicidad esperpéntica del conocidísimo José Luis López Vázquez. Otros
personajes fugaces en la novela desempeñan en la película un papel muy destacado (es el caso del bohemio Ricardo Sobredo y Nati Robles, encarnados, respectivamente, por Paco Rabal y Charo López).

La dispersión de sucesos sin unidad argumental, la
multitud de personajes y la variedad de ambientes de la
novela exigieron una drástica reducción para construir el
guión de la película. Se redujo el número de personajes y
de escenarios, se acentuó el protagonismo de Martín
Marco y se hilvanó una trama más sólida. El suceso clave

de la película es la búsqueda policial de Martín Marco, no por un edicto, sino por ser sospechoso de la muerte de doña Margot; cuando se aclara que fue un suicidio, Martín Marco queda en libertad.

Una interesante tarea escolar sería estudiar la versión fílmica de la novela. Proponemos algunas cuestiones.

 — Señala algunos sucesos relevantes en la novela que no estén en la película. Y al revés.

— Observa cómo una frase descriptiva de la novela —que las lápidas de los veladores del café son antiguas lápidas sepulcrales— da lugar a una secuencia cómica.

— Enumera datos concretos que en la novela y en la película cobren importancia para mostrar el hambre, el frío, la enfermedad y las penurias.

— El erotismo en la novela y en el cine.

— ¿Tiene la melodía musical de la película tono lírico y triste? Observa la banda sonora: pregones, campanas, ruidos, sirenas policiales...

— Observa las alusiones al régimen franquista: el «parte» de Radio Nacional, el atuendo de los falangistas, el NO-DO.

— Señala las secuencias de la película que mejor reflejen la vida cotidiana en la España de posguerra.

5. PERSONAJES

5.1. *Nombres, muchos nombres*

El nombre es el primer atributo de un personaje. El nombre designa el sexo (varón/mujer), y puede sugerir posición social. Unos personajes de la novela van a pelo, sin tratamiento, y otros llevan siempre el respetuoso don o doña, porque tienen dinero, ejercen una profesión prestigiosa o son de clase media, aunque anden a la quinta pregunta. Pero también las dueñas de casas de citas llevan el tratamiento de doña.

 — Justifica el tratamiento de don o doña que reciben estos personajes:

1. Doña Rosa y don Mario de la Vega. Son adinerados, exhiben poder y humillan a sus subordinados.
2. Don Ibrahím Ostolaza y Bofarull, el que dicta discursos académicos.
3. Don Leonardo Meléndez, el sablista, alardea de linaje: «nosotros, los Meléndez».
4. Francisco Robles y López Patón, el médico.
5. Doña Visi, doña Isabel Montes, que «anda como una reina», son de clase media.
6. Las dueñas de la casa de citas doña Celia Vecino y doña Jesusa.

Nombres raros: no falta la nominación «carpetovetónica». Siempre le han gustado a Cela los nombres estrafalarios.

 — Justifica el efecto de estos nombres. Leonardo Cascajo, Fernando Cazuela, Eudosia, Consorcio, Cojoncio Alba, cuyo nombre «había sido una broma pesada de su padre, que era muy bruto». Señala otros nombres pintorescos.

Apodos: hay muchos personajes con nombre corriente,

pero es muy característico de la obra de Cela la onomástica rara y motivada.

 — Comprueba su efecto burlesco y cómico en los siguientes casos:

1. Una prostituta se llama *Purita.*
2. Un veterinario se apellida *Ovejero.*
3. *Ventura* es opositor.
4. «Se llama doña Carmen. En el barrio a doña Carmen la llaman, por mal nombre, Pelo de muerta. Los chicos de la calle prefieren llamarla Saltaprados» (V. 25).
5. «Elvira, señorita Elvira. Es un nombre bonito [...] Ella, a lo mejor, me pone un nombre cariñoso, algo que salga de Leoncio. Leo. Oncio. Oncete...» (I. 32).
6. «A *la Uruguaya* la llaman así porque es de Buenos Aires.»

— ¿Te parecen apodos denigrantes éstos?: José Giménez Figueras, «al que llaman, por mal nombre, *Pepito el Astilla»;* o Julián Suárez Sobrón, *la Fotógrafa*, que hace ostentación de su condición homosexual; *la Marraca,* una leñadora gallega; Gumersindo, «de la familia de *los pelones*».
— Las cantaoras cambian el nombre de pila por otro artístico con mucho lerele: Angustias se hace llamar Rosario Giralda, Esperanza Granada y, al fin, Carmen del Oro; Florentino del *Mare Nostrum* es «imitador de estrellas que vive en Valencia».

Hipocorismos: algunos personajes son conocidos por el hipocorismo familiar: Trini, Visi, Filo... Hay diminutivos que designan poca edad: Alfonsito, Javierín, Emilita, la prima de Paquito, Juanita, Matildita...

— ¿Pero, no es sorprendente que las prostitutas y chicas que clandestinamente se ven con sus novios lleven también el diminutivo? Elvirita, Matildita («que es pequeñita y feuchita»), Marujita, Julita... ¿No choca el diminutivo cariñoso con el despiadado trato que les da la vida? ¿Es irónico?

5.2. *Retratos*

LA COLMENA es un enjambre de personajes, un variado muestrario de tipos. Un personaje se caracteriza por: 1) sus atributos físicos y temperamentales; 2) sus acciones; 3) lo que los demás opinan de él; 4) lo que él dice de sí mismo y de la vida; 5) tics, objetos de su pertenencia o datos exclusivos.

 — Haz un fichero de los personajes principales, con datos de identidad y un breve currículo. Los que más salen son Martín Marco, doña Rosa, la señorita Elvira, Julita, la Filo y don Roberto González. Por ejemplo:

Doña Rosa	Dueña del café La Delicia. Hermana de doña Visi. Dientecillos renegridos, virutas en la cara, gorda: «tremendo trasero». Temperamento violento. Aficionada al ojén y a los folletones. Adinerada y tacaña. Odia, insulta y explota a los empleados. Pronazi.

— *Señorita Elvira:* cap. I (6, 12, 14, 17, 22, 27, 32, 41, 45); II (13, 22, 29, 37); III (4); IV (17); V (8); VI (9).

— *Julita Moisés Leclerc,* hija de doña Visi y don Roque: cap. III (14, 19); V (1, 4, 7, 13, 16, 24, 26).

— *Doña Filo,* hermana de Martín Marco y esposa de Roberto González: cap. II (4, 11, 14, 17, 21); IV (3, 16, 33, 35); Final (2, 16).

— *Martín Marco:* redacta un informe sobre este personaje, al que hemos definido en el prólogo como un Ulises miserable y desconcertado. Ten en cuenta estos datos: hombrecillo desmedrado, paliducho, enclenque, con lentes de alambre; lleva americana raída, pantalones desflecados, sombrero gris; es «mezcla de fresco, vago, tímido y trabajador», según Nati Robles; «no tiene ideas muy claras, pero le preocupa el problema social» (ver I. 20, 25; II. 1, 5, 8, 11, 14, 17, 20, 26, 28, 30; III. 7, 18; IV. 10, 25, 28, 32, 34, 36, 38; V. 14, 25, y FINAL).

— *Martín Marco* es un personaje *in itinere:* su periplo relaciona a personajes y ambientes, y estructura la historia. Su odisea guarda simetría con la del héroe homérico. ¿Puedes comprobar estas correspondencias entre LA COLMENA y la *Odisea?*

1. El café «La Delicia» es Ítaca, de donde es arrojado.
2. Madrid es el Mediterráneo.
3. Martín llega con frío y hambre a casa de su hermana Filo, que lo acoge, como Nausikaa al náufrago Ulises. La casa es como el palacio de Feocia, y don Roberto el rey Alcinoo.

4. El policía es el Cíclope, gigante brutal que retiene a Ulises.

5. Las prostitutas son las sirenas, y Purita, que acoge en el lecho a Martín en el burdel es la diosa Calipso, que vivía en una cueva y retuvo al héroe en su isla siete años. Nati Robles, antigua compañera, que le da diez duros, es una suerte de Calipso y Circe.

6. El cementerio, con sus muertos y laberínticas calles, es el Averno.

5.3. *Sociología del enjambre humano*

LA COLMENA es un muestrario bastante completo de oficios, ocupaciones y clases sociales, pero menos de lo que pudiera parecer. Los personajes son de clase media para abajo. No salen políticos, militares ni curas. La treintena de personajes más destacados forman cinco grupos sociales y laborales. Hay personajes que podrían estar en dos grupos: doña Ramona Bragado es dueña de una lechería, pero ejerce de celestina. El señor Suárez, el hijo de doña Margot, podría ir en el grupo de los acomodados (viaja en taxi, se perfuma...) y en el de los que ejercen la prostitución.

PROSTITUTAS	EMPLEADOS	AMAS DE CASA
Elvirita	Consorcio López, encargado	la Filo
Purita	Pepe, camarero	doña Asunción
Dorita	Padilla, el cerillero	doña María Morales
Laurita	Macario, el pianista	doña Pura
Margarita	Seoane, el violinista	doña Matilde
Pirula	Julio García Morrazo, guardia	doña Visi
doña Jesusa	Eloy Rubio, corrector	
doña Celia	Roberto González, funcionario	
Ramona Bragado	Victorita, empaquetadora	
el Astilla	don José Rodríguez, escribiente	
	Petrita, criada	

SABLISTAS, OCIOSOS	LOS ADINERADOS
Ricardo Sorbedo, poeta	doña Rosa, «mujer riquísima»
Martín Marco,	don Tesifonte Ovejero, capitán veterinario
Leonardo Meléndez	don Pablo Alonso, hombre de negocios
Ventura Aguado, opositor	don Mario de la Vega, impresor
don Jaime Arce	don Francisco Robles, médico
el gitanito	el señor Suárez, alias *la Fotógrafa*
	señor Ramón, dueño de la panadería
	Celestino Ortiz, dueño del bar «La Aurora»

II. LENGUA Y ESTILO

1. LENGUAJE Y RECURSOS DE ESTILO

1.1. *Léxico*

El léxico de LA COLMENA es rico y variado.

> La asombrosa riqueza del léxico de Cela es, a la vez, el mayor atractivo y la máxima dificultad para su estudio. La lectura de sus obras deslumbra por la exactitud, la belleza y, a un tiempo, el casticismo y la garrulería de su vocabulario, que acarreado de las más heterogéneas capas de la lengua, logra su difícil unidad en un estilo expresivo flexible y personalísimo (Sara Suárez).

 — Una encuesta escolar ha probado que el estudiante medio desconoce las palabras siguientes. Casi todas fueron aclaradas en nota a pie de página. Explica su significado.

abyecto	aguamanil	alcorque	arrebol	arroba
astroso	azararse	basilisco	barahúnda	baqueteado

barbián	bodoni	botarate	buba	buscona
camelar	cantilena	cartomancia	casquivano	catequizar
caterva	colofón	correveidile	cucaña	cuchitril
cuplé	chalina	chamarilero	chuzo	desabrido
desahucio	devaneo	displicencia	ecuánime	edicto
enjuto	estraperlo	farmacopea	figón	fláccido
fresquera	furcia	gaznápiro	grullo	haragán
hemorroides	hetaira	jacarandoso	jeribeque	leontina
lezna	macana	malta	mangante	matadura
menestral	meningitis	mirífico	mitón	mohín
mojicón	monserga	noctívago	óbito	ojén
ordenancista	palomino	papo	pelandusca	pendolista
perendengue	perorata	picota	pipermín	polaina
preconizar	prendería	presbítero	pretencioso	pudibundo
quintaesencia	raído	repipi	retozar	romanza
solazarse	somanta	sopor	sota	sufragista
tahona	taimado	tarambana	tienta	tortel
trapero	trapicheo	tulipa	tunda	ultraísmo
vasar	velador	veleidad	zahorí	zorrupia

1.2. *Registro culto y popular*

Cela parte de la lengua hablada para elaborar su discurso artístico. En *Nuevas andanzas de Lazarillo de Tormes* dice:

> Me planteé con plena conciencia de lo que intentaba el propósito de conseguir un castellano de raíz popular que apoyándose en la lengua hablada, y no en la escrita, pudiera servir de herramienta a mis fines.

En LA COLMENA se combinan dos niveles lingüísticos: el habla culta y la lengua popular. Una primera observación daría este reparto:

MODO DEL DISCURSO	VOZ DEL	NIVEL
narración, descripción	narrador	culto y literario
diálogos, monólogos	personaje	coloquial y vulgar

Pero no hay una tajante separación de registros. Al contrario, las interferencias de habla culta y popular son constantes. En general, el discurso del narrador contiene metáforas, comparaciones originales, anáforas, series de adjetivos, sintaxis compleja, tecnicismos y cultismos como *electrocoagulación, hetaira, usucapión, óbito, noctívago, mirífico, canonista, preconizar, farmacopea,* etc. Aquí y allá, en las breves descripciones, afloran recursos propios de la lengua literaria. Obsérvalo en estos ejemplos:

> Sobre Madrid, que es como una vieja planta con tiernos tallitos verdes, se oye a veces, entre el hervir de la calle, el dulce voltear, el curioso voltear de las campanas de alguna capilla (Final. 1).

> En estas tardes, el corazón del café late como el de un enfermo, sin compás, y el aire se hace como más espeso, más gris, aunque de vez en cuando lo cruce, como un relámpago, un aliento más tibio que no se sabe de dónde viene, un aliento lleno de esperanza que abre, por unos segundos, un agujerito en cada espíritu (I. 3).

Pero el narrador incorpora locuciones, comparaciones tradicionales, formulismos coloquiales y hasta palabras vulgares. Lo hace para producir una tonalidad irónica, tremendista y degradante. Obsérvese la coloquialidad en estas acotaciones del narrador:

En el café, doña Rosa estaba que echaba las muelas.
La que le había armado a López por lo de las botellas de
licor había sido épica; broncas como aquella no entraban muchas en quintal. Consorcio López, blanco como
el papel, procuraba tranquilizarla (III. 17).

Tres personajes de la novela, al menos, utilizan un discurso culto para encubrir una realidad miserable y encontrar una dignidad imposible. Se elevan del registro están-
dar y acuden al estilo literario:

— El famélico poeta Martín Marco, que no tiene
  donde caerse muerto, recita un bello poema de
  Juan Ramón al despertarse con Pura (nombre
  irónico de la prostituta) en la cama de un burdel. Comprueba en I. 30 los apuros del jovencito poeta que rima versos.
— El sablista don Leonardo Meléndez emplea
  palabritas en francés (I. 2) y su impostura se
  manifiesta en el habla arcaizante. Señala los
  rasgos paródicos: «Nosotros los Meléndez,
  añoso tronco emparentado con las más rancias
  familias castellanas, hemos sido otrora dueños
  de vidas y haciendas. Hoy, ya lo ve usted, ¡casi
  en medio de la rue!».
— Don Ibrahím (cap. II. 34) habla como un libro
  abierto, con «voz solemne como la de un fagot»:
  ante el espejo pronuncia arrebatadas piezas ora-
  torias. Comprueba la parodia en: «Sí, señores
  académicos, quien tiene el honor de informar a
  ustedes... aplicando el concepto jurídico que nos
  ocupa, las condiciones del silogismo precedente, podemos asegurar que, así como...», etc.

1.3. *Rótulos pintorescos*

Especial interés tienen los rótulos de establecimientos. Son pintorescos y por lo general chistosos o degradantes. El taller de reparación del calzado, *La clínica del Chapín,* recuerda «A la regeneración del calzado», que Baroja nombra en *La busca* en irónico homenaje a los regeneracionistas.

 — Comenta los siguientes rótulos:

1. Peluquería *Cisti and Quico.*
2. Revista religiosa *El Querubín Misionero.*
3. Librería *Alimente usted su espíritu.*
4. Espectáculo musical *Melodías de la raza.*
5. Himno colombófilo *Vuela sin cortapisas.*
6. Imprenta *El porvenir.*
7. Panadería *La endulzadora.*
8. Panadería *Al solar de nuestros mayores.*
9. Un bar de camareras: *El paraíso terrenal.*

2.4. *Locuciones*

Uno de los rasgos más caracterizadores de la lengua hablada son los modismos o locuciones. Estas frases hechas son sintagmas de dos o más palabras cuyo significado no es literal, sino unitario y figurado. La locución equivale a un verbo (*dar tres cuartos al pregonero:* divulgar), un adverbio (*de pascuas a ramos:* raramente) o a un adjetivo (*de punta en blanco*: elegante). El castellano no es una lengua sintética, sino analítica y desbordada, y las frases hechas son creaciones idiomáticas muy imaginativas y pintorescas.

— He aquí un listado de locuciones para indicar su significado. (A pie de página figura la solución [1].)

1. Andarse con ojo.
2. Atar los perros con longaniza.
3. Comer la sopa boba.
4. Dar para el pelo.
5. Dar tres cuartos al pregonero.
6. Dar un vuelco el corazón.
7. Darse el lote.
8. Darse un verde.
9. De pascuas a ramos.
10. De punta en blanco.
11. Echar las campanas al vuelo.
12. Echar las muelas.
13. Echar los pies (o las patas) por alto.
14. Echar una cana al aire.
15. Echarse al papo.
16. Empapelar a alguien.
17. Estar en la luna.
18. Estar flamenco.
19. Estar fresco.
20. Estar hecho un basilisco.
21. Hacer el canelo.
22. Hacer la pascua.
23. Ir al grano.
24. Ir de bureo.

---

[1] 1. Obrar con cautela. 2. Disfrutar de bienestar o riqueza (uso irónico). 3. Vivir sin trabajar o a costa de alguien. 4. Golpear, dar una azotaina. 5. Divulgar. 6. Sufrir un susto o una fuerte impresión. 7. Magrear, acariciarse eróticamente. 8. Hartarse, disfrutar de una cosa. 9. Raramente. 10. De punta en blanco: elegante; de etiqueta. 11. Alegrarse mucho; dar mucha publicidad a una noticia. 12. Estar furioso. 13. Enfadarse. 14. Divertirse por una vez quien no suele hacerlo. 15. Ingerir, comer. 16. Procesarle. 17. Estar fuera de la realidad; no enterarse. 18. Estar robusto; envalentonarse. 19. Se dice a alguien que tiene una esperanza irrealizable. 20. Encolerizado. 21. Hacer el tonto. 22. Fastidiar. 23. Tratar lo esencial de un asunto, sin entretenerse. 24. Ir de juerga.

25. Ir de cabeza.
26. Ir de flete.
27. Ir manga por hombro.
28. Mandar al cuerno.
29. Meter la pata.
30. Meterse [tener] algo entre ceja y ceja.
31. No levantar cabeza.
32. No llegar la camisa al cuerpo.
33. No saber de la misa la media.
34. No tener pelos en la lengua.
35. Oler a cuerno quemado.
36. Pasar las de Caín.
37. Pasar por la entrepierna.
38. Pegar la hebra.
39. Perder el pelo de la dehesa.
40. Poner en la picota.
41. Ponerle las peras a cuarto.
42. Pringarla.
43. Quedar como una malva.
44. Quedarse como un sorbete.
45. Sacar los pies del plato, o del tiesto.
46. Salir bordado.
47. Sentar mano dura.
48. Ser cocinero antes que fraile.
49. Ser más infeliz que un cubo.
50. Ser pan comido.

---

25. Estar muy atareado. 26. Buscar una conquista amorosa. 27. Que no hay orden. 28. Desentenderse, despreocuparse. 29. Cometer una indiscreción o un error. 30. Obstinarse. 31. No salir de la pobreza, de una desgracia. 32. Estar asustado o angustiado. 33. Ignorar, no estar enterado. 34. Hablar sin reparo, ser franco. 35. Sospechar algo desagradable. 36. Pasar apuros o calamidades. 37. Desentenderse de algo. 38. Entablar una conversación. 39. Liberarse del comportamiento de paleto. 40. Avergonzar. 41. Reprender severamente, interpelar. 42. Echar algo a perder. Morir. 43. Quedar sumiso. 44. Quedarse aterido, pasar mucho frío. 45. Atreverse o insolentarse. 46. Salir perfecto. 47. Castigar. 48. Tener experiencia. 49. Ser ingenuo. 50. Ser pan comido; fácil de hacer.

51. Ser un grullo.
52. Ser un piernas.
53. Subirse la sangre a la cabeza.
54. Templar gaitas.
55. Tener conchas.
56. Tener el santo de espaldas.
57. Tener la sartén por el mango.
58. Tener mala pata.
59. Tener mala uva
60. Tener malas pulgas.
61. Tirar de la cuerda.
62. Vivir del sable.

1.5. *El bestiario comparativo. Las imágenes*

Las comparaciones y metáforas son frecuentes. Hay dos clases de imágenes.

Imágenes *populares*	Imágenes *literarias*
Propias de la lengua hablada. Su término real *(A)* suele ser un personaje y el imaginado *(B)* un animal. La comparación sirve para intensificar la tonalidad degradante o humorística.	Son creaciones originales. La tonalidad es variada, de la degradación a la ternura. Esta imagen suele llevar adjetivos o sintagmas determinantes.
—se aburren como ostras. —sois igual que bueyes. —echaba sangre como un becerro. —pintada como una mona.	—Madrid es como un vieja planta con tallitos verdes. —una imaginación torpe, corta y maternal como el vuelo de una gallina.

---

51. Ser bobo, ignorante. 52. Ser un don nadie; persona sin categoría ni fortuna. 53. Encolerizarse. 54. Tranquilizar o desenfadar a alguien. 55. Ser astuto o reservado. 56. Tener mala suerte. 57. Dominar una situación, mandar. 58. Tener mala suerte. 59. Mala intención. 60. Tener mal genio, ser violento. 61. Frenar a alguien. 62. Sacar dinero a alguien sin intención de devolverlo.

En muchos casos la persona o un rasgo personal se compara con un animal. Esta animalización es esperpéntica y degradante. Sirve para ridiculizar y subrayar una cualidad moral perversa. Así, *doña Pura es una víbora,* es decir, una persona dañina, de malas intenciones.

(A) personaje	=	(B) animal:
doña Pura		*víbora*
		b[1] cualidad de la víbora: dañina,

— El *bestiario* comparativo es muy amplio: culebras, focas, loros, monos, corderos, potros, terneros, grillos, palomas, gallinas... De cada una de las imágenes siguientes, di: *a)* si son literarias o populares; *b)* su significación; *c)* su tonalidad, si suponen degradación del personaje.

1. Agazapado como un gato montés.
2. Aguanta como un cordero.
3. Con ganas de saltar como un potro salvaje.
4. Con los ojos abiertos parecía una lechuza.
5. Don Roberto es un cerdo ansioso.
6. La esperanza es ligera como una golondrina, tímida como una paloma.
7. Furcia llena de granos y mataduras como una mula.
8. Gato paciente y sabio como un abad.
9. La inspiración es una mariposita ciega y sorda.
10. La dentadura en el vaso de agua como un misterioso pez.
11. La mañana trepa como un gusano por los corazones de los hombres.
12. Los bigotes de doña Rosa se le erizan como los negros cuernecillos de un grillo enamorado y orgulloso.
13. Lleno de vida como un ternero.

14. Retoza como perrillo faldero.
15. Sonrisa de buey benévolo.
16. Suena el somier disparatado y honesto como el canto de una cigarra.
17. Tenía un aire triste y soñador de perro sin dueño.
18. Por su cabeza vuelan, como las palomillas de la polilla, las briznas de la conciencia.

— Comenta estas otras composiciones y metáforas.

1. Bebe como un sargento de caballería.
2. Corazón negro y pegajoso como la pez.
3. El vientre hinchado como pellejo de aceite.
4. La cabeza picuda como una pera.
5. La ciudad, ese sepulcro, esa cucaña, esa colmena.
6. Las calles se llenan como rebosantes tazas.
7. Las palabras suenan como el latón.
8. Mira como un gladiador romano.
9. Las tiernas, las amorosas putas del espíritu, dulces, entristecidas, soñadoras y silenciosas como varas de nardo.
10. Una voz que parecía una campana infinita.
11. El gato tiene el vientre abierto y rojo como una granada y del agujero del culo le sale como una flor venenosa, una flor que parece un plumero de fuegos artificiales.
12. Los muertos del depósito parecen peleles asesinados, máscaras a las que se les acabó la cuerda.

1.6. *La literatura está en el adjetivo*

El adjetivo aporta plasticidad y emoción. El escritor cubano Alejo Carpentier dice que «si se logra con palabras sensación del color, la densidad, el peso, el tamaño, la textura y el aspecto del objeto, se habrá cumplido la

máxima tarea que incumbe a todo escritor verdadero...».
El adjetivo es un índice de estilo. «La literatura está en el
adjetivo», decía Azorín, aunque Umbral opina que para
acertar con el adjetivo hay que tener imaginación. Cela sí
la tiene. Por ejemplo, califica de *agrias* unas notas de canción: es una sinestesia. En LA COLMENA no es infrecuente
la serie de dos o tres adjetivos. La *cotidiana, áspera, entrañable y dolorosa realidad* se presenta en ocasiones
muy calificada, con matices semánticos y afectivos sor-
prendentes. «Tiene una caries *honda, negruzca y redondita*»; «negruzca» connota tonalidad degradante y repul-
siva gracias al sufijo, y contrasta con «redondita», cuyo
diminutivo indica delicadeza. Por tanto, al describir la caries como «honda, negruzca y redondita» se produce una
comicidad burlesca o irónica.

a) Hay series de *adjetivos sinónimos* o que en el contexto mantienen cierta solidaridad semántica: *«triste* y
amarga la mirada, *preocupada* y como *sobrecogida».* Es
un procedimiento enfático calificar un llanto de *violento,
dramático, aparatoso*. La serie de adjetivos sinónimos
intensifica la tonalidad afectiva de ternura, humor, degradación...

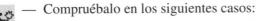 — Compruébalo en los siguientes casos:

1. se oye el *dulce* voltear, el *cariñoso* voltear de la campanas.
2. *agrias, agudas, desabridas* notas de flamenco.
3. una cojera casi *cachonda,* una cojera casi *coqueta* y
   casquivana.
4. un tranvía *tristemente, trágicamente,* casi *lúgubremente* bullanguero.
5. pobres, *amables, entrañables* cosas.

6. *amorosas, dulcísimas,* domésticas madres de familia.
7. la chapa del armario se presenta *cruda, desnuda,* pálida y delatora.
8. Vinieron a sacarlo del dulce sopor unos timbrazos *violentos, atronadores,* descompuestos.

b) Hay también series de *adjetivos antónimos.* Su función es producir una sorprendente sugerencia. El contraste es un rasgo muy propio de Cela. A veces contrapone dos realidades repelentes o indignas una de la otra, como lo son el florido discurso jurídico de don Ibrahím y el peregil en el culo del niño estreñido (II. 34).

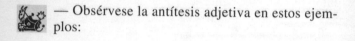 — Obsérvese la antítesis adjetiva en estos ejemplos:

1. le gustan los niños pequeños, *tiernos, violentos,* urbanos lobeznos amaestrados. (Hay antítesis también entre *urbano-amaestrado* y el sustantivo lobezno).
2. el gesto de la bestia *ruin,* de la *amorosa* bestia cansada.
3. todo es cuestión de cuajos: los hay que lo tienen *grande y blanducho,* como una babosa, y los hay que lo tienen *pequeñito y duro,* como una piedra de mechero.

1.7. *Tonalidad tremendista*

¿Qué emoción transmite el texto? En LA COLMENA la tonalidad sentimental no es neutra. Al contrario, la realidad se ofrece «áspera, pobre, dolorosa y entrañable», «sin extrañas tragedias, sin caridad», según el propio Cela.

— Consulta en el prólogo lo que se dice sobre la tonalidad tremendista. Justifícala en estas citas:

Doña Matilde pone los ojos en blanco. Es gorda, sucia y pretensiosa. Huele mal y tiene una barriga tremenda, toda llena de agua (I. 29).

La Uruguaya es una golfa tirada, sin gracia, sin educación, sin deseos de agradar; una golfa de lo peor, una golfa que por no ser nada, no es ni cobista; una mujer repugnante, con el cuerpo lleno de granos y de bubones, igual, probablemente que el alma; una sota arrastrada que no tiene conciencia ni vocación y amor al oficio, ni discreción [...] La Uruguaya es una hembra grande y bigotuda, lo que se dice un caballo, que por seis reales sería capaz de vender a su padre [...] Tiene una lengua como una víbora (IV. 10).

El tono irónico es frecuente. Es resultado de una contemplación distanciada y crítica. El narrador expone con aparente objetividad los hechos, pero a la vez los enjuicia y desacredita. Compruébalo en títulos y rótulos, en el nombre de algunos personajes, en los diminutivos y en el contraste de dos situaciones que se repelen, como en el discurso de don Ibrahím o las beaterías de doña Visi.

2. Gramática de la lengua hablada

2.1. *El habla de la calle*

Frente al registro culto y formal, se oponen etiquetas como lengua popular, coloquial, familiar, vulgar, rústica, etc. Un oído sensible matiza esas variantes, aunque no hay límites entre ellas. Lenguaje *coloquial* es el habla que brota en la conversación diaria, pero va desde una manifestación cuidadosa y modélica a otra *familiar,* más es-

pontánea y afectiva, expresiva y apelativa. Es la que domina en los diálogos de la novela. Pero en ellos se incrus-
tan *vulgarismos,* es decir, rasgos fonéticos, gramaticales
y léxicos que se tienen por incorrectos.

— Comenta los siguientes vulgarismos. En su
caso di su significado:

Laísmos: *he de decirla, la parece un ángel.*
Palabras y expresiones: *leñe, nos ha merengao, cocre-
tas, panoli, paralís, limpia, pringarla, pasmao, choteo.*
El artículo delante del nombre: *la* Maribel, *la* Eulo-
gia, *la* Filo.
Insultos: *zorrupia, furcia, golfo, mangante, chulo...*
Voces argóticas como *descuideros* y *tomadores de
dos.*
Gitanismos: *denén, camelar.*

Donde se captan las características de la lengua hablada es en los diálogos. Son creíbles, vivaces y pintorescos.
Son, sobre todo, eficaces, para dramatizar una situación y
definir a los personajes. Así, la conversación formularia
y vacía delata la incomunicación, la falsedad de los afec-
tos y la rutina de sus relaciones.

— Compruébalo en este retazo de conversación
conyugal, con la acotación irónica del narrador
(IV. 33).

—Oye, Roberto.
—Qué.
—Deja el periódico, hombre.
—Si tú quieres...
Filo coge a don Roberto de un brazo.

—Oye.

—Qué.

La mujer habla como una novia.

—¿Me quieres mucho?

—¡Pues claro, hijita, naturalmente que mucho! ¡A quién se le ocurre! (IV. 33).

2.2. *Excitantes de la atención*

Muchas formas son apelativas, es decir, sirven para reclamar la atención del oyente o para exhortarlo a actuar. Estos excitantes de la atención son:

a) Los pronombres de segunda persona: *tú, usted.*

b) Los imperativos que apelan a los sentidos y a la acción: *oye, mira, escucha, di, anda...*

c) Las fórmulas de tratamiento respetuoso: *señor, señora, caballero, don...*

d) Vocativos de parentesco: *papá, mamá, hija, tío...* Otros vocativos son genéricos: *hombre, mujer.*

e) Preguntas que no buscan respuesta, sino la atención o complicidad del oyente: *¿eh?, ¿me oye?, ¿me entiende usted?, ¿sabe usted?, ¿verdad?, ¿no es cierto?*

— Comprueba las fórmulas apelativas en esta muestra:

—¿Que qué pasa? ¡Tú bien lo sabes! ¿No te andas con ojo? ¡Allá tú! Yo siempre te lo tengo dicho, así no salimos de pobres. ¡Mira tú que andar ahorrando para esto!

—Pero mujer, si se los descuento después. ¿A mí qué más me da? ¡Si se los hubiera regalado!

2.3. *Fórmulas de transición*

Hay latiguillos conversacionales que son de transición en tanto el hablante encuentra las palabras. Son apoyos de urgencia que evitan el silencio. Son más frecuentes cuando el personaje habla muy excitado. Tienen valor explicativo, resumidor o reiterativo. Son expresiones como *pues, es que, lo que pasa es que, vamos, o sea...*

2.4. *Derivados y diminutivos*

Los sufijos son un recurso morfológico para expresar la afectividad. En boca de los personajes o del narrador el diminutivo es frecuente con valor humorístico, irónico, despectivo, cariñoso, ridiculizador...

— En los siguientes ejemplos el valor afectivo del diminutivo es evidente.

1. Aquel niño muerto que, ¿no se acuerda usted?, tenía el *pelito* rubio, era más bien *delgadito*...
2. El dependiente mueve el *culito* al andar.
3. La novia de don Ricardo es un *golfita* hambrienta, sentimental y un poco repipia.
4. ¡Con lo monos que son los *chinitos chiquitines*! Si nosotras no nos privásemos de alguna cosilla... ¿Y los *pequeñitos,* mujer, los que no saben andar, los que están siempre parados como *gusanines* en el mismo sitio? (La excesiva ternura expresada con los diminutivos ridiculiza a doña Visi, que, entre suspiros, se desvive en su afán misionero.)
5. Muy *cogiditos* de la mano... *Matildita* habla en un susurro: Adiós, *pajarito* mío... *Matildita* es *pequeñita* y graciosa, aunque *feuchita*... *Matildita* tiene 39 años.

(Estos diminutivos ridiculizan el empalago amoroso de dos adultos que se comportan como tiernos adolescentes.)

2.5. *Sintaxis coloquial*

La sintaxis de la lengua hablada es dinámica y suelta. El orden de las palabras es más sicológico que lógico: primero, lo más importante. Hay frases nominales, sin verbo. Algunas oraciones quedan inacabadas, truncas. Las subordinadas son raras. Predomina la oración simple o la coordinada.

— Puedes comprobar esas características sintácticas en los ejemplos siguientes.

—¡Pero ahora mismo tiene que ser? ¿Tiene que ser ahora mismo?

—¡Que en mi café y en mis propias narices, un mierda de encargado que es lo que eres tú, me rompiese las cosas porque sí...!

—Mamá.
—Qué.
—Tengo que hacerte una confesión.
—¿Tú? ¡Ay, hijita mía, no me hagas reír! Di, hija, di.
—Pues no sé si me voy a atrever.
—Sí hija, di, no seas cruel [...]
—Pero...
—No, mamá, no temas. Es muy bueno.
—¿Y decente, hija mía, que es lo principal?
—Sí, mamá, también decente.

Una secuencia muy apropiada para comprobar las características de la lengua hablada es la 17 del capítulo III, que empieza: «En el café doña Rosa está que echa las muelas...». La despótica dueña abronca a los camareros y los insulta a voz en grito, llena de irritación. El tema de la secuencia es la humillación. Sus amenazas —¡«sois unos rojos!, vais a ir todos a la cárcel...»— reflejan el clima de denuncias y amenazas que pesaba sobre los que habían perdido la guerra.

 — Analiza en esa secuencia los rasgos de la lengua hablada:

a) Los excitantes de la atención.
b) Las fórmulas de transición.
c) Las locuciones.
d) Los diminutivos.
e) Las comparaciones.
f) El léxico.
g) La sintaxis coloquial.

III. COMENTARIO DE TEXTOS

1. Propuesta para el comentario de textos

El esquema de la página siguiente podrá servirte de base para el comentario de textos.

A continuación formulamos un cuestionario para guiar tu trabajo, siguiendo el esquema anterior. Una vez hayas redactado el comentario puedes cotejarlo con el que desarrollamos en el apartado 2. El texto propuesto es la secuencia 3 del cap. I.

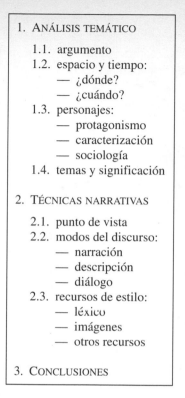

1. ANÁLISIS TEMÁTICO

    1.1. argumento
    1.2. espacio y tiempo:
       — ¿dónde?
       — ¿cuándo?
    1.3. personajes:
       — protagonismo
       — caracterización
       — sociología
    1.4. temas y significación

2. TÉCNICAS NARRATIVAS

    2.1. punto de vista
    2.2. modos del discurso:
       — narración
       — descripción
       — diálogo
    2.3. recursos de estilo:
       — léxico
       — imágenes
       — otros recursos

3. CONCLUSIONES

1.1. *Análisis temático*

 — *Argumento:* es una secuencia sin apenas argumento. Indica los tres o cuatro sucesos que se narran.

— *Espacio y tiempo:* indica las características materiales del café «La Delicia». ¿Qué interpretación les das? En cuanto al tiempo histórico, ¿cuándo ocurren los sucesos? ¿En qué lapso de tiempo?

— *Los personajes:* ¿el protagonismo es colectivo o individual? Caracteriza a los personajes indicando su comportamiento y atribución sociológica. Se cita a doña Rosa, ¿quién es?

— *Temas:* señala los temas e indica si son representativos de la significación existencial y social de la novela.

1.2. *Técnicas narrativas*

— El *punto de vista* es omnisciente. Justifícalo.

— El *tono* sentimental varía al final del primer párrafo. ¿Lo puedes explicar y probar?

— ¿Cuál es la *modalidad* dominante?

— El *uso de la lengua* es culto y literario. Estudia las imágenes, la adjetivación y la repetición de palabras.

1.3. *Conclusión*

— Escribe en tres o cuatro líneas tu valoración de la secuencia en relación con la novela.

2. DESARROLLO DEL COMENTARIO

2.1. *Análisis temático*

La secuencia I. 3 describe el ambiente del café «La Delicia» y retrata anímicamente a los clientes.

Argumento: es una secuencia sin apenas argumento. Los clientes son personas pasivas y ensimismadas:

    — ven pasar distraídamente a la dueña;
    — piensan en este mundo decepcionante;
    — todos fuman;
    — a ratos charlan de asuntos triviales.

Espacio y tiempo: el local refleja la pobreza y la escasez en los años de posguerra. En efecto, los veladores son viejos y costrosos, y los mármoles son antiguas lápidas. No sólo hay ruina material, sino moral: «todo ha ido fallando» inexplicablemente. El café de doña Rosa es una de las celdillas de la colmena madrileña. Es un refugio. Allí los clientes se libran del frío de la calle y *matan el tiempo*.

El tiempo histórico de la novela es diciembre de 1943. El tiempo interno de este texto es un presente habitual; en concreto, algunas tardes.

Personajes: el protagonismo de la secuencia —como el de la novela— es colectivo. Aquí tenemos al «enjambre» de clientes refugiados en el café, que se llama irónicamente «La Delicia».

Los personajes están caracterizados con los siguientes atributos: absortos, meditativos, ensimismados, resignados —nada tiene remedio— y fatalistas —«las cosas pasan porque sí». Hay en todos cansancio vital. Sus gestos *de bestia cansada* son expresión del peso amargo de los recuerdos, sin duda, relacionados con la guerra civil. Están sumidos en el tedio y la desesperanza. Algunos son vagamente soñadores.

Se cita a la dueña, doña Rosa. Por otras secuencias sabemos que es una mujer gorda, vulgar, déspota, avara, malhumorada, violenta, aficionada al ojén y de ideas pro nazis.

Hay simbiosis entre espacio y personajes. El ambiente y el clima espiritual es ruinoso y enfermizo. Se dice al final: el corazón del café late *como el de un enfermo*.

Temas: los motivos de esta secuencia son de dos órdenes:

a) la pobreza y la escasez. Están sugeridas en la inicial descripción de las mesas. LA COLMENA es un testimonio realista y social porque refleja la vida cotidiana en el Madrid de 1943. Esta secuencia es un documento costumbrista;

b) pero lo esencial de la secuencia es el retrato existencial de los personajes. La novela los presenta con conciencia incierta de su destino. Los motivos existenciales de la secuencia son incomunicación, soledad, tedio y amargura. La esperanza es fugaz.

Este texto es indicativo de la difícil sobrevivencia material y moral de la posguerra.

La *estructura* superficial del texto es sintética. En efecto, el final se resume en la imagen *el corazón del café late como el de un enfermo*. La estructura temática se basa en relacionar el ambiente (espacio y tiempo) con los personajes.

2.2. *Técnicas narrativas*

El *punto de vista* es el de un narrador fuera de la historia. Es omnisciente, pues conoce el mundo mental de los personajes, lo que sueñan, recuerdan y meditan. La actitud del narrador parece distanciada y objetiva, pero se delata al final. El narrador interviene aportando su lamento fatalista: *¡ay!*

El *tono* sentimental es truculento al final del primer párrafo. El humor es negro: *hasta un ciego...* Los dos epitafios contrastan cursilería —*la flor de la juventud*— y pompa grotesca. El segundo párrafo tiene tonalidad lírica, de delicada ternura. Lo connotan las expresiones *aliento tibio, lleno de esperanzas, agujerito.*

El texto es de *modalidad* descriptiva. Apenas hay narración y el diálogo se incrusta fugazmente al final: *¿no se acuerda usted?*

El *uso de la lengua* es culto y literario. Los principales recursos de estilo son los siguientes:

a) las imágenes son originales: *gesto de bestia, mar de amargura, late como el de un enfermo, abre un agujerito en cada espíritu;*

b) los recursos gramaticales son: los verbos están en presente y tienen valor habitual; los adjetivos se acumulan y por lo general van antepuestos y son explicativos: amorosa, suplicante bestia; pobres, amables, entrañables cosas. La repetición de palabras y las anáforas tienen efecto intensificador; la repetición destaca la rutina y el tedio de las acciones. Además, hay sintagmas paralelos:

— un aliento que no se sabe...
— un aliento lleno de esperanza
— un aliento que abre un...

2.3. *Conclusión*

Es una secuencia muy representativa porque contiene los temas básicos, retrata espiritualmente a la gente, da indicio de las penurias cotidianas y ocurre en el café, la localización más repetida de LA COLMENA.

COLECCIÓN AUSTRAL

Serie azul: Narrativa
Serie roja: Teatro
Serie amarilla: Poesía
Serie verde: Ciencias/Humanidades

ÚLTIMOS TÍTULOS PUBLICADOS